hp

Henri IV

G. Slocombe

Henri IV

1553-1610

Payot

106, boulevard Saint-Germain 75006 Paris

Cet ouvrage a été publié en 1933 dans la « Bibliothèque Historique ».

La présente édition reproduit sans changement le texte de la version originale.

PROLOGUE

Par une journée d'automne de cette année 1589 si pleine de promesses, qui suivit l'aventure de la Grande Armada, on pouvait voir une face brune et ardente, au masque méphistophélique, s'encadrer dans une lucarne du clocher de Saint-Germain-des-Prés. Les yeux vifs et hardis qui scrutaient avidement les tours et les murailles du vieux Paris, à cheval sur la Seine, que des quais de pierre n'enserraient pas encore, étaient ceux d'un homme de trente-six ans, d'aspect juvénile : silhouette élancée, joues maigres et tannées, courte barbe noire et bouclée se redressant avec un air de défi, front haut et large, lèvres au sourire malicieux mais dépourvu de méchanceté.

Six mois auparavant, son beau-frère Henri III avait été assassiné. Sa femme, la fantasque Marguerite de Valois était sortie de sa vie conjugale, suivie du cortège des amants qu'entraînait l'ardeur de ses passions. La bataille épique d'Arques, avec le chant des psaumes qui y préluda dans le brouillard matinal et le canon tonnant soudainement du haut des murs du château dans le soleil levant, avait été livrée et gagnée. Depuis lors, ses propres soldats huguenots et les rudes piquiers anglais du corps Élisabeth-Essex avaient combattu sous lui, dans une série d'escarmouches et de sièges qui l'amenait finalement devant ce Paris irréductible, où le sang coulait encore, et où sévissait toute la fureur violente de la Ligue au milieu des barricades.

Ses hommes étaient logés dans les faubourgs de la Cité. En ce moment même, il pouvait entendre les accents rythmés des psaumes de Gondinel qui s'élevaient du Pré-aux-Clercs. Mais par delà les murailles de l'enceinte, se dressaient les abbayes et les tours des Ligueurs, pleines de moines prêcheurs, d'hommes d'armes et de bourgeois mécontents. Là aussi régnaient l'ambitieux parti des Guise et les émissaires de l'Espagne, insolents et machiavéliques.

Il examinait curieusement le sombre bâtiment du Louvre, la forteresse à demi ruinée de Philippe le Bel, où il avait vécu les années sanglantes de l'époque de son mariage, du martyre de Coligny et des victimes de la Saint-Barthélemy. Mais l'orgueilleuse cité, capricieuse, fanatique et rebelle, n'était pas encore disposée à se laisser prendre. Seize ans avaient passé, depuis qu'il avait joué aux dés avec deux autres jeunes hommes dans une salle du Louvre, au cours d'une scène qu'il évoquait nettement : Henri d'Anjou, avec sa peau blanche, ses traits mignards et ses mains de femme, le jeune Henri de Guise, grand et blond comme son père, le rude vainqueur de Calais. Auprès d'eux, Henri de Navarre se revoyait lui-même sous les traits d'un jeune homme élancé, noir de cheveux et brun de peau, au langage alerte, et en train de faire son apprentissage du danger. Et tandis qu'ils jetaient les petits cubes d'ivoire, une tache rouge, couleur de sang, était apparue sur la table. Guise, l'ayant montrée en riant, la frotta négligemment de sa main gantée : la tache reparut, et Navarre poussa un cri d'horreur. Mais d'Anjou railla cette terreur maladive. Quand la tache avait reparu pour la troisième fois, le prince gascon s'était éloigné, poursuivi par le rire moqueur de ses compagnons.

Aujourd'hui le souvenir de cette nuit sinistre d'humiliation revivait devant lui. Ses yeux se portaient sur la large manche du prêtre qui avait gravi avec lui le sombre escalier du clocher, et cette vue lui rappelait le moine Jacques Clément, dont le couteau meurtrier, tiré d'une semblable manche, avait frappé Henri III quelques mois plus tôt à Saint-Cloud.

Et songeant que, par un étrange coup du sort, les deux autres Henri de la table du Louvre avaient péri assassinés, il frissonna imperceptiblement, en dépit des rayons d'un soleil d'automne qui descendait sur la pointe des tours, sur les murs de la ville et sur les eaux du fleuve large et lent. La tache de sang, apparue sur la table de jeu, s'était étendue si largement qu'elle avait noyé deux des joueurs. Le troisième, encore en vie, n'était roi de France que de nom. « Roi sans trône, mari sans femme, général sans armée », comme il l'avait dit quelques mois plus tôt, en plaisantant amèrement devant les nobles de Saint-Cloud, tandis que le cadavre du roi assassiné s'allongeait sinistrement sous les torchères funèbres de la chambre voisine.

Et tandis que, du haut de ce clocher, il contemplait ardemment sa capitale, le rêve sombre qu'il vivait depuis son enfance, se déroula lentement devant ses yeux : sa jeunesse sur les collines du Béarn, son premier voyage à la Cour de France, le triste roi Henri II avec ses enthousiasmes puérils, ses fureurs soudaines et ses crises de larmes, sa première entrevue avec la reine Catherine de Médicis, cette femme froide au visage pâle, entourée d'un groupe d'enfants parlant furtivement à voix basse.

Les souvenirs de son enfance à Pau surgissaient un à un : le soleil couchant sur les cimes majestueuses, les bergers maigres et hirsutes, les accents des psaumes huguenots dans le soir tombant. Et son regard se voilait en évoquant sa mère Jeanne d'Albret, toujours engagée, aussi loin que remontait sa mémoire, dans une lutte sans merci et sans espoir avec Catherine, avec Philippe d'Espagne, avec Antoine de Bourbon, époux infidèle. Il la revoyait dans sa chambre glaciale du château de Pau écrivant des exhortations passionnées aux Réformistes de Genève, au Prince d'Orange, à la reine protestante d'Angleterre, aux luthériens d'Allemagne, fournissant à la Cause des hommes, des armes et de l'argent, conseillant Coligny et Condé, recevant les avis du grand Théodore de Bèze, son directeur religieux.

En admirant la force d'âme de cette femme frêle, il revoyait, ligués contre elle, la puissante Cour de France avec ses intrigues et sa corruption, les Guise méprisants, les Jésuites complotant sans cesse, Philippe d'Espagne et ses espions, la Grande Inquisition elle-même, et non moins redoutable peut-être, Catherine, avec sa cour importée de Florence de prostituées et d'empoisonneurs. Aujourd'hui, Henri de Navarre se sentait libéré depuis peu du mauvais sort jeté sur lui.

Du premier jour où elle l'avait vu, Catherine avait détesté ce Gascon ardent, si importunément introduit dans sa lignée clandestine et honteuse. Un des astrologues italiens qui remplissaient de leurs incantations et de leur alchimie les tourelles des palais royaux n'avait-il pas prédit que l'enfant du Béarn hériterait du trône de France ? Et dès lors, la reine-mère avait haï et redouté cet enfant.

Cependant, pour des raisons qui lui étaient personnelles, mais restaient insondables, Catherine avait marié le jeune prince à sa fille Marguerite. Henri de Navarre retrouvait maintenant avec indulgence le souvenir de la folle Margot, avec sa longue suite d'amants toujours renouvelés et dont la liste ne paraissait pas épuisée. Disparue depuis quelques années de la vie de son époux, elle vivait presqu'oubliée dans son château d'Usson, perdu dans les sauvages montagnes d'Auvergne.

Avec ses dentelles et ses parfums d'Italie, avec sa voix chantante de poétesse, elle lui était d'abord apparue aimable. Fleur éblouissante et rare, même dans les jardins de Catherine, si riches de beautés peu farouches, elle avait enchanté et troublé le jeune roi de Navarre, par son visage délicat et voluptueux, son rire argentin, son bavardage libre et parfois scandaleux.

Pourtant, Jeanne d'Albret, femme pleine de sagesse, avait deviné tous les dangers que cachait ce mariage brillant pour son fils, elle qui détestait le vice élégant et tapageur des cours. Dès le premier jour, elle s'était méfiée de la beauté insolente et de l'intelligence perverse de Marguerite, pressentant en celle-ci, avec une intuition profonde, la mauvaise foi des Médicis, jointe à une nature sensuelle et raffinée.

Henri de Navarre, lui, avait accepté avec une joie sans mélange cette union avec une aimable fille de France, fasciné par sa culture intellectuelle, ses manières élégantes, son talent poétique et son art de composer des sonnets, ses soieries et ses parfums. Ce calme visage de femme, que le sourire creusait de fossettes, avait séduit le prince, et pendant les premiers mois de leur mariage, il s'était senti tour à tour attiré et repoussé par tout ce qui apparaissait de secret, de troublant et de dissimulé à son intelligence claire et à son caractère franc dans l'allure, les regards, le parler subtil et délicat de la jeune femme. A peine déshabitué des conquêtes faciles et des amours simples avec les brunes et ardentes filles du Midi à la peau si douce, Henri s'était senti envahi d'émotions et de pressentiments divers, auprès de cette fille des Valois capricieuse et à l'éducation raffinée, qui ne l'avait accepté pour époux que sur l'insistance de son royal frère. Mais en fin de compte, la nature froidement et délibérément sensuelle de Margot l'avait révolté et froissé. Et par la suite le souvenir de cette figure provocante, de ce sourire fuyant, de ce corps voluptueux, de ces yeux insolents aux regards frivoles demeura dans l'esprit du mari inséparable de la lourde atmosphère d'intrigue, de trahison et de meurtre qui avait assombri leur lit nuptial à la Cour de Charles IX.

Derrière l'image de cette femme se détachant comme une flamme mouvante dans l'ombre incertaine, le fond obscur était devenu impalpable comme celui d'un mauvais rêve : les ombres sinistres de la nuit de la Saint-Barthélemy, l'attentat contre le vieil amiral, le conseil tenu au Louvre à minuit par les jeunes chefs huguenots dans sa propre chambre, le bruit du tocsin éclatant brusquement au clocher de Saint-Germain-l'Auxerrois, les cris sauvages des archers, les clameurs d'épouvante des victimes, puis, pendant des jours entiers, l'humiliation et la terreur du massacre, sa captivité et celle de son cousin Condé, retenus prisonniers dans un palais rempli de cris de frayeur, étroitement surveillés par Charles IX l'insensé et sa mère hypocrite, les yeux moqueurs de Henri de Guise et Henri d'Anjou, l'efféminé, partagé à cette heure même entre sa ruse féminine, son amour de l'intrigue et sa magnifique indolence.

Tout en parlant encore de sa femme avec colère ou mépris, Henri de Navarre avait depuis longtemps pardonné à Margot sa froideur, ses trahisons et ses ruses italiennes.

Désormais sourd aux appels du vice et de la volupté qu'il avait écoutés pendant ses premiers jours passés à la Cour de France, l'esprit hardi du Gascon ne ressentait plus que mépris pour des souvenirs qui ne le troublaient plus. Margot ne le

tenait plus sous le charme. Maintenant, il pouvait penser à
elle sans ennui et sans haine, et sans même ce sentiment de
vague irritation et cette impression de honte que lui causait
son infériorité rustique de jeune garçon lourdaud, frais émoulu
de son Béarn natal, et entrant, par droit de mariage, dans le
lit parfumé d'une fille de France.

De tous les familiers de cette Cour de violence et de trahison, de tous les compagnons de sa jeunesse turbulente et de
ses dissipations, de ses dures campagnes, de ses amours cham-
pêtres et de ses négociations diplomatiques, il restait seul
aujourd'hui avec sa femme reléguée au loin. Catherine était
morte : et la disparition de sa vieille ennemie avait causé une
joie profonde à Henri de Navarre. Le dernier fils de la reine-
mère et son préféré Henri III était mort lui aussi, suivant
dans cette tombe des Valois, hantée de fantômes, le duc
d'Alençon, Charles IX et même cet éphémère François II,
déjà bien oublié, qui avait été l'époux-enfant de Marie Stuart.

Autour de cette tombe, Henri de Navarre pouvait voir
errer les spectres des myriades de victimes de la Saint-Barthélemy, celui du duc de Guise assassiné à Blois, celui de
l'amiral Coligny, cette noble figure si fière et si pure du héros
de la Réforme en France, ceux des conspirateurs d'Amboise
et encore le fantôme pâle et mélancolique de Marie Stuart
elle-même, qui avait servi de jouet sinistre entre les mains
des Guise, et qu'Élisabeth d'Angleterre venait d'envoyer au
pays des Ombres.

Soudainement, la tour du clocher était devenue sombre.
Le moine qui accompagnait Henri de Navarre se plongeait
dans la lecture silencieuse de son livre. Au dessous d'eux, à
travers la lucarne, Paris brillait comme une cité de fer. Ses
tours rondes aux toits d'ardoise pointus miroitaient comme
des cuirasses. Les rues, où un an auparavant les Ligueurs
catholiques avaient élevé contre le pouvoir royal des barricades au milieu desquelles le peuple acclamait son héros le
duc de Guise, fourmillaient d'hommes d'armes. Les couvents
semblaient des arsenaux et la ville entière un vaste monastère
armé en guerre. Les huguenots du roi de France n'étaient
qu'une minorité turbulente, et lui, un simple chef de faction,

un politique et non un souverain. Paris s'était refusé à lui comme l'avait fait Margot, ne voulant pas être courtisé par un soldat qui ne possédait que son ardeur, son courage et une rude galanterie.

Ce jour-là même, son intrépide et vieux compagnon La Noue avait manqué se noyer en traversant la Seine sur son cheval, malgré son bras de fer, pour tenter de s'emparer, presque seul, de la porte de la tour de Nesle. Henri de Navarre sourit en évoquant ce fait d'armes et se sentit réconforté. Il se remémorait aussi le courage indomptable de son ami Crillon, d'une bravoure incomparable et fidèle jusqu'à la mort. Et soudain il évoqua les accents du psaume que ses huguenots vêtus de blanc avaient entonné dans le matin de la glorieuse journée d'Arques. A présent les notes graves et familières du chant de Théodore de Bèze : « Que Dieu se montre... » montaient jusqu'à lui, venant du Pré-aux-Clercs, où un pasteur prêchait pour la première fois depuis trente ans, comme aux premiers jours des guerres de religion.

Cet heureux présage redonna confiance au prince, et sa dépression se dissipa. S'écartant brusquement de son observatoire, il descendit vivement les marches du clocher, et rejoignit l'endroit où l'attendait son cheval, ainsi que le fidèle Rosny grommelant d'impatience.

Le lendemain matin, à l'aube, tous deux s'éloignèrent de Paris, marchant vers une nouvelle aventure, le champ de bataille d'Ivry, le fameux panache blanc, et l'amour de Gabrielle.

Cinq années encore devaient s'écouler, au milieu d'intrigues sanglantes, qui allaient exiger de lui une patience et un sang-froid inébranlables, avant que le prince pût enfin rentrer dans sa capitale, et s'y faire couronner, sous le nom de Henri, quatrième du nom, roi de France et de Navarre.

CHAPITRE PREMIER

JEUNESSE DE HENRI DE NAVARRE. LA COUR DE FRANCE. CATHERINE DE MÉDICIS ET FRANÇOIS II

L A mère du futur Henri IV, celle qui fut plus tard l'austère Jeanne d'Albret, était fille unique de la savante et mystique Marguerite de Navarre, sœur chérie de François Ier, « la Marguerite des Marguerites » chantée par les poètes de la Pléiade. Bien que l'enfant gâtée de son père Henri d'Albret, roi de Navarre et la préférée de son oncle le roi de France, on l'avait d'abord mariée contre son gré au vieux duc de Clèves. Quand le mariage eut été annulé pour non-consommation, la jeune femme, douée de rares et solides qualités, se vit recherchée par de grands personnages. Mais elle refusa successivement sa main au duc François de Guise, le fameux capitaine et le plus illustre de cette grande maison, et à l'infant d'Espagne, le futur Philippe III. Finalement, avec sa nature impulsive et passionnée, elle donna son cœur au bel Antoine de Bourbon, duc de Vendôme, et lieutenant-général du royaume de France. De cette union, qui ne présageait rien d'exceptionnellement grand, allait naître Henri de Navarre, véritable enfant de la Renaissance.

Durant cette première période d'hostilités qui se termina par la prise de Calais sur les Anglais et la conquête de Metz sur les Espagnols, Antoine de Bourbon, un des braves et galants soldats de son temps, promena de camp en camp son existence guerrière. Bientôt lasse de suivre son mari dans cette vie errante, Jeanne d'Albret, grosse pour la seconde fois, se retira à Pau dans le gai château de son père. C'est là qu'elle accoucha de son premier fils.

Dans la chambre du vieux manoir qui donne par delà le Gave sur ce que Lamartine proclamait un des plus beaux pay-

sages de l'Europe, vallée verdoyante baignée par un clair torrent et bornée par la chaîne neigeuse des Pyrénées, la jeune
mère, au milieu des douleurs, chanta l'hymne traditionnel
des femmes gasconnes dans l'enfantement, en l'honneur de
la Vierge dont la statue miraculeuse se dresse à l'une des
extrémités sur la rivière. Ce fut aux accents de ce vieux
refrain catholique que Henri de Navarre fit son entrée dans
le monde le 13 décembre 1553.

Son grand-père, Henri d'Albret, homme très fin, sagace et
sans souci, était une robuste figure rabelaisienne. Inspiré sans
doute par le fameux *Gargantua*, paru dix-neuf années auparavant, il voulut se reporter au rite qui avait célébré l'étonnante arrivée du fils de Grandgousier. Dans la grande salle
du château, déjà pleine de gentilshommes en liesse, des notables de la ville et des hommes de garde, le patriarche à barbe
blanche, tenant le nouveau-né dans ses bras vigoureux, lui
versa dans la bouche quelques gouttes de Jurançon, vin riche
et savoureux, le plus rare des petits crus de France, et lui
frotta les lèvres avec une gousse d'ail. Et comme l'enfançon
dressait la tête semblant exprimer sa satisfaction, le grand-
père, en riant de plaisir, prophétisa qu'il serait un vrai Gascon. Et voici où l'histoire, réalité ou légende, devient presque
fabuleuse.

Né avec quatre dents, redoutable présage à cette époque,
Henri de Navarre eut huit nourrices sèches. Un historien a
vu dans ce fait un symbole des multiples et diverses influences
qui modelèrent sa vie. La jupe de la dernière de ces femmes,
une paysanne nommée Jeanne Fourcade, existe encore à Coa-
rasse, sur les bords du Gave. Et les visiteurs du château de
Pau contemplent toujours avec admiration l'écaille de tortue
géante dans laquelle le grand-père porta l'enfant aux fonts
pour le faire baptiser dans la foi catholique.

En imposant au jeune garçon une existence campagnarde
rude et simple, son robuste aïeul et sa mère énergique lui
inculquèrent la vigueur et la hardiesse. Durant ses dix premières années, Henri courut pieds nus sur les collines de Pau
sans autres compagnons que les fils de ses nourrices. Un jour,
il fit une chute de vingt pieds d'une des fenêtres du château

et s'en tira sans aucun mal. Devenu homme, Henri de Navarre ne perdit jamais l'habitude des exercices physiques épuisants. A cette vie de plein air et aux jeux violents pratiqués dès son enfance, il dut le secret de cette endurance extraordinaire qui rendit quelques années plus tard ses soldats huguenots si redoutables, et capables d'exploits inattendus. Comme un autre célèbre gascon, Gaston de Foix, qui menait ses gens de guerre pieds nus à l'assaut de Brescia, Henri de Navarre, quand ses troupes, hommes et chevaux, étaient rendues de fatigue, faisait venir les musiciens et conduisait lui-même la danse. Mais il était le seul à danser.

Dans les années suivantes, Marguerite de Valois se moqua de ce gascon illettré, qui n'avait jamais fait d'études scolaires, ni guère appris dans les livres. Exaspéré sans doute par la renommée littéraire et la haute culture qu'affectait sa fameuse épouse Marguerite de Navarre, Henri d'Albret refusa tout d'abord d'apprendre à écrire à son petit-fils. Et ceci, par un paradoxe qui n'est pas sans précédent dans l'histoire, explique peut-être pourquoi la correspondance de Henri IV, brèves épîtres alertes et claires comme du cristal, dépêches de guerre ou messages d'amour poétiques, lettres de stratège et d'homme d'État, figurent parmi les joyaux de la littérature française. Le jeune homme n'en reçut pas moins une solide instruction orale. On lui enseigna à parler latin avec aisance, presque comme sa langue maternelle. Il apprit par cœur les *Vies* de Plutarque, et il ne cessa jamais de les associer dans sa mémoire avec la femme austère et gracieuse qui lui proposait ces grands hommes pour exemple. Dans les premières années qu'il passa à la Cour de Catherine de Médicis, il se familiarisa avec la lecture des poètes italiens de la Renaissance et il acquit quelque habileté en dessin.

A la mort d'Henri d'Albret, la mère du jeune Henri devint reine de Navarre. Peu après, elle rejoignait son mari Antoine de Bourbon à la Cour de France. Quand le roi Henri II vit le jeune prince de Navarre, il fut frappé de son regard droit et de sa belle mine, et parla de le marier à sa propre fille Marguerite. A cette époque, Henri de Navarre était aussi réputé pour sa franchise qu'il le fut plus tard pour son esprit rusé de Béarnais parmi ses contemporains royaux. Cependant sa nature loyale et son cœur ouvert, qui lui valurent l'amour de ses peuples, de ses soldats et de ses compagnons choisis, et par la suite lui rallièrent de rigides huguenots comme Duplessis-Mornay et d'Aubigné, demeurèrent jusqu'à la fin ses traits les plus caractéristiques. On a dit de lui qu'il tenait toujours prête une larme dans ses yeux et une bourse dans sa main, mais que la bourse était toujours vide et qne les larmes venaient à sa volonté. Ce jugement sévère n'est pas sans quelque fond d'amertume. Jusqu'à ce qu'il s'établît sur le trône de France après des années de guerre civile, il n'avait jamais eu, depuis son enfance, une garde robe complète et une bourse pleine. Et par la suite, quand son trésor fut mieux garni, l'habile et économe Sully en défendit jalousement les portes. Mais assurément, Henri de Navarre avait l'émotion facile. Il riait aisément, et ne dissimulait pas sa mauvaise humeur. Les contours et les nuances de sa nature, instable comme l'eau et mouvante comme le sable, a-t-on dit, étaient celles même de ses collines natales. Mais cet esprit léger ne fut jamais déloyal. Pardonnant aisément les offenses, il trouvait même des excuses à ceux qui le trahissaient, mais jamais on n'a pu dire de lui qu'il ait trahi un ami.

Ce fut à la Cour de France qu'il rencontra pour la première fois les deux femmes dont les secrets desseins, en politique ou en amour, étaient destinés à changer le cours de sa vie en même temps que celui de l'histoire contemporaine, Catherine, la mère, et Marguerite, la fille. L'allure décidée et le regard vif du prince de Navarre agirent curieusement sur Catherine de Médicis Son esprit italien, toujours en éveil, était en proie à toutes les émotions. Aux yeux d'un observateur clairvoyant, le mouvement nerveux de ses mains potelées trahissait les sombres projets que s'efforçait de dissimuler son pâle visage placide. Diplomate par nature, elle était en même temps perfide et fausse, au jugement de ses contemporains.

« Fille d'une famille de marchands élevée au pouvoir princier dans une république, a dit Chateaubriand, elle était accoutumée aux orages populaires, aux factions, aux intrigues, au maniement du poison et du poignard, incroyante et superstitieuse comme les Italiens de son temps, elle n'avait pas en cette qualité la plus légère aversion pour les protestants. Elle les massacrait simplement par politique. »

La mort tragique de Henri II son époux avait mis brusquement Catherine de Médicis dans une situation à la fois extraordinairement forte, celle d'une régente gouvernant effectivement le royaume et singulièrement faible, parce que mère d'une race malade de futurs rois, elle avait à défendre leur existence menacée. Pour exercer ce pouvoir équivoque, il lui fallut recourir à tout l'art italien de l'intrigue. D'instinct, elle possédait une connaissance approfondie des vanités et des faiblesses de ses contemporains. Sentimentale elle-même, elle spéculait habilement sur les vices et les passions des hommes qu'elle prétendait gagner.

Par son entourage de filles d'honneur, grâce auxquelles elle poursuivit l'asservissement de Condé et la ruine d'Antoine de Bourbon, et même pour un temps troubla l'humeur volage de Henri de Navarre, elle donnait l'exemple d'une tactique plus romaine que florentine. Au dire des pamphlétaires du temps, ces jeunes femmes expertes étaient « instruites méthodiquement dans la pratique de la galanterie » et Brantôme déclare naïvement « qu'on les laissait libres de suivre à leur gré le culte de Vénus ou celui de Diane ».

La licence de la Cour de Catherine épouvanta et choqua l'austère Jeanne d'Albret, qui n'avait pourtant jamais protesté contre la morale facile en honneur à la Cour de son oncle François Ier, et qui n'était pas prude, bien que fort dévote. A son arrivée à Blois en 1572, pour négocier le mariage de son fils avec Marguerite de Valois, elle écrivait à celui-ci : « Si grande que j'imaginais la corruption de la Cour, elle surpasse l'idée que je m'en faisais. Ici les hommes ne sollicitent pas les femmes. Ce sont les femmes qui sollicitent les hommes. »

Au milieu de cette redoutable et troublante atmosphère, dans un Paris déjà déchiré par les dissensions religieuses, et sur lequel s'étendait le pouvoir grandissant des Guise, Henri de Navarre commença son apprentissage de la Cour Il fut envoyé avec les fils de Henri II au collège de Navarre, l'établissement que François Ier avait fondé en lui donnant le nom de sa sœur.

Ces camarades et émules étaient les deux autres Henri dont la destinée devint liée si étroitement à la sienne, le bel Henri d'Anjou, plus tard Henri III de France, et Henri de Guise, fils du fameux duc François, un adolescent de haute taille, impétueux et déjà arrogant. Ce fut à cette époque, lors d'une tournée faite avec ces deux princes à la Foire Saint-Germain qu'un caprice du sort ou un orgueil juvénile fit choisir au jeune Henri de Navarre parmi un certain nombre de devises celle qui portait ces mots « Vaincre ou mourir ». Quand Catherine de Médicis voulut savoir la signification qu'il attribuait à ces paroles, il refusa de satisfaire sa curiosité ; et la soupçonneuse princesse donna l'ordre au précepteur du jeune homme de s'abstenir de lui inculquer de si dangereuses maximes qui risquaient de lui donner une volonté trop indépendante.

Il avait treize ans quand Jeanne d'Albret prit une de ces décisions fatales et longuement méditées dont sa vie fut marquée. Sous un prétexte quelconque, la jeune femme quitta la Cour, où elle se sentait suspectée et méprisée comme protagoniste d'une nouvelle religion, et après un voyage à marches forcées, atteignit son paisible pays de Béarn, ses peupliers, ses coteaux couverts de vignes et les tours du château de Pau. Depuis plusieurs années, elle s'était convertie avec ardeur aux doctrines de l'Église réformée, et se tenait en communication journalière avec les théologiens de Genève. Les martyrs résignés des premières persécutions religieuses en France s'étaient changés en sectaires militants. La Réforme française, jeune et orgueilleuse, était née des excès mêmes de l'Inquisition.

Une république religieuse, dans laquelle on aurait pu discerner faiblement les germes de la grande Révolution française, se développait rapidement dans le royaume. Et Jeanne d'Albret, de son Béarn montagneux, encerclé par deux puissances catholiques, prêtait au mouvement grandissant l'aide de ses conseils, et lui fournissait des armes et de l'argent.

Dans ce petit royaume éloigné et toujours tranquille, Henri

de Navarre commença à apprendre la guerre, la religion et la politique. C'était un beau jeune homme que les rigueurs puritaines de la vie de cour de sa mère n'empêchèrent pas de suivre ses goûts très vifs pour la chasse et pour la danse, les distractions de son âge. Ses traits étaient séduisants et réguliers. Au dire de ses contemporains, son nez qui plus tard devait rappeler le profil anguleux de son grand-oncle François Ier, n'était « ni trop fort, ni trop court ». Il avait des yeux brillants « extrêmement doux » avec un regard franc, la peau « bronzée mais très douce ». Toute sa personne était « animée d'une rare vivacité ».

Henri n'avait pas encore quatorze ans quand il tira l'épée pour la première fois dans la guerre des religions qui divisait déjà l'Europe et qui finalement, bien qu'indirectement, allait décider des destinées de deux mondes.

Il existe au château de Blois une salle d'une sombre beauté, dans laquelle un peintre et un sculpteur ont retracé avec une justesse étonnante les traits révélateurs des hommes qui ont fait l'histoire du séduisant xvie siècle et leurs visages si frémissants de vie qu'ils paraissent sortir des murs. Parmi eux le triste et mélancolique Henri II, entouré de sa fatale progéniture, le roi François II, son frère Charles, violent, demi-poète et complètement fou, les traits délicats de Henri III, un Italien voluptueux, brillant, pervers et artiste jusqu'aux bouts de ses ongles soigneusement polis, même dans la mise en scène de guet-apens et de meurtre qu'il perpétra dans ces lieux mêmes, la sœur fascinante de ces frères tragiques, Marguerite de Valois avec son visage volontaire, son sourire, ses yeux étranges, les beaux yeux cruels d'une fouine, et sa bouche qui révèle une Médicis, le ferme profil héroïque du jeune Chatillon fils de l'amiral de Coligny, Henri de Guise le Balafré, avec son visage d'une redoutable beauté et son regard insolent, le galant courtisan M. de Givry, qui plia le genou devant le nouveau roi quand la moitié de la noblesse catholique tourna le dos au huguenot de Navarre méprisé, le duc d'Epernon, un mignon parfumé de Henri III, audacieux personnage en qni se rencontraient des contradictions monstrueuses, un homme d'épée éblouissant et d'un téméraire courage, les traits si vifs de Henri IV lui-même avec ses yeux brillants, observateurs et cyniques, son air de sagesse et de bonté, et finalement parmi les portraits de fantômes dans cette salle hantée, deux étrangers, spectateurs non moins que protagonistes du sombre drame national surveillant ce théâtre d'un ancien crime, l'ambassadeur de Philippe II, réservé et arrogant, un masque dédaigneux sur son visage espagnol, et une autre figure suggestive, presque sublime, celle de Guillaume le Taciturne, le héros de la Réforme.

Deux générations de combattants des guerres de religion sont représentées dans cette galerie de portraits de Blois : Henri de Navarre appartient à la seconde, celle qui frappa et vengea les victimes de la Saint-Barthélemy et lui, qui avait échappé au massacre au Louvre, eut longtemps dans les oreilles la rumeur monstrueuse de ces scènes tragiques, quand il entra en maître dans le vieux palais des rois de France. Dès sa première jeunesse, il avait été témoin ou acteur dans le drame dynastique et religieux dont le dénouement se concentrait sur sa propre personne.

Il était encore enfant quand la mort soudaine de Henri II avait plongé la France dans une période de gouvernements successifs désastreuse.

Le fils impulsif de François Ier, l'amant de Diane de Poitiers, enclin à des accès de tristesse romantique et de sombre mélancolie, avait succombé à une mort tragique. Il s'adonnait aussi furieusement aux joutes en champ clos qu'à sa passion mi-sensuelle mi-chevaleresque pour sa maîtresse. Dans le tournoi organisé en l'honneur du duc d'Albe, l'envoyé du roi d'Espagne pour épouser par procuration la fille de Henri, Elisabeth, au nom de l'Infant, le futur Philippe II, le roi de France voulut paraître lui-même dans la lice. La fête se déroula dans la grande cour du vieux palais des Tournelles, à peu près à l'emplacement qu'occupe aujourd'hui la place des Vosges. Le sort désigna pour adversaire du roi un jeune capitaine de sa garde, M. de Montgommery. Au premier choc, un éclat de lance de ce dernier souleva la visière du roi et l'atteignit à la cervelle. L'infortuné monarque fut emporté mortellement frappé. Cependant qu'il agonisait entouré de ses serviteurs impuissants et terrifiés, deux mariages royaux étaient conclus en hâte, sa sœur, habillée de noir était mariée avec le duc de Savoie dans la petite chapelle des Tournelles, sa fille en grand deuil fut unie à minuit dans l'église voisine de Saint-Paul au duc d'Albe, silencieux, impassible et magnifique, représentant le roi d'Espagne.

Cependant Catherine de Médicis, quand on lui eut assuré que la blessure du roi était mortelle, réunit ses enfants et se réfugia au Louvre. De ce château, il restait assez de la vieille forteresse médiévale de Philippe le Bel pour donner un abri sûr au petit roi François II et à la reine mère contre les dangers qui les menaçaient. Elle fut accompagnée par les Guise, l'illustre duc François, immensément populaire, chef du parti catholique, qui venait de reprendre Calais sur les Anglais, et son frère le Cardinal de Lorraine. Tous deux assumèrent immédiatement le rôle de gardiens de l'enfant-roi et de protecteurs du royaume. L'heure du triomphe tant désirée avait sonné pour Catherine. Aidée par sa précoce belle-fille Marie Stuart, femme adolescente d'un monarque enfant, la fille des Médicis inaugurait sa longue et dangereuse expérience du pouvoir. Son premier geste fut d'attaquer l'influence jusque là prédominante de sa vieille rivale Diane de Poitiers, dont elle commença par traiter sans égard les principaux partisans. Elle parla arrogamment à M. de Montmorency, connétable de France, qui avait tenu dans ses bras le roi mourant et qui accourait au Louvre, suivi d'un grand nombre de gentilshommes. Elle lui reprocha d'avoir dit qu'aucun des fils du défunt roi ne ressemblait à leur père et elle ajouta : « Je voudrais vous faire couper la tête ».

Par cette insolence calculée, Catherine flattait les Guise, dont l'aide lui était nécessaire contre les intrigues inévitables des princes du sang et contre la menace qui pouvait surgir d'Antoine de Bourbon, roi de Navarre. Cependant, en même temps, elle correspondait secrètement avec les protestants, affectant de sympathiser avec leurs griefs et leur promettant son aide.

Ce fut alors qu'une incomparable occasion de conduire à la fortune le parti des protestants s'offrit au vain et ambitieux,

mais hésitant époux de Jeanne d'Albret. Les nobles huguenots
des provinces demandaient un prince comme chef, qui ne fût
ni un rude pasteur, ni un théologien fulminant, ni un dicta-
teur bourgeois. Leur choix tomba sur deux princes du sang,
le beau et charmant Louis duc de Condé, un intrépide soldat,
neveu du vieux connétable, et sur son frère Antoine, chef de
la maison de Bourbon et mari de Jeanne d'Albret. Mais dans
cette année critique 1559, tandis que comme une faible
flamme dans le sombre Louvre, l'existence du petit roi François II vacillait entre les intrigues de sa mère et les fatales
séductions de sa femme Marie Stuart, tandis que Montmorency lançait des appels désespérés au roi de Navarre pour
prendre la tête du parti royal et le gouvernement effectif du
royaume contre la menace des Guise, Antoine de Bourbon
hésita entre ses craintes et ses ambitions, alternativement
ébloui et intimidé par les mystérieux desseins du nouveau
maître de l'Escurial. Pendant que Philippe l'amusait avec la
fallacieuse promesse de lui rendre la Navarre espagnole, enle-
vée à François Ier par Charles-Quint, le roi de Navarre offrit
brutalement de soumettre les Pays-Bas pour le compte du
roi d'Espagne, et même de lui conquérir l'Angleterre. Et pendant qu'au Louvre les Guise attendaient chaque jour en
tremblant l'apparition d'Antoine de Navarre, à la tête d'une
armée d'alertes gascons pour s'emparer de la Régence et peut-
être du trône, le prince redouté tergiversait, ce qui causa sa
perte. Quand il arriva enfin, il était trop tard. Devinant ses
doutes et sa perplexité, les Guise le couvrirent d'affronts. Les
autres chefs protestants, et le Connétable lui-même, cruelle-
ment désappointés de son indécision, l'accueillirent froidement. Pour couronner le tout, arriva une lettre du roi d'Espagne, que Catherine lut en Conseil devant les Guise exultant,
par laquelle Philippe menaçait d'envahir la France avec une
armée de 40.000 hommes. Ce dernier coup acheva d'accabler
Antoine de Navarre.

Dès ce moment jusqu'à sa mort au siège de Rouen, il ne fut
plus qu'un instrument aveugle entre les mains des Guise.
C'était un brave soldat, mais inconsistant et vain, dépourvu
d'intelligence et de caractère. Ce ne fut pas d'Antoine de

Bourbon que Henri IV hérita les qualités qui devaient le porter sur le trône de France.

Pendant les trente années suivantes, de 1559 à 1589, la France fut le théâtre d'une longue lutte entre deux religions. A cette guerre impitoyable et sanglante, la Cour elle-même, cette réunion de femmes et d'enfants royaux maladifs, de gardes du corps intrigants et arrogants, de devins et d'astrologues, de poètes et d'empoisonneurs, allait servir de décor fantastique.

François II avait hérité de la couronne à quinze ans. C'était un enfant pâle, souffreteux, à face de rat, déjà à demi rongé par la terrible maladie qui avait terrassé ses deux grands-pères, François Ier et Laurent de Médicis, et qui, après avoir sauté une génération, s'était manifestée chez les enfants de Henri II. En dépit de sa jeunesse, les Guise l'avaient marié à leur dangereuse nièce Marie Stuart, cette précoce femme-enfant, dont la beauté provocante et l'esprit intrigant, la peau lumineuse comme les perles et les yeux couleur vert jade, troublaient le cœur de maints hommes graves et des jeunes gens passionnés de son entourage.

L'avènement de François II affirmait le pouvoir grandissant des Guise, qui avaient pris ouvertement la tête du parti catholique. Un mois après la mort de Henri II, le cardinal de Lorraine ordonnait un premier massacre des protestants à Paris. Durant l'hiver de 1559, la populace de la capitale, les mendiants aux portes des églises et les fainéants au seuil des abbayes, toute cette engeance relâchée d'oisifs ou de vagabonds qui vivaient de vol, de mendicité et de meurtre, fut lâchée sur le petit groupe de protestants qui s'assemblait clandestinement dans les tavernes et les auberges. Comme en l'affreuse année 1553, cette saison vit une orgie d'incendie, de pendaison, et d'égorgement. Les rues de Paris étaient pleines d'enfants en larmes et affamés, orphelins des victimes massacrées. Tel fut le premier et sinistre présage de la Saint-Barthélemy.

CHAPITRE II

CONJURATION D'AMBOISE. PREMIÈRES
LUTTES POUR LA CAUSE RELIGIEUSE.

LA célèbre Conjuration d'Amboise en 1559, a été considérablement exagérée par les contemporains pour des
motifs politiques. Quelques historiens ont vu en elle une révolution protestante contre la monarchie. Mais à cette époque, les
protestants de France restaient sous l'influence de Genève et
Genève prêchait solennellement la résignation à l'oppression
sans envisager de représailles. Les huguenots, toujours dans
cette première phase de non-résistance, n'étaient pas encore
devenus agressifs. Un soulèvement armé, même contre les
Guise usurpateurs, était contraire aux doctrines de la Réforme.
Des chefs du Parti en France : le Montmorency tourne-casa-
que, ses trois neveux, l'amiral de Coligny, François Dandelot
et Odet, et les deux princes du sang protestants, Navarre et
Condé, ce dernier seul fut probablement en communication
secrète avec les conjurés. Les autres découragèrent les meneurs,
tant publiquement qu'en particulier.

Pendant les deux ans qui suivirent la mort violente de
Henri II, quelques vagues mouvements de révolte populaire
s'élevèrent contre le gouvernement des tuteurs du roi. Les
marchands souffraient des lourdes taxes imposées par les
Guise pour remplir le trésor laissé vide par le feu roi. Le clergé
demandait le retour à l'Église des terres saisies par la Couronne. Les campagnes étaient déchirées par les luttes sangui-
naires entre les deux partis. Le massacre des protestants à
Paris allait être suivi du massacre de Vassy, la ville huguenote
mise à sac dont les habitants furent froidement passés au fil
de l'épée par les partisans du duc de Guise. Mais dans l'inter-

valle, éclata la révolte de La Renaudie, un gentilhomme périgourdin ruiné qui, pour des motifs privés, était devenu un ennemi déclaré des Guise.

Suivi par quelques petits seigneurs et quelques hobereaux de province, La Renaudie marcha sur Nantes, où il convoqua une assemblée de nobles, et fit des ouvertures secrètes aux princes protestants. Son but avoué était de renverser les Guise et de délivrer François II de leur tutelle ; dans les réunions secrètes de Nantes, il désigna Condé, le valeureux frère du roi de Navarre, type du parfait chevalier de sa génération, comme le *chef muet* non participant à la conjuration, mais destiné à remplacer le duc de Guise dans le gouvernement du royaume.

Tout d'abord, semble-t-il, les Guise craignaient que Coligny et ses frères ne prissent la direction du mouvement, et, simulant une panique, ils forcèrent le roi et sa mère à se réfugier au château d'Amboise sur les bords de la Loire.

La Renaudie était un homme habile et brave. Il avait adjuré passionnément, mais en vain, les théologiens de Genève, levé des troupes en France et même traversé une fois la mer pour demander l'appui d'Élisabeth d'Angleterre. Il avait trouvé des partisans enthousiastes parmi les petits gentils-hommes de province, excédés des impôts levés par les usurpa-teurs, mais il n'avait obtenu l'appui ni des protestants, tou-jours rendus passifs par leur doctrine de non-résistance, ni de la noblesse hésitante par crainte des Guise ou par scrupule naturel d'être accusée de trahison. Coligny, un entêté roya-liste jusqu'à la fin, n'avait rien à faire avec la conspiration, bien que sympathisant avec ses buts.

Cependant, Catherine convoqua audacieusement les chefs protestants à Amboise. Condé, Coligny et ses frères, avec un magnifique dédain du danger, tombèrent dans le piège. Devant le Conseil du roi, Coligny attaqua hardiment les Guise, récla-mant une amnistie pour les chefs de la conjuration, et la liberté de religion pour les protestants. Mais le roi était déjà affaibli par la maladie qui devait l'abattre. Plus touché par les prières de sa mère et plus intimidé par les Guise que par les discours véhéments de Coligny, il accorda l'amnistie qui devait lui concilier les mécontents, mais en la limitant à ceux qui se repentiraient de leurs erreurs et excluant expressément les « conspirateurs sous le manteau de la religion ».

Pendant ce temps, l'indomptable La Renaudie, indifférent à ces garanties douteuses, se préparait à assaillir le château. Dans la jolie petite ville aux maisons à hauts pignons qui s'adossaient aux murs du château, il avait des partisans secrets et il marchait avec confiance. Mais sa cause était déjà perdue. Un des lieutenants qu'il avait dans Amboise fut découvert et étranglé. Pendant plusieurs semaines, La Renaudie lui-même mena une guerre d'escarmouches contre les troupes royales, mais il fut tué dans une embuscade. Déconfits et privés de chef, ses partisans se rendirent l'un après l'autre.

La vengeance des Guise fut prompte et terrible. Assurés de l'immobilité des chefs protestants, virtuellement prisonniers au château d'Amboise, ils déchirèrent l'amnistie et massacrèrent les victimes. Des centaines de conjurés furent décapités par l'épée ou étranglés dans le donjon, d'après le nouveau mode d'exécution par le garrot, récemment importé d'Espagne avec l'Inquisition. La révolte, quoique domptée, n'était pourtant pas entièrement écrasée, et pendant des mois, quelques obscurs partisans de La Renaudie, isolés dans tout le pays, poursuivirent en vain une lutte héroïque et inégale.

Le duc de Guise avait arraché au roi mourant les pouvoirs de lieutenant général du royaume. L'insurrection vaincue, il fit régner la terreur dans Amboise sous les regards horrifiés des princes huguenots réduits à l'impuissance, à tel point que la froide Catherine elle-même se sentit émue.

François II, qui se mourait dans une chambre étroite du sinistre château, entendait les cris des victimes, pénétré de crainte et d'horreur pour ses impitoyables gardiens. Sitôt capturés, les rebelles étaient conduits au château, et soumis à un simulacre de jugement. Leur juge, le chancelier Olivier, vieillard plein de modération, répugnait visiblement à cette tâche, et réclamait l'indulgence pour un grand nombre. Ce fut en vain que s'éleva sa voix, et chaque jour de nouvelles têtes coupées de prisonniers s'ajoutaient au sinistre spectacle des cadavres noircis, affreux trophées, qui pendaient aux créneaux du château ou à la fenêtre de la Chambre du Conseil. Le vieux chancelier, rendu malade par le massacre, succomba après une cruelle agonie morale, non sans avoir voué les Guise à la damnation. Cette malédiction fit quelque scandale à la Cour, mais le duc implacable, rongeant sa rude barbe, selon sa coutume quand il était en colère, se contenta de rire, et fit lancer le cadavre du juge dans les fossés.

Ce fut le massacre d'Amboise qui jeta plus d'un protestant dans la guerre civile. Le poète d'Aubigné, le Ronsard des huguenots, un des esprits les plus purs et les plus éclairés de son temps, raconte qu'étant enfant, son père le conduisit sur la place du marché, au pied des murs où les corps des protestants pourrissaient lentement, et là, devant ce lugubre spectacle, l'exhorta solennellement à consacrer sa vie à la vengeance de ces assassinats.

Cependant, l'intrépidité et le sang-froid de Condé l'avaient sauvé du péril immense. Si Catherine l'avait voulu, les hommes du duc de Guise auraient étranglé sans crainte le prince virtuellement prisonnier à Amboise, mais la reine mère refusa de consentir à cette mort. Condé et le roi de Navarre pourraient servir de contre-poids dans le Conseil du roi à l'influence des Guise qu'elle détestait et redoutait secrètement. Elle avait besoin de cette rivalité pour réaliser ce parfait équilibre auquel elle travaillait constamment, comme lui assurant à la fois la plus grande sécurité et la plus grande influence.

Ainsi mis en échec, les Guise recoururent à la fourberie. Ils projetèrent de simuler une querelle entre Condé et le petit roi, au cours de laquelle on inciterait François à tuer le prince de son propre poignard. Mais s'ils réussissaient de la sorte à assassiner Condé, il leur faudrait compter avec son oncle Montmorency et son cousin Navarre qui tous deux restaient dangereux. Le vieux connétable en effet levait une armée de partisans dans son domaine de Chantilly.

Navarre cependant était toujours hésitant entre les charmes de sa nouvelle maîtresse, la maréchale de Saint-André, et les plantations imaginaires d'orangers du royaume de Sardaigne que le cardinal de Lorraine lui faisait miroiter pour appât en échange de sa neutralité.

Sur ces entrefaites, profitant des hésitations de ses geôliers, Condé se sauva par sa propre audace. Se dressant en Conseil du roi, il donna un démenti à ceux qui cherchaient à l'impliquer dans la Conjuration d'Amboise, et renonçant à se prévaloir de son immunité qui, comme prince du sang, le garantissait contre les risques du duel, il offrit de rencontrer ses accusateurs en combat singulier. Le duc de Guise, auquel ce défi était manifestement jeté, aperçut immédiatement le danger de la manœuvre. Fort adroitement, il répliqua que non seulement il croyait en l'innocence de Condé, mais qu'il réclamait le droit de l'assister comme second. Sur quoi, Condé poussant son avantage, demanda la permission de quitter la Cour, et sur l'assentiment du roi, il se retira tranquillement d'Amboise et rejoignit son frère à Pau.

A peine avait-il échappé à ce grave péril que les Guise projetèrent de mettre la main sur lui, en même temps que sur le roi de Navarre. Les troubles soulevés dans tout le royaume par les sanglantes représailles d'Amboise avaient contraint les Guise à accepter la convocation d'une Assemblée des Notables sur les instances pressantes de Catherine. A l'assemblée qui se tint à Orléans, Coligny se rendit avec un groupe considérable de gentilshommes protestants, en vue de réclamer la tolérance religieuse. De nouveau, Catherine et les Guise feignirent de céder tandis qu'ils manœuvraient pour attirer Condé et Navarre dans le piège. Ils étaient armés contre le premier par une lettre, réelle ou forgée, qui impliquait Condé et le connétable de Montmorency dans un nouveau complot de soulèvement des protestants du royaume, en faisant appel au concours des mercenaires allemands.

Tout d'abord, les deux frères avaient résolu de ne pas se rendre aux États Généraux. Mais des émissaires secrets des Guise les décidèrent au voyage d'Orléans. Les hésitations de Condé furent vaincues par un défi subtil à son courage, celles de Navarre par l'appât des charmes d'une des filles d'honneur de Catherine. D'ailleurs l'audacieuse folie de l'aventure les rendait aveugles à tous les risques. Malgré les avertissements pressants de leurs amis et les instances de leurs femmes, la princesse de Condé, nièce de Montmorency, et Jeanne d'Albret, les deux frères se mirent en route pour Orléans. Ils avaient refusé l'escorte de nobles protestants qui s'offraient à les accompagner et s'avançaient seuls avec quelques serviteurs. Ils furent reçus au dehors de la ville par un corps important de troupes royales, qui les entoura aussitôt et leur coupa effectivement toute retraite.

A peine entrés dans Orléans, les attentions flatteuses dont ils avaient été jusqu'alors l'objet cessèrent avec une brusquerie de mauvaise augure. Ils pénétrèrent à la nuit tombante dans une ville remplie de gens de guerre. Ils trouvèrent Catherine déchaînée et le roi, à la suggestion des Guise, prêt à les accueillir avec d'amers reproches. Les premières paroles que prononça François II furent une provocation directe pour un homme du rang et du caractère de Condé. Celui-ci répliqua insolemment et, en dépit du sauf-conduit dont il était muni, fut arrêté immédiatement par ordre du roi. Navarre, bien que virtuellement prisonnier, fut laissé libre, mais Condé, accusé de haute trahison, fut sommé de comparaître en jugement.

Cependant le vieux Connétable, flairant de loin le piège, avait ajourné son départ et attendait anxieusement les événements à Chantilly.

Le procès de Condé devant le Conseil du roi aboutit naturellement à sa condamnation. Son attitude hardie, sa prétention à un tribunal de ses pairs, sa dénonciation hautaine des charges calomnieuses apportées contre lui, tout fut vain. Il fut condamné à la peine capitale, bien que le nouveau chancelier et quelques autres membres eussent refusé de signer l'arrêt de mort d'un prince du sang. Comme à Amboise, Catherine hésitait à se débarrasser d'un puissant rival des Guise. Et Coligny, levant en hâte des troupes dans les provinces, écrivait à la Cour qu'il se tiendrait aux côtés de Condé, qu'il confesserait sa foi, et s'il le fallait mourrait avec lui. Mais déjà la fortune avait tourné en faveur du condamné.

Tandis que Condé demeurait sous cette terrible menace, les Guise décidaient de se débarrasser du roi de Navarre par le stratagème qu'ils avaient employé sans succès contre son frère à Amboise, une querelle simulée avec le roi, laquelle donnerait à ses protecteurs un prétexte pour frapper à mort l'insulteur. La leçon avait été bien faite à François II, qui se préparait à éclater en amers reproches dès que Navarre entrerait dans sa chambre. Mais la future victime avertie du danger, avait exhorté sa femme et son fils, le futur Henri IV, à venger sa mort. Il répliqua tranquillement aux injures du roi, et prit congé de Sa Majesté sans être inquiété.

Pareillement la sentence de mort contre Condé resta sans effet. La fin de François II approchait et le temps paraissait venu de la conciliation. Quel autre personnage pouvait jouer ce rôle sinon Catherine ? La reine mère rendit visite une nuit à Navarre dans sa chambre et mit en œuvre tout son art des larmes et de la flatterie. Finalement elle lui promit sa libération et celle de Condé, Navarre serait fait lieutenant général du royaume, tous deux rétablis à leur place au Conseil du roi, à condition de reconnaître les droits de Catherine à la régence lors de la prochaine minorité qui s'annonçait, celle du successeur de François, Charles IX, alors âgé de dix ans. Catherine ajouta d'autres promesses. Elle intercéderait en faveur d'Antoine auprès de Philippe d'Espagne pour la restitution de la Navarre espagnole et elle entreprendrait de protéger les huguenots. La rusée reine mère acheva de gagner le soldat, qu'on éblouissait facilement, en lui offrant les charmes de sa fille d'honneur, la belle et fameuse Louise de La Béraudière, demoiselle de Rouet.

Au lit de mort du jeune roi, la farce solennelle de la réconciliation fut jouée entre les Guise et les deux princes mis en liberté. Condé, exhumé de sa prison, embrassa ses récents geôliers. Coligny lui-même était arrivé juste à temps pour assister aux derniers moments du souverain, le 5 décembre 1560. Et finalement, le redoutable vieux connétable, en retard comme toujours, frappa aux portes d'Orléans avec une armée qui n'était plus nécessaire pour tirer ses compagnons de leur dangereuse situation, mais à temps cependant pour renforcer leur position à la Cour devenue obséquieuse à leur égard.

La faiblesse de la Réforme en France provenait de la trop grande foi qu'elle plaçait en ses princes. Les amères paroles du psalmiste avaient été prises à cœur par les cantons suisses protestants, qui s'étaient transformés en petites républiques. Mais les huguenots français, pour la plupart gentilshommes et hobereaux, étaient respectueux de la monarchie et attachés au principe héréditaire. L'un après l'autre, les princes en qui ils avaient confiance leur manquèrent ou les trahirent. Antoine de Bourbon s'était laissé séduire par sa maîtresse qui n'était qu'une créature de Catherine. Le brave et valeureux Condé, le premier gentilhomme de l'Europe était un roseau poussé par le vent. Et à présent, le connétable de Montmorency qui à un moment avait paru ferme comme le roc, se dérobait comme un sable mouvant. Le vieux guerrier blanchi, chef héréditaire de l'armée et de la noblesse, apparenté par le sang ou le mariage à tous les princes protestants, annonça soudain son retour à la religion catholique. Depuis des mois sa conscience se sentait tourmentée par des doutes. Sa femme, une catholique savoyarde, le pressait secrètement de se convertir. En outre, depuis des années, il était tenu par des obligations d'argent envers la maison royale d'Espagne. Enfin les appels d'un vieux sentiment de loyauté achevèrent d'emporter sa conviction, basée sur son intérêt et sur les suggestions de la crainte.

Diane de Poitiers, la légendaire maîtresse de Henri II, toujours une figure impérieuse malgré le déclin de sa beauté, avec sa peau blanche comme le lait, et ses yeux gris séduisants, sortit de sa retraite d'Anet et vint adjurer secrètement le connétable de se réconcilier avec les Guise. Non qu'elle eût plus de raisons d'aimer ceux-ci que par le passé. Mais un nouveau danger s'était élevé qui menaçait dans leur sécurité la séquelle des courtisans et des entremetteurs enrichis des magnificences royales de François Ier et de Henri II. A la mort de ce dernier, les Guise avaient fait une tentative pour contraindre les bénéficiaires privilégiés à rendre gorge ou tout au moins les comptes au sujet des biens acquis, terres, abbayes et monopoles. Cette idée avait été reprise par Coligny, Navarre et Condé. Appuyée par le Tiers État, qui murmurait sous le poids des taxes dont la noblesse était exempte, l'assemblée provinciale de Pontoise proposait une enquête sur les dilapidations accomplies au préjudice du bien public. Et parmi les personnages directement visés qui s'y opposaient de toutes leurs forces, Diane était au premier rang. Le Connétable lui-même n'allait pas sans éprouver quelque inquiétude d'avoir puisé si largement dans le trésor royal. Il se joignit donc aux Guise pour empêcher l'enquête, appuyé par Coligny et Condé, prêtant aux ennemis de la cause protestante son grand nom et sa suite de nobles et de profiteurs. Au mois d'avril 1561, le Connétable forma, avec le duc de Guise et le maréchal de Saint-André, un triumvirat qui assumait le gouvernement du pays et la protection du jeune roi. Le mois ne s'était pas écoulé que les édits signés par François II étaient déchirés, et qu'en maints endroits, comme Beauvais, Le Mans et Paris même, éclataient des mouvements de répression contre les protestants.

Ce fut alors que la main de l'Espagne et de l'Inquisition commença à se faire sentir en France. Répondant aux appels secrets lancés par le clergé de Paris, les agents de Philippe II entrèrent dans le pays sur les destinées duquel l'ambassadeur d'Espagne exerça désormais une influence grandissante. Les émissaires étrangers de Philippe s'assirent comme des hôtes honorés admis à traiter avec déférence à la table des Guise, et ils firent entendre leur voix au Conseil du roi même.

L'année 1561 vit le vrai commencement de la guerre civile en France, une guerre souhaitée et encouragée par les Guise et une partie du clergé, ouvertement fomentée par l'Espagne, attentivement observée par l'Angleterre. La noblesse française était divisée en fractions hostiles ou indifférentes. Pas plus d'un quart n'était protestant, un autre quart se rangeait aux côtés des Guise. L'autre moitié des mécontents, déchirés par le doute et la crainte, n'était mue que par des intérêts égoïstes, et une appréhension grandissante d'une rapide désintégration de la monarchie. La confusion religieuse du temps se manifesta publiquement au fameux Colloque de Poissy, débat entre les sectes rivales, qui, en présence de la Cour et du Parlement, mit aux prises les ministres protestants de Genève et d'Allemagne et les cardinaux catholiques. On y discuta certaines questions doctrinales en jeu entre les deux religions. Mais la controverse se termina par des cris de blasphème. Les cardinaux se voilèrent la face. Théodore de Bèze regagna la citadelle de Calvin sur les bords du lac Léman et les protestants français retournèrent à leurs forteresses provinciales. Dès lors, ils devinrent un parti national, possédant maintes places importantes et une minorité croissante dans le pays. Les jours suivants, ils se rendirent en armes aux assemblées du culte, et chantèrent les psaumes et les hymnes de Clément Marot, avec l'épée au flanc, et les arquebuses dressées contre les murs du conventicule. Quand les débats de Poissy prirent fin, la Cour se trouva presque isolée dans un pays qui s'armait pour la guerre civile A Saint-Germain, la reine mère et le second de ses enfants à porter la couronne menaient une existence précaire, dans une atmosphère d'agitation et d'intrigue, de diplomatie et de traîtrise, qui était pour Catherine l'enivrement du pouvoir.

Ce fut en décembre de 1561 que Paris vit se dérouler la première bataille pour la liberté religieuse. Les cloches catholiques s'étant fait entendre malicieusement pendant une cérémonie du culte à l'Assemblée protestante voisine, diverses querelles s'ensuivirent et, finalement, les protestants emportèrent d'assaut l'église Saint-Médard, la mirent à sac, et en chassèrent les occupants par la force. Ce fut le premier triomphe des huguenots dans la capitale, dont la masse des habitants leur était hostile. Pendant les mois suivants, Condé, Coligny, et leur cousin Montmorency, fils du connétable, avec l'aide de quelques gentilshommes, maintinrent contre tous opposants le droit à la liberté du culte pour la minorité réformée. Mais le Parlement secrètement corrompu par l'Espagne et intimidé par l'arrogance violente des Guise, se refusa à appuyer les efforts des chefs protestants pour la mise en vigueur des Édits de tolérance. L'ambassadeur d'Espagne, au nom des libertés publiques, demanda insolemment l'expulsion de Coligny, et au printemps de 1562 les timides conseillers au Parlement signifièrent à l'amiral la sentence qui le bannissait de Paris.

Et soudain d'un ciel sombre et menaçant éclata le coup de tonnerre qui devait précipiter la France dans une guerre religieuse de trente ans. Les marchands et artisans drapiers de la petite ville de Vassy en Champagne, jadis le fief des Guise,

mais depuis peu indépendant, avaient profité de l'Édit de tolérance pour faire revivre la pratique du culte protestant. Chaque
semaine, un pasteur de Genève y venait prêcher à quelques
centaines de fidèles dans une vaste grange d'un des faubourgs.
Un dimanche matin, durant le service religieux, le duc de
Guise, à la tête d'une troupe d'hommes d'armes et d'archers,
pénétra à cheval dans la ville, tomba sur l'assemblée des
huguenots, et en massacra un grand nombre. La nouvelle
tragique de ce forfait traversa rapidement les frontières du
royaume. Des gravures sur bois, coloriées à la main, représentant ces scènes d'horreur, furent lancées à travers l'Europe
entière, premier exemple de ce mode de guerre par l'image.

Pendant quelques mois après la boucherie de Vassy, un
curieux isolement moral et politique tomba sur les Guise.
Même à cette époque sanguinaire, le féroce duc fut regardé de
travers, et laissé de côté par ses partisans comme un homme
mis en quarantaine. Même son propre frère s'éloigna de lui, ce
cardinal de Lorraine qui avait lui-même assisté au massacre.
Sa femme, Anne d'Este, apparentée aux Borgia, se trouvait
enceinte à cette époque, et avait supplié qu'on épargnât les
femmes dans cette situation. Le duc, en se moquant, avait
cédé à ses instances. Mais toute Borgia qu'elle fût, elle ne lui
avait jamais pardonné son crime.

Dans l'abandon auquel se trouvait réduit l'indomptable
Guise, le vieil hypocrite de Montmorency lui offrit son aide.
Piotégé par le Connétable, Guise était de nouveau sauvé. Et
en la compagnie joyeuse du vieux guerrier, apparemment
magnifique protecteur de Guise, mais secrètement son vassal
tremblant, le duc osa refuser arrogamment une invitation
à la Cour de Saint-Germain que lui adressait Catherine, sous
le prétexte significatif qu'il fêtait quelques amis en sa maison
de Nanteuil.

Ce fut sous le couvert de Montmorency et escorté par l'imposante suite du Connétable que pour la première fois depuis
sa fuite à Amboise avec François II, Guise reparut à Paris.
Condé et ses partisans huguenots, qui tenaient toujours la ville,
bien que faiblement, furent poussés par le Parlement à céder
la place. On leur fit entendre que Guise demeurerait à l'exté-

rieur des portes, pour éviter une rencontre embarrassante
et peut-être sanglante. Mais Guise pénétra dans la Cité. Les
partisans qu'il avait postés dans les rues le saluèrent d'acclamations soigneusement réglées, mais les habitants lui lancè-
rent de sombres regards et l'accueillirent avec un silence
chargé d'horreur. Même ce Paris équivoque, ville de moines
et d'abbés, de marchands et de mendiants, frissonna à l'aspect
de cet homme dur, abaissant ses yeux sauvages sur le sol et
rongeant de colère les rudes poils de sa barbe. Le Connétable
le conduisit devant le Parlement, où Guise présenta sa propre
défense, moitié insolent, moitié contrit. Deux conseillers
quittèrent la salle, ne voulant pas se faire les complices du
crime de Vassy. Les autres écoutèrent en silence quand le duc
offrit en marmottant de se soumettre à un jugement et de
subir une condamnation s'il le méritait. Et, entrevoyant derrière lui l'ombre puissante de l'ambassadeur d'Espagne, de
Philippe et de l'Inquisition et celle presque aussi menaçante
de l'intrigante et rusée Catherine, les magistrats donnèrent
cours à leur faiblesse et à leur couardise dans un long jugement,
en se lavant les mains de toute responsabilité.

Ce fut après Vassy que les protestants, bien qu'en minorité
dans le pays, prirent pour leur propre emblème l'étendard
national, la bannière blanche de saint Louis et des rois de
France. Le parti des Guise, symbolisant ainsi sa subordi-
nation secrète à Philippe, dont les preuves devaient se découvrir deux siècles plus tard dans les archives de l'Espagne, prit
pour drapeau le rouge écarlate de la dynastie espagnole.

CHAPITRE III

LE TRIUMVIRAT. LA PAIX D'AMBOISE

L E massacre de Vassy et celui de Sens qui le suivit furent les étincelles qui donnèrent le signal d'une immense déflagration. Les villes protestantes de la Loire, de Normandie, du Languedoc, du Dauphiné se mirent en état de défense, chassèrent les gouverneurs et les officiers royaux qui sympathisaient avec les Guise et s'établirent virtuellement en petites républiques. Désormais les protestants s'affirmaient dans la nation une minorité armée. La Réforme des martyrs était devenue un mouvement politique, tendant à une réforme constitutionnelle. Coligny lui-même, après un minutieux examen de conscience, décida de se placer à la tête de la résistance contre les usurpateurs du pouvoir et les ennemis de la liberté religieuse.

Désormais, jusqu'à ce que la monarchie fût enfin rétablie comme pouvoir exécutif sous Henri IV, la France cessa d'être une unité nationale. Les gouverneurs des grandes provinces, Normandie, Bretagne, Bourgogne et Provence, refusant toute obéissance à une autorité faible et frivole, réclamèrent et obtinrent leur indépendance. Ils furent semblables à des seigneurs féodaux bien que jouissant dans les limites de leur ressort de beaucoup moins de pouvoir personnel que leurs prédécesseurs. Peu d'entre eux possédaient la forteresse, les terres, les trésors et les vassaux des grands barons du Moyen Age. De leur côté, des villes refusaient l'obéissance aux gouverneurs provinciaux, battaient leur propre monnaie, imposaient et percevaient leurs propres taxes, et élisaient leurs chefs. Henri de Navarre lui-même, quand plus tard il gouverna la Guyenne, au nom de son beau-frère Henri III, était presque indépen-

dant du roi de France, bien qu'en même temps jouissant
d'une autorité fort incomplète dans sa propre province.

Dans cette année 1562, où les massacres dans toute la
France anticipèrent de dix ans sur la sinistre nuit de Saint-
Barthélemy, où le terrible Gaston de Montluc faisait pendre
les huguenots aux arbres qui bordaient les routes de dévas-
tation suivies par ses cavaliers espagnols, il y eut un soulèvement spontané des protestants pour venger Vassy. Des adeptes
de la nouvelle religion, de toutes conditions, affluèrent au
quartier général de Condé. Une vague d'enthousiasme populaire porta les princes protestants au premier plan de la scène
nationale et pour couronner le tout, le parti réformé reçut
l'appui de Catherine, inattendu mais embarrassant, quand la
reine mère s'aperçut qu'en protégeant Condé elle contre-
balançait le pouvoir du Triumvirat comme elle le désirait.
A son tour, elle rendit un Édit de tolérance accordant aux
protestants liberté de culte et de réunion, sous réserve de ne
pas détruire les images religieuses, de ne pas porter d'armes
à leurs assemblées et de ne pas se grouper en formations militaires. Et du palais de Fontainebleau où elle s'était retirée
avec le jeune roi Charles IX, elle écrivit même aux Suisses
protestants, en les priant d'apporter leur aide aux Réformés
français.

A présent, elle regardait Condé comme son seul espoir et le
priait instamment de la délivrer, elle et ses enfants, de la double tyrannie de Guise et de Montmorency. Mais Condé, peut-
être doutant de la sincérité de Catherine, tarda trop à se prononcer et continua à se recruter une armée. Profitant de son
hésitation, le Triumvirat marcha soudain sur Fontainebleau,
s'empara de la reine mère en larmes et de Charles IX criant
d'angoisse, et les conduisit comme otages au Louvre. Les
Huguenots perdirent ainsi l'occasion d'associer la reine mère
et le roi à leur mouvement, occasion qui, s'ils l'avaient saisie,
aurait changé le cours de l'histoire de France, et qui, comme
toutes les occasions historiques, ne devait plus se retrouver.
Se portant trop tard au secours de Catherine, Condé trouva la
cage vide et les oiseaux envolés. Il marcha toutefois sur Orléans et s'en empara, puis il poussa jusqu'aux abords de Paris.

Catherine cependant s'était adaptée aux nouvelles circonstances avec sa souplesse caractéristique. Finies ses années de royauté arrogante. Le joug de Guise, bien qu'habilement dissimulé, pesait sur ses épaules non moins lourdement que celui de Henri II et que la domination encore plus amèrement ressentie de Diane de Poitiers. La douce et patiente fille des Médicis céda une fois de plus à sa destinée et, du sombre Louvre, elle écrivit à Condé, le pressant de mettre bas les armes et de venir à la Cour, où les réclamations des Réformés seraient examinées avec bienveillance. Mais cette fois le piège fut tendu en vain, Condé avait appris la sagesse. Comme les Catholiques, deux ans auparavant, avaient secrètement fait appel à l'Espagne, les Protestants en appelèrent ouvertement à ceux qui sympathisaient avec leur cause en Angleterre et en Allemagne. Le frère de Coligny, Dandelot fut envoyé à Londres pour demander des hommes et de l'argent. Elisabeth lui fit de bonnes promesses, mais en ajourna l'exécution. Néanmoins après trois mois d'hésitation, elle envoya 6.000 hommes et 100.000 écus. Les troupes de Guise et celles de Condé, après s'être observées pendant quelques jours autour d'Orléans, tirèrent ensuite vers le Nord, chacune par une route particulière, Guise pour mener un rude assaut contre Rouen, dont les défenseurs, vainement assiégés depuis plusieurs mois, avaient été renforcés par les soldats d'Elisabeth.

Ce fut pendant le siège qui se termina par la prise et le sac de la ville qu'Antoine de Bourbon, roi de Navarre, et père du futur Henri IV reçut, en combattant dans l'armée royale, une blessure mortelle. Ce galant et léger gentilhomme succomba dans les bras de sa maîtresse, madame de Nevers, et avant de mourir, il accomplit un geste significatif. Dans la maison de l'évêque de la petite ville normande des Andelys, où on l'avait transporté par eau des tranchées de Rouen, un vieux serviteur huguenot lui fit la lecture des Évangiles et l'exhorta à embrasser de nouveau la foi protestante. Par son dernier message à sa femme abandonnée, il la pressait de se tenir avec son fils en Béarn.

La première véritable bataille des guerres civiles, où les mercenaires suisses et espagnols combattirent sous le duc de

Guise et les huguenots sous Condé, fut livrée à Dreux. Condé, après être resté maître du terrain toute la journée, perdit finalement la bataille pour avoir trop éparpillé ses forces. Dans cet engagement, un des triumvirs, le maréchal de Saint-André fut tué et un autre, le renégat Montmorency, fait prisonnier par son propre neveu Coligny. Condé lui-même tomba aux mains du duc de Guise. Le beau et élégant petit prince, le *petit galant* comme l'appelait dédaigneusement son vainqueur, fut très bien traité par celui-ci et comblé d'égards au point qu'il lui fit partager sa table et même son lit. Cette première victoire des Catholiques plongea les Huguenots dans la consternation. Guise lui-même, regagnant toute la faveur, sinon la confiance de Catherine, fut rétabli à son ancien rang de lieutenant-général du royaume. Maintenant seul à la tête du parti catholique, il était le maître incontesté du pays. Saint-André tué, Montmorency prisonnier, Navarre mort, Condé prisonnier et à moitié gagné, et ainsi diminué dans l'estime de son parti, Guise restait le personnage le plus puissant et le plus dangereux de France.

Cependant, dans l'importante place d'Orléans, les protestants tenaient toujours ferme. Bien que décimés au cours de ce sombre hiver par la maladie et les pertes, abandonnés par la noblesse, que révoltait l'austérité de mœurs imposée à l'armée huguenote par Coligny et ses pasteurs, — Coligny veillait lui-même au châtiment des hommes surpris à piller — leur nombre diminuant journellement par la désertion des mercenaires allemands, les défenseurs de la ville assiégée refusaient de se rendre. Guise exhalait d'horribles jurons et rongeait sa barbe. Il pouvait même, écrivait-il à la reine, mordre ses doigts de rage, mais quand il aurait pris la place « il la raserait jusqu'au sol et y tuerait tout jusqu'aux chats. »

Mais le duc ne vécut pas assez pour savourer sa vengeance. Sous les murs de la ville même qui le défiait, il tomba sous les coups d'un assassin. Le meurtrier était un jeune gentilhomme angoumois nommé Poltrot qui, en guerroyant dans les Flandres, avait été fait prisonnier par les Espagnols à Saint-Quentin et emmené en captivité en Espagne. Il y assista, horrifié, aux commencements de l'Inquisition et rentré en

France avec l'idée de vengeance, il décida de tuer le duc de Guise. Il s'ouvrit de son intention à Coligny qui le dédaigna, et aux autres chefs protestants. Tout en le tenant pour un fanfaron, ceux-ci acceptèrent l'offre qu'il leur fit de se rendre au camp de Guise comme espion. Ce fut sous ce déguisement qu'il se présenta aux catholiques, montant un cheval acheté avec l'argent des huguenots, et parlant un excellent espagnol qu'il avait appris durant sa captivité.

Le 18 février 1563, après une prière à Dieu pour lui demander conseil, Poltrot décida que l'heure était venue. Le soir, il se posta au coin d'un bois, son lourd pistolet appuyé sur une branche d'arbre et attendit. Lorsque Guise apparut, il pointa sans trembler son arme au défaut de la cuirasse, et quand sa victime fut à six pas, il fit feu. Le duc tomba mortellement frappé. Il vécut encore six jours et sa fin, à laquelle assistaient de nombreux prêtres, fut attendue avec crainte par tout le parti catholique. On en fit celle d'un saint et d'un martyr. On a dit qu'il passa ses dernières heures à réciter des passages des Livres Saints, bien qu'il n'eût notoirement jamais ouvert les Écritures. Sans aucun doute sa mort fut rendue plus pénible par le furieux chagrin que lui causait la résistance imprévue d'Orléans. La ville prise, les protestants écrasés, il serait devenu le maître du royaume et le seul gardien d'un enfant royal irrémédiablement condamné par une hérédité implacable. Il était sur la première marche du trône, dominant par sa rude férocité et son arrogance une monarchie obscure et tremblante. Navarre mort et Condé écarté, il pouvait même prétendre à la Couronne.

On accusa naturellement de complicité de meurtre les protestants en général et Coligny en particulier. L'amiral dénia froidement avoir eu connaissance du crime, et on peut le croire, mais avec sa rude franchise caractéristique, il n'hésita pas à ajouter que la « mort de Guise était le plus grand bienfait qui pût advenir au royaume, à l'Eglise de Dieu, et en particulier à lui-même et à sa maison. »

L'assassin fut écartelé en place de Grève. Mais avant de mourir dans la torture, cet homme implacable dit orgueilleusement de sa victime : « Avec tout cela il est bien mort et ne ressuscitera pas. » Et comme sa chair grésillait sous les tenailles rougies au feu, et bien que sa voix fût couverte par les cris sauvages de la foule, il répéta avec le plus grand calme : « Si la persécution ne cesse, il y aura vengeance sur cette ville et déjà les vengeurs y sont. »

Les dix années suivantes furent remplies de batailles, de trêves et d'intrigues. Condé voltigeait gracieusement d'amour en amour. Les protestants étaient désillusionnés et moroses. Le royaume déjà appauvri était maintenant ruiné. Les Guise seuls, après la mort de leur chef, demeuraient riches et puissants dans un pays affamé, s'engraissant des revenus de leurs quinze évêchés, de multiples abbayes, du produit des taxes, de leurs riches terres et de leurs émoluments Par leurs créatures ils dominaient la Cour, la garde royale, les finances. Deux grandes provinces, Champagne et Bourgogne, étaient leurs fiefs, par elles ils contrôlaient les frontières. Le chef de la maison de Lorraine était devenu le jeune duc Henri de Guise, un adolescent de treize ans, blond et belliqueux comme le fameux duc François. Il avait hérité de son père une ambition dévorante, et de sa mère, Anne d'Este, beaucoup de la grâce italienne et de la vive intelligence. En lui, les rages soudaines et la férocité ouverte de François étaient dissimulées, les flammes de la cruauté soigneusement masquées. A son apogée, il ne fut pas un grand chef militaire comme le conquérant de Calais, ni un maître en fourberie. Mais à un esprit actif il joignait un grand courage, une absence complète de scrupules, et beaucoup de ces manières séduisantes qui attirent la popularité, et qui plus tard devaient faire de lui, en une heure cruciale, le héros des rues de Paris.

A treize ans, le jeune Henri devenu l'espoir du parti catholique apparut comme le vengeur de son père et le champion de la veuve du duc assassiné, bien que celle-ci, en dépit de sa manifestation de deuil et de l'élégance de ses voiles, ne fût pas longue à trouver consolation dans les attentions du duc de Nemours. Et tandis qu'aux yeux de l'adolescent précoce, on faisait miroiter l'éblouissant exemple de son père, et qu'on l'élevait en vue du rôle brillant et tragique qu'il devait jouer par la suite, trois autres jeunes hommes presque de son âge, le roi Charles IX dont la violence native, le caractère farouche et les accès de mélancolie avaient déjà effrayé Catherine, son jeune frère le duc d'Anjou et, dans son lointain Béarn, l'enfant de la campagne, à demi sauvage, Henri de Béarn, poursuivaient leur rude chemin vers leur commune destinée.

L'histoire des luttes religieuses des dix années suivantes s'explique, au dire de Michelet, en deux phrases brutales et suggestives, l'avis du féroce duc d'Albe à son souverain Philippe II : « Dissimuler, puis leur couper la tête » et l'exhortation du nonce au pape : « On pourra mieux châtier ces gens-là quand ils seront dispersés et désarmés. » (1)

La paix d'Amboise (15 mars 1563) signée après la bataille de Dreux et la mort de Guise, fut négociée au nom des protestants par Condé, bien que sa situation humiliante de prisonnier du parti de Guise lui enlevât tout pouvoir de traiter. Tour à tour caressé et menacé par Catherine, moins soucieuse de se concilier les protestants maintenant qu'elle n'avait plus besoin d'eux pour faire échec à l'arrogance des Guise, Condé accepta des conditions qui sacrifiaient les huguenots des villes et des villages, la petite bourgeoisie et les artisans qui avaient porté tout le poids de la lutte au profit de la noblesse protestante.

On accorda aux gentilshommes du parti la liberté du culte réformé dans les châteaux. Mais les classes humbles ne pouvaient tenir d'assemblées que dans une ville par bailliage. Condé lui-même fut reconnu par le traité lieutenant général du royaume. Quant à Coligny, bien que devenu le chef militaire des protestants, il arriva trop tard à Amboise pour prendre part aux négociations. En plein conseil, il reprocha à Condé d'avoir supprimé d'un coup de plume plus de confréries que les catholiques n'en auraient pu détruire en dix ans.

Dès lors, la suprématie de Condé à la tête du parti touchait à sa fin. Sa qualité de prince de sang et ses talents militaires lui attiraient toujours l'aristocratie protestante en donnant les allures chevaleresques d'une croisade à une minorité de

(1) *Histoire de France*, tome IX, p. 282.

sectaires rigides. Mais la vanité et les folies du charmant prince, « le petit homme tant joli », faisaient de lui une proie facile pour Catherine et son « escadron volant » de jeunes beautés. Ce fut Coligny qui devint le chef réel, la direction et la force morale des huguenots venant reposer sur le froid et orgueilleux amiral, au cœur secrètement torturé.

La paix signée, Catherine, s'aidant des charmes d'une autre de ses filles d'honneur, mademoiselle de Limay, incita Condé à conduire une expédition contre Le Havre, où les troupes anglaises envoyées par Elisabeth au secours des protestants avaient pris garnison. Mais à peine le dernier de ces soldats étrangers chassé du royaume, la guerre éclatait de nouveau entre catholiques et protestants.

Les huguenots de France se trouvaient maintenant coupés de l'Angleterre. D'autre part, calvinistes par la doctrine, ils étaient regardés avec une certaine méfiance par les luthériens d'Allemagne. Ce fut désormais ouvertement contre eux, en même temps que contre Elisabeth, que se tournèrent les vastes desseins de Philippe II et que fulmina le tonnerre des excommunications lancées par le Pape.

La France à cette époque était pratiquement encerclée par les vastes possessions de l'Espagne. Philippe tenait une grande partie de l'Italie, le Milanais, les Deux Siciles et par son frère le duché de Savoie. Le Pape lui-même était son vassal, et presque son prisonnier. Par la Franche-Comté qui lui appartenait, ses soldats et les moines de l'Inquisition se rendaient dans les Flandres, armés des terribles instruments avec lesquels ce redoutable tribunal prétendait libérer les âmes en détruisant les corps. Il était le maître des Pays-Bas, du Mexique, du Pérou et des Indes occidentales et bientôt, il allait s'emparer du Portugal, des Açores et de l'empire portugais des Indes orientales.

Toute l'Europe était maintenant directement menacée par l'extraordinaire combinaison d'ambition politique et de fanatisme religieux que dirigeait cette toute-puissante monarchie. Le Pape lui-même, déjà réduit dans son pouvoir temporel, trouvait en Philippe un rival comme chef spirituel de la Chrétiente. Et les protestants de France, d'Angleterre et d'Allemagne étaient en conflit, ouvertement ou secrètement, avec le formidable appareil de torture et de meurtre, d'intrigue et de ruse, dressé par l'hôte sinistre de l'Escurial.

Le parti de l'Espagne avait déjà pris pied solidement en France. Il donnait des subsides à des aventuriers armés, comme Gaston de Montluc, le redoutable persécuteur des huguenots dans le sud-ouest, qui avait projeté un jour de faire disparaître Jeanne d'Albret et de s'emparer du Béarn pour le compte de l'Espagne. Un des hommes de Montluc figura vers cette époque dans un de ces combats singuliers dont l'histoire des guerres religieuses est si riche. Ce partisan, un gascon nommé Charry, avait été envoyé par Montluc à Paris, pour prendre le commandement d'une nouvelle garde créée auprès du roi. Sa mission réelle, plus vraisemblablement était d'espionner Coligny et son frère Dandelot, et même, par un soudain geste de violence, de faire éclater en tonnerre les sombres nuages de haine religieuse et de rivalité politique qui s'amoncelaient autour du Louvre. Le vantard gascon poussa trop loin la provocation. Non content d'insulter journellement les amis de Dandelot, Charry alla un jour jusqu'à bousculer grossièrement la suite des gentilshommes protestants sur les escaliers encombrés du Louvre. C'était plus que n'en pouvaient supporter les adversaires. Un nommé Mouvans, dont le frère avait été tué par Charry et l'un de ses compagnons, se postèrent un jour dans la boutique d'un armurier sur le vieux pont de bois Saint-Michel, et quand l'insolent gascon parut à l'autre extrémité, les deux protestants lui barrèrent la route. Et dès qu'il fut à portée, Mouvans lui passa son épée à travers le corps en prononçant ce seul mot : « Souviens-toi ». Sitôt la nouvelle du meurtre parvenue à la Cour, les gardes de Charry coururent demander vengeance à Catherine. Mais Dandelot opposa une si fière mine à leur menace qu'il put s'éloigner sain et sauf. Toutefois l'incident fournit à la reine mère un prétexte dont elle devait plus tard faire cyniquement usage dans son renouveau de haine contre les huguenots.

Un autre incident plus gai vint à la même époque accentuer la rivalité croissante, en religion, en guerre et en amour qui divisait les deux partis. La belle et jeune princesse de Salm, veuve d'un catholique et appartenant à une grande famille de Lorraine, le fief même des Guise, conçut une passion romanesque pour Dandelot et le poussa presque à demander sa main. En dépit d'une véhémente opposition des siens et des dangers d'une aussi imprudente alliance avec un chef protestant, la jeune femme très décidée persista dans son projet de mariage. Dandelot, à la tête d'une petite troupe de partisans arriva aux portes de Nancy, la capitale du duché de Lorraine, où les membres de la famille de Guise étaient alors assemblés. Comme à trois reprises on lui refusa l'entrée de la ville, il fit passer ses chevaux dans un faubourg et résonner leurs sabots sur le pont d'accès au château où la fiancée attendait. Ayant atteint le pont-levis, toute la troupe tira, en manière de défi, une salve d'arquebusade, qui fit éclater les fenêtres du palais des Guise, tout près, de l'autre côté de la rivière. Le jeune duc Henri, en larmes, se tordait les poings de colère, impuissant contre ces insolents. Trois jours durant, les Guise entendirent avec une irritation non déguisée les bruyantes réjouissances de leur jeune parente, puis enfin, ils virent le pont-levis s'abaisser et une troupe de cavaliers en surgir, ayant à sa tête Dandelot, portant en croupe la galante et sentimentale jeune femme, qui abandonnait pour toujours ses terres et sa famille.

C'est d'une telle étoffe que sont tissés les incidents violents ou passionnés qui éclairent fréquemment le sombre drame de cette période dramatique. Dans ces conflits religieux, ni l'un ni l'autre des deux partis n'eut le monopole du courage, du romanesque aventureux, ni même de la piété et du martyre. Si la cause de la liberté religieuse nous paraît avoir été soutenue principalement par les protestants, dont le mouvement contenait en germe la lutte pour la liberté politique qui devait éclater deux siècles plus tard dans le terrible bouleversement de la Révolution française, un bon nombre des cruautés et des excès de cette époque sanglante n'en reste pas moins à leur actif.

CHAPITRE IV

LA CONFÉRENCE DE BAYONNE. LA GUERRE CIVILE. JARNAC ET MONCONTOUR. HENRI DE NAVARRE PROCLAMÉ CHEF DES HUGUENOTS

En 1564, durant la trêve qui suivit la paix d'Amboise, Catherine et Charles IX entreprirent à travers la France un long et pittoresque voyage qui aboutit aux fameuses conversations de Bayonne entre la Cour de France et les délégués de l'Espagne, entretiens auxquels des historiens ont attribué le premier projet du massacre de la Saint-Barthélemy. Après de nombreuses étapes à Sens, Bar-le-Duc, Mâcon, Lyon et autres villes, la reine mère, au bout d'une année d'errance, arriva enfin à Bayonne. Elle s'y rencontra, en fin 1565, avec sa fille Elisabeth, devenue Isabelle d'Espagne, et avec le duc d'Albe. A Mâcon, Catherine avait été rejointe par Jeanne d'Albret. Les amis que possédait à la Cour la reine de Navarre l'avaient suffisamment avertie de la tortueuse politique de Catherine pour éveiller en elle les pires appréhensions. Les plus sinistres rumeurs couraient au sujet d'une prochaine conférence avec l'Espagne. Obstinée depuis des années dans son hérésie, Jeanne se voyait maintenant menacée d'une bulle d'excommunication papale. Elle avait déjà de bonnes raisons de se plaindre de l'attitude menaçante de l'Espagne et de l'insolence de Montluc. Nommé par Guise lieutenant général en Béarn, ce gentilhomme avait entrepris de réprimer durement les libertés des huguenots dans ce royaume. Jeanne suivit la Cour jusqu'à Lyon, où son fils Henri de Navarre fut présenté aux ambassadeurs étrangers comme premier prince du sang par son oncle le cardinal de Bourbon. Puis, sur le conseil de Catherine, elle laissa le cortège royal poursuivre son long voyage vers le sud-ouest et regagna les terres de feu son mari à Vendôme.

Au dire de quelques chroniqueurs, le prince de Navarre, âgé de douze ans, dissimulé dans un coin de la chambre où se tenait la Conférence de Bayonne, aurait surpris une conversation entre Catherine et les délégués de l'Espagne relative à un massacre général des protestants. Les mêmes historiens attribuent au duc d'Albe un mot significatif à l'égard de Coligny : « Un bon saumon vaut mieux que cent grenouilles. » Dans ses mémoires, Jeanne d'Albret blâme Catherine de Médicis pour les décisions prises à Bayonne. Durant ces pourparlers, assure-t-elle « furent forgées les lames d'épées qui versèrent plus tard le sang chrétien ».

Si l'on peut douter que la reine mère, plutôt portée par instinct aux trahisons mineures, ait accepté à ce moment l'idée d'un massacre général des huguenots, expédient dont la cruauté était d'un caractère plus espagnol que français, il est probable qu'elle consentit au meurtre de Coligny, qu'elle redoutait et haïssait dès cette époque, et que le sort du « beau saumon » fut réglé. Toutefois, elle chercha tout d'abord à l'abattre par la ruse.

Tandis que le cortège royal s'avançait vers la frontière espagnole, Charles IX avait décidé une politique impitoyable contre les huguenots et ordonné la construction de forteresses dans les villes catholiques pour tenir en respect les protestants voisins. En même temps, il interdisait aux seigneurs huguenots d'admettre au service religieux dans leur château leurs coreligionnaires des villes.

Quand la Cour eut pris le chemin du retour, le jeune roi, sur les instances de Catherine, poussa les chefs catholiques et protestants à une réconciliation. A Moulins, où Jeanne d'Albret vint retrouver le cortège, il exhorta solennellement Coligny à embrasser les chefs de la maison de Guise. Embarrassé par son respect profond de la monarchie, l'amiral y consentit non sans hésitation. Mais le petit Henri de Guise, nourrissant toujours des rêves de vengeance pour le meurtre de son père et enflammé par sa mission de défenseur de la religion catholique, se refusa à ce geste d'apaisement.

En acceptant ces avances, Coligny s'était diminué aux yeux de ses partisans fanatiques. Se repentant un peu plus tard de

sa faiblesse, il étonna ses amis et s'étonna probablement lui-
même en proposant audacieusement d'enlever le jeune roi.
Toujours foncièrement loyal envers la Couronne, mais détestant Catherine et les mœurs de cette cour italienne, il se rendait compte que seule la possession de la personne royale
garantirait ses droits politiques à la minorité protestante de
France. On vit donc à Meaux une répétition de la tentative
faite avec succès précédemment par Guise à Fontainebleau,
pour s'emparer du roi. Le projet fut déjoué par Montmorency,
le fils aîné du vieux connétable, qui détourna l'attention de
Condé jusqu'à ce qu'une troupe de gardes suisses arrivât à
temps pour sauver la Cour. Bien que débordé par le nombre,
dans la proportion d'un contre cinq, les protestants par leur
audace furent cependant sur le point d'atteindre leur but.
Finalement Charles IX, pleurant de rage, à la fois irrité et
tremblant pour sa royale personne, fut ramené à Paris en
hâte.

En dépit d'une forte garnison royale, de renforts espagnols
qu'on attendait et de la loyauté des bourgeois eux-mêmes, la
capitale se vit promptement assiégée par la petite armée protestante : 2.000 hommes contre 200.000. Un observateur otto-
man, envoyé du sultan de Constantinople, a dépeint cette
lutte d'une inégalité fantastique à laquelle il assista des hauteurs de Montmartre le 10 novembre 1567. Ecrivant ses im-
pressions au Grand Seigneur, le Turc exprimait son étonnement de l'audace des assaillants, composés en grande partie
de cavalerie légère, dont la moitié à peine était pourvue d'armure et qui portait un vêtement blanc pour masquer ce manque de protection. La férocité de leur attaque lui arracha
cette expression : « Si Sa Seigneurie avait ces guerriers blancs,
elle pourrait faire le tour de la terre et rien ne lui résisterait. »

Ce fut durant une de ces escarmouches sous les murs de
Paris que le vieux connétable trouva la mort, tué par un
Ecossais nommé Robert Steward, un ami de John Knox et
un homme qui avait souffert pour la religion réformée. Le
rude guerrier, toujours plus brave dans les combats que dans
la paix, se défendit vaillamment. Mais finalement l'Écossais
l'abattit d'un coup de pistolet, et ainsi finit cette longue

existence, si curieusement entretissée de valeur et de pusillanimité.

Au début de la même année, sous prétexte de visiter ses
terres de Vendôme, Jeanne d'Albret quittait la Cour, emmenant Henri de Navarre. Une fois délivrée de cette atmosphère
brûlante, elle fit de courtes haltes en ses logis de Vendôme,
Beaumont et La Flèche et ne s'arrêta qu'après avoir mis la
Garonne entre elle et Catherine. De son Béarn relativement
tranquille, elle pouvait défier la Cour de France.

Au 1er février 1567, Henri de Navarre âgé de treize ans,
n'était plus un enfant mais un adolescent physiquement et
intellectuellement précoce. Un sculpteur a laissé une séduisante image du jeune homme : un corps svelte, un beau visage
ardent aux traits menus et presque délicats, la chevelure bouclée sur le front large, la bouche bien dessinée, le nez busqué
et moins grand que dans les années suivantes.

Ce fut à cette époque qu'il fit ses débuts dans la carrière des
armes. La Cour protestante de Pau ayant décidé une petite
expédition pour secourir un gentilhomme huguenot encerclé
dans son château de Garris, le prince de Navarre en reçut le
commandement et réussit si bien qu'il délivra son coreligion-
naire et repoussa les assiégeants jusqu'à la frontière d'Espagne.

Cependant la rupture presque ouverte des relations entre
Jeanne d'Albret et la Cour de France n'avait pas détourné
Catherine de ses éternels et laborieux efforts de conciliation.
Aux yeux de la reine mère qui voyait loin la reine de Navarre
et son fils représentaient de précieux otages. La rusée descen-
dante des banquiers florentins estimait cette valeur en termes
de finances, un prêt à intérêts élevés qui serait rapidement
remboursé. Jeanne lui servirait de garantie vis-à-vis de l'Espagne. Tant que Catherine semblerait couvrir la reine de Navarre
de sa protection, la puissance voisine n'oserait pas envahir la
province du Béarn. De son côté Henri de Navarre, une fois
à la Cour, tiendrait lieu de gage pour la sécurité de la famille
royale contre les desseins dont la reine mère soupçonnait les
protestants et même pour le sort futur de celle-ci, car la jeunesse de Henri, premier prince du sang, le plus proche héri-

tier du trône après le duc d'Alençon, ancrait en Catherine l'espoir de conserver son influence et de se voir maintenir dans ses fonctions de régente Ainsi raisonnait cette infatigable diplomate. Mais Jeanne sa jeune rivale, pénétra aisément ses desseins en opposant son intuition et une intelligence clairvoyante à la dramatique et subtile dissimulation de la Florentine.

Et finalement, quand, perdant tout espoir de faire revenir à la Cour la mère ou le fils, Catherine, à bout d'instances, envoya M. de Losse en Béarn avec mission d'enlever le jeune prince, Jeanne d'Albret se rendit compte que sa retraite montagneuse n'était plus sûre. Elle décida donc de renoncer à son isolement dangereux et à sa demi-royauté dans ses petits états pour les hasards et les périls de la guerre religieuse. Emmenant avec elle son fils et sa suite, ses ministres et conseillers huguenots et un grand nombre de gentilshommes du Béarn, elle rejoignit son beau-frère Condé à Cognac, et, en compagnie de ce prince, elle arriva en septembre à La Rochelle la citadelle du calvinisme en France.

Dès lors, Henri de Navarre entreprit son long et rude apprentissage de la guerre civile. Sous son oncle Condé, le plus beau soldat du temps, il prit part à la campagne de 1569 et assista aux défaites infligées aux huguenots à Jarnac et à Moncontour par les troupes royales que commandait Henri d'Anjou.

La mort de Condé à Jarnac où, après avoir été désarmé, il fut tué d'un coup de pistolet par un des gardes du duc d'Anjou, laissa Henri de Navarre chef des protestants. A ce nouveau titre comme à celui de prince de sang, la direction du parti lui revenait doublement. Outre ses coreligionnaires fanatiques, il commença de rechercher l'appui, tout d'abord hésitant, d'un bon nombre de catholiques modérés, inquiets de l'arrogance des Guise et alarmés du désordre croissant. Au lendemain de la bataille de Jarnac, devant l'armée des protestants réunis à Saintes, le jeune prince, en présence de sa mère, prêta le serment de fidélité à la religion réformée, et fut proclamé chef des huguenots au milieu des acclamations d'enthousiasme. Désormais les ordres d'opérations militaires comme les manifestes politiques du Parti portèrent sa signature. Et déjà quelques-uns d'entre eux décelaient ce style vivant, direct et ironique qui distingue l'œuvre épistolaire de Henri IV entre toutes les correspondances royales.

Il était alors âgé de seize ans. Le charmant portrait qui appartient à l'Université de Genève, attribué à Porbus le Jeune, montre en lui le fils de sa mère, un robuste et gracieux jeune homme, de taille moyenne mais plus grand que tous les autres princes royaux, avec les yeux et la bouche de la reine de Navarre. Depuis sa plus tendre enfance, il avait été endurci au climat rigoureux de ses montagnes natales, et de ses rudes jeux de plein air, il conserva jusque dans ses dernières années la passion de la chasse et des exercices du corps.

Si Henri de Navarre était devenu la tête du parti, le vétéran Coligny restait son principal appui et son chef moral autant que militaire. Entre les batailles de Jarnac et celle de Moncontour, le Béarn fut envahi par les troupes royales, et une terrible suite de sanglantes rencontres se déroula en Périgord, en Poitou et dans le sud-ouest, au cours desquelles les mercenaires suisses et allemands de Charles IX brûlèrent et saccagèrent les villages en massacrant leurs malheureux habitants. Les protestants, de leur côté, n'exercèrent pas de moins impitoyables représailles, bien que Coligny interdît sévèrement de commettre aucun excès sous ses yeux. En cette armée subsistaient encore quelques traces de la rude et pieuse austérité des premiers huguenots. Et la chronique a mentionné qu'en plusieurs occasions, l'Amiral punit rigoureusement des soldats pris en flagrant délit de vol et de violences.

Mais Condé lui-même et ses joyeux compagnons s'élevèrent contre cette ennuyeuse rigueur, et l'entourage du jeune prince de Navarre ne se sentait guère mieux disposé à observer de trop près le régime monacal suivi par Coligny et prescrit par les ministres qui accompagnaient l'armée.

La bataille de Moncontour, en infligeant aux protestants une seconde défaite cuisante, couronna Henri d'Anjou des lauriers militaires qu'il ambitionnait depuis longtemps, et lui permit momentanément de supplanter son rival de Guise, comme héros du parti catholique. Cependant, les échecs de Coligny en Poitou et en Vendée furent effacés peu après par les succès de son lieutenant Montgomery, qui chassa les troupes royales de la Gascogne.

Enfin se termina la terrible année 1569, dans laquelle les yeux du jeune Henri de Navarre furent si impressionnés par le spectacle des horreurs de la guerre conduite avec une brutalité et une férocité implacables à l'égard des malheureuses populations, que par la suite il fit subir des pénalités rigoureuses aux soldats coupables de rapines, de pillage et d'incendie. Et au printemps de 1570, quand les deux ailes de l'armée des protestants eurent fait leur jonction, Coligny entama cette longue et brillante marche du sud de la France jusqu'aux environs de Paris qui rétablit la fortune militaire des protestants, en assurant à l'amiral une réputation de grand chef militaire.

Epuisés par cette troisième guerre civile, les deux partis se trouvèrent prêts au mois d'août 1570 à signer une trêve. Le traité de Saint-Germain-en-Laye consacrait la première victoire remportée par la tolérance religieuse. L'Édit royal accordait la liberté de conscience aux adhérents de la religion réformée dans tout le royaume, le droit au culte public dans tous les endroits où il se pratiquait auparavant, et en outre, dans les faubourgs de deux villes par provinces et le domaine des seigneurs qui exerçaient la justice. Enfin, quatre villes fortifiées étaient concédées pour deux ans aux protestants comme places de sûreté, La Rochelle, Montauban, Cognac et La Charité.

En dépit des deux graves défaites de Jarnac et de Moncontour, les trois guerres religieuses qui prenaient fin en cette année 1570 avaient démontré incontestablement la supériorité militaire et politique des protestants. Les effets de l'Édit de tolérance, joints à cet avantage, durèrent deux ans, pendant lesquels la froide hostilité de Catherine à l'égard des Huguenots fut apaisée sinon éteinte. Coligny de son côté sut apprivoiser le caractère farouche de Charles IX et charmer son cœur inconstant. Quelque chose de fier et de pur dans le caractère de l'Amiral semble à cette époque avoir forcé l'admiration et même l'affection du sombre et violent roi. Les deux seuls êtres auxquels cet étrange monarque tourmenté, déchiré par sa double hérédité, semble avoir jamais montré quelque respect et attachement, furent deux personnes singulièrement dissemblables, l'austère Coligny, presque fanatique du devoir civil et religieux, et Marie Touchet, la blonde maîtresse flamande du jeune prince. Et courbé sous la sombre fatalité de sa nature anormale et morbide, né dans la haine et le désespoir, et élevé dans une atmosphère de violence et de trahison, Charles devait tuer l'un de ces êtres et mourir dans les bras de l'autre.

De tous les enfants pervers et légers de Henri II et de Catherine, le caractère de Charles IX, le monarque de la Saint-Barthélemy, demeure le plus énigmatique. Son frère, François II, était mort à 16 ans et Charles, qui devait mourir à 24, monta sur le trône à l'âge de 14 ans. Comme son prédécesseur, il portait le poids de la double et terrible hérédité des Valois et des Médicis. Dans ses veines coulait le sang paisible de sa mère et le sang brûlant du voluptueux François Ier. Dans son cœur, où circulait le sang corrompu de ses ancêtres, battait l'appel de la violence. A moitié dégénéré et à moitié poète, il était complètement fou. Plus emporté, mais moins dangereux, en dépit de ses accès soudains de frénésie meurtrière, que son frère efféminé Henri III, son sadisme effréné se manifestait sous des formes enfantines et presque pathétiques. Il battait à mort ses chiens et ses chevaux avec une furieuse cruauté. Dans une petite forge qu'il s'était fait aménager au Louvre, il martelait le fer rouge toute la journée, prenant plaisir à ce bruit sourd. Il aimait à sonner de la trompe de chasse pendant des heures, presqu'à faire éclater ses joues et ses poumons. Dans ses moments de désespoir farouche, il ne trouvait d'apaisement que dans la musique des violons ou dans l'affection de Marie Touchet, jeune fille d'extraction bourgeoise et petite-fille d'un médecin flamand de la Cour. Quand un accès de mélancolie furieuse l'assaillait, le roi envoyait chercher Marie Touchet et, dans ses bras blancs et vigoureux, à la tendresse protectrice, l'infortuné souverain trouvait enfin, au milieu des larmes, le repos de l'esprit avec l'apaisement des sens.

Toute l'histoire des années qui précédèrent la Saint-Barthélemy est celle des deux haines qui se partageaient le cœur de Charles IX : haine jalouse et défiante à l'égard de son frère Henri d'Anjou, idolâtré par Catherine de Médicis, haine et terreur de son beau-frère, le roi d'Espagne Philippe II, qui avait empoisonné sa femme Elisabeth de France. On ne saurait trouver d'autre explication à l'inclination marquée subitement par Charles à l'égard des protestants et la déférence qu'il manifesta envers Coligny, en 1572. Momentanément, Henri de Guise était déchu de sa popularité comme le héros et le chef des catholiques. Dépourvu du génie militaire de son père, le duc François, il s'était laissé manœuvrer par Coligny, et la gloire des deux seuls brillants succès remportés par les catholiques revenait à son rival, Henri d'Anjou. Dans cette éclipse temporaire, l'aveugle amour de Catherine pour son fils préféré trouvait sa récompense. Mais la reine mère n'avait pas su écarter Coligny. Et maintenant, l'Amiral triomphant aidait Charles à mettre en échec l'ambition de Henri d'Anjou et sa secrète aspiration au trône. Eloigner celui-ci fut dès lors la plus grave préoccupation du roi, laquelle explique encore la politique changeante et parfois contradictoire que suivit Charles IX.

En janvier 1570, Élisabeth d'Angleterre fit ses premières avances tendant à épouser Henri d'Anjou. Tout d'abord, Catherine s'empressa de les repousser, dans la crainte qu'en épousant la reine d'Angleterre, Henri ne perdît ses chances presque certaines de succession au trône de France. En février, elle écrivit à l'ambassadeur de France à Londres qu'à aucun prix d'Anjou n'accepterait une telle union, en raison des « mauvaises mœurs » d'Élisabeth : par contre, elle offrait la main de son plus jeune fils le duc d'Alençon. Mais sur ces entrefaites, Charles IX ayant appris l'offre d'Élisabeth et le refus de Catherine, lut aussitôt dans les secrets desseins de sa mère. Deux semaines plus tard, il obligeait celle-ci à adresser à Londres une seconde lettre, par laquelle elle déclarait « désirer infiniment » le mariage pour le duc d'Anjou. Des portraits furent échangés entre les futurs époux. Henri parut réellement quelque temps ébloui par la perspective de cette union royale et les encouragements secrets et enthousiastes des catholiques d'Angleterre. De vingt ans plus jeune qu'Élisabeth, il se voyait déjà dans un prochain avenir à la fois veuf et successeur de son frère, roi de France et d'Angleterre, et éventuellement le libérateur de la séduisante Marie Stuart, qui languissait dans sa prison-forteresse.

Elisabeth fut-elle sincère ? Incontestablement elle se sentit attirée par les rapports flatteurs qu'on lui fit sur le duc d'Anjou, sa jeunesse, sa belle mine, et spécialement ses mains blanches aussi soignées que celles d'une femme. Burleigh, ministre de la reine, transmit ces propositions matrimoniales, sans rien manifester de sa propre pensée, et les catholiques pressèrent le mariage. Mais la reine elle-même ne montra pas de hâte et finalement, Charles se laissa persuader par Coligny, qui voyait dans ces projets un grave danger pour la cause protestante en général, de n'en point hâter la conclusion. Le secret désir de l'Amiral était de marier Élisabeth à Henri de Navarre, union qui, n'eût été la disproportion de leur âge, aurait associé les protestants de France à ceux d'Angleterre, et qui, si elle risquait de priver Henri de la couronne de France, pourrait le placer auprès d'Élisabeth sur celui d'Angleterre et des Pays-Bas.

Tandis que Charles encourageait les protestants en France et flattait les princes luthériens d'Allemagne et même, pendant quelque temps, nourrissait le rêve d'un empire protestant des Indes Orientales, rival de celui de l'Espagne, avec l'aide des Hollandais, lesquels offraient leur couronne à tout chef d'État qui les délivrerait du joug espagnol, l'Espagne se trouva aux prises avec de graves difficultés qui vinrent permettre à la cause des protestants en France de poursuivre ses progrès. Les Maures s'étaient soulevés contre Philippe. Les Turcs attaquaient Chypre sous le commandement du sultan de Constantinople et menaçaient toutes les rives chrétiennes de la Méditerranée. Pendant plus d'un an, Philippe s'affaira à l'organisation d'une Ligue Sainte contre les Infidèles, laquelle, sous l'énergique commandement de Don Juan d'Autriche, infligea à la flotte turque une défaite écrasante à la bataille épique de Lépante (7 octobre 1571). Ce succès remporté, le roi d'Espagne put reporter son attention sur l'Europe occidentale, pour y reprendre sa guerre secrète d'espions et d'assassins contre Élisabeth et les princes protestants d'Allemagne, préparer l'expédition de l'Armada, et enfin, exécuter contre les huguenots français ce sensationnel coup de main, depuis longtemps prédit à Guillaume le Taciturne par Henri II dans la forêt de Vincennes, et suggéré à la veuve de ce souverain par le duc d'Albe à la conférence de Bayonne.

Ce furent de brillantes réjouissances qui servirent de prélude à ce vaste et terrible drame.

A peine les cloches de Paris avaient-elles cessé leur gai carillon pour les fêtes du mariage de Marguerite de Valois et de Henri de Navarre, que l'appel de leur tocsin retentissait dans la nuit de la Saint-Barthélemy parmi les cris d'horreur et les scènes de meurtre et de désolation.

CHAPITRE V

LA MORT DE JEANNE D'ALBRET. MARIAGE DE HENRI DE NAVARRE AVEC MARGUERITE DE VALOIS

LES deux principaux personnages des célèbres *noces vermeilles* s'étaient rencontrés tout enfants à la Cour de Henri II, où Antoine de Bourbon et Jeanne d'Albret, encore heureux époux, avaient amené le jeune prince de Navarre. Le mélancolique amant de Diane de Poitiers, qui méprisait les enfants maladifs de Catherine, avait été charmé par les manières ouvertes et la franchise de langage du petit béarnais : « Voulez-vous être mon fils ? » lui avait-il demandé ; et comme le fils de Jeanne d'Albret refusait carrément, il avait ajouté en désignant sa fille Marguerite de Valois « : Alors, vous serez mon gendre. »

A présent, Charles IX reprenait l'ancien projet fait par son père en plaisantant à demi, et l'adoptait avec enthousiasme en brisant toute opposition. En avril 1571, faisant taire violemment les objections de Catherine, et menaçant de tuer Henri de Guise, l'ancien amant de Marguerite qui désirait l'épouser en faisant ainsi un nouveau pas vers le trône, Charles signa le contrat de mariage de sa sœur Marguerite et du prince de Navarre.

Après plus de trois siècles et demi, les couleurs du portrait de Marguerite de Valois, comme un joyau sur le sombre velours de son temps, ressortent toujours aussi brillantes. Sur cet horizon confus de courants impétueux et de sables mouvants, l'éclat de Marguerite scintille comme celui d'une étoile.

Depuis l'adolescence, cette enfant cruelle écoutait l'appel ardent de son être sensuel. De ses yeux étranges et vivants de petit carnivore, elle regardait avec indifférence la dynastie dont elle était destinée à rester la seule survivante, déchirée dans la lutte entre deux religions rivales.

Pendant toute la longue agonie de cette monarchie, elle allait demeurer oublieuse de tout, sauf son propre sort et la réalisation de ses désirs. Personnellement capable d'une loyauté relative, superbement indifférente à tout intérêt moral ou national, elle céda durant toute sa vie aux entraînements de sa sensualité insatiable, même dans la solitude demi-volontaire où elle se confina en son château féodal d'Usson, même dans ses derniers jours où elle vécut à Paris, dans sa maison du Pré-aux-Clercs, comme une vieille femme ardente et passionnée, mais toujours impitoyable. Ses amants furent tués sous ses yeux, et l'un d'eux au moins poignardé dans ses bras, et bien qu'elle ne dût jamais pardonner l'outrage, elle oublia promptement la victime. Et longtemps après le terrible bouleversement dans lequel périrent ses contemporains et tous ses premiers amants, comme Guise et Bussy d'Amboise, longtemps après la disparition lamentable des autres membres de la race morbide des Valois, survivant au règne de Henri IV, sous celui de Louis XIII, à la fin comme au commencement de son histoire, on trouve Marguerite poursuivant de nouvelles et périlleuses conquêtes.

Quand son projet de mariage avec Henri de Navarre fut sérieusement envisagé elle était âgée de dix-huit ans. Elle avait eu déjà plus d'une aventure et le chroniqueur contemporain du « Divorce satirique » lui attribua un essai précoce à l'âge de onze ans. Qu'une telle accusation fût vraie ou fausse, Marguerite à dix-huit ans apparaissait une créature éblouissante, aux yeux singulièrement troublants, avec des traits qui n'étaient pas beaux, peut-être, mais étrangement séduisants.

Elle était alors engagée dans une folle passion pour Henri de Guise, devenu lui-même un grand et beau jeune homme blond, remarquable homme d'épée très recherché par toutes les jeunes femmes de la Cour. Marguerite ne cherchait nullement à déguiser sa joie d'avoir été distinguée par lui et l'on voyait fréquemment Guise entrer ouvertement, en plein jour, presque insolemment, dans la chambre de sa maîtresse au Louvre. Toute la Cour était au courant de l'intrigue qui donnait lieu à maints racontars. La liaison n'aurait pas eu de

conséquences plus graves que les autres affaires d'amour cou-
rantes à l'époque, si la mère et les oncles du jeune duc, voyant
dans cette aventure une occasion d'allier la maison de Guise
à la famille royale des Valois, n'avaient commencé à pousser
au mariage. Marguerite elle-même désirait secrètement cette
union. Mais Charles IX, sentant le danger pour sa dynastie
d'une alliance avec le chef de la plus puissante faction du
royaume, et irrité de l'arrogante prétention du duc de Guise,
laissa éclater sa furieuse colère. Un matin de bonne heure,
après une nuit d'insomnie, il accourut en chemise de nuit dans
la chambre de Catherine et envoya chercher sa sœur. Quand
Margot arriva, les yeux ensommeillés, étonnée et craintive,
le roi et sa mère se jetèrent violemment sur elle et la battirent
comme une écolière. Quand ils s'arrêtèrent, las de frapper, les
vêtements de Margot étaient tellement en lambeaux et sa
chevelure si en désordre, que Catherine, reprenant brusquement son rôle de mère et de diplomate, passa une heure à réa-
juster la toilette de sa fille, avant que Marguerite ne sortît
sous les regards curieux des femmes de chambre et des gardes.

Ses contemporains nous ont laissé une idée précise du caractère et de l'aspect physique de cette précoce sœur du roi, ainsi
durement châtiée pour ses amours. Enfant, elle était certainement belle, comme on peut le voir d'après son portrait par
Clouet au musée de Chantilly. Philippe, roi d'Espagne, enten-
dant vanter sa beauté, lui avait déjà offert la couche somptueuse de sa sœur aînée Élisabeth, qui avait quitté pour une
autre tombe le funèbre château de l'Escurial. Dans son âge
mûr, elle était plus séduisante que belle, avec ses traits irré-
guliers, son visage volontaire et plus provocant qu'aimable.
Le secret de son tempérament se trouve dans la bouche caractéristique des Médicis, avec sa lèvre inférieure sensuelle, dans
ses yeux brillants, éveillés et malicieux. Et le coin de cette
bouche volontaire, soulignant des joues rondes à fossettes,
esquisse un sourire futigif et méchant.

Brantôme a décrit son apparition à une cérémonie de la
Cour, gaînée dans une robe de satin blanc, garnie d'écarlate,
un voile de gaze à la romaine jeté négligemment sur ses boucles naturelles. « On n'avait jamais rien vu de plus beau »,

dit-il avec une extase de courtisan. En une autre occasion, il
vit Marguerite en robe de velours écarlate brodé de gemmes
danser une pavane espagnole et un *passe-mezzo* italien, avec
une grâce et une majesté qui soulevaient d'admiration toute
la Cour. Quand cette princesse magnifiquement parée sortait,
c'était dans une litière dorée, peinte de curieux motifs, ou un
carrosse traîné par des chevaux blancs, richement harnachés
de velours et de cuir doré.

Le charme physique délicat de cette femme voluptueuse
s'accompagnait d'une belle et vive intelligence, d'un esprit
vif, d'un langage souvent scabreux et d'une véritable passion
pour les lettres et les arts. Elle parlait couramment le latin,
et l'italien, pouvait écrire des poésies en cette langue, et une
prose française vivante et lumineuse, comme on peut le voir
dans ses admirables Mémoires. D'une indifférence presque
cynique en matière religieuse, en dépit de ses bruyantes protestations d'attachement à la foi catholique, elle était capable dans sa vieillesse de discuter des questions de théologie
avec assez d'autorité pour impressionner un saint prêtre
comme Vincent de Paul. Elle fut toujours une dévorante lec-
trice, et pendant des heures, allongée sur ses coussins de soie
et ses tapisseries, la capricieuse femme se plongeait dans des
récits de voyage, de chevalerie, de magie orientale ou d'amour
romanesque.

Ce fut cette rare et troublante créature que Charles IX,
par crainte des Guise, et les huguenots, pour s'assurer la
protection d'une alliance royale, se proposèrent d'unir à Henri
de Navarre. Jeanne d'Albret, elle-même, ne fut pas tout
d'abord en faveur du mariage et ne dissimula pas à Catherine
de Médicis les soupçons que faisaient naître en elle les avances
de la Cour. Mais l'offre fut réitérée, et plusieurs facteurs politiques de première importance intervinrent pour convaincre
Jeanne que Charles et Catherine s'éloignaient de l'Espagne,
et se préparaient à faire amitié avec les protestants. Les événements qui créèrent cette impression, peut-être justifiée tout
d'abord, d'une orientation définitive de la politique royale
vers les protestants, furent la mort d'Élisabeth, fille de Catherine et femme de Philippe II, les négociations mentionnées

plus haut pour un mariage du duc d'Anjou avec Élisabeth d'Angleterre, enfin l'accueil favorable fait par Charles IX aux propositions de Coligny tendant à une intervention contre l'Espagne dans les Pays-Bas.

Néanmoins, plus d'un protestant de marque éprouvait quelque ressentiment de la présence de Coligny à la Cour, et le projet de mariage entre le prince protestant de Navarre, et la sœur du roi, catholique renforcée, n'allait pas sans éveiller parmi les huguenots quelques appréhensions. Ce fut dans ces conjonctures qu'Élisabeth d'Angleterre, peut-être à la prière des protestants de France et de Genève, peut-être pour des raisons d'État en vue d'empêcher une union qui semblait promettre la réconciliation des deux partis en France, suggéra l'idée d'un mariage entre elle et le jeune prince de Navarre. Dans ce but, un agent de Walsingham, un Écossais nommé Robert Beel, fut envoyé au quartier général des huguenots, à La Rochelle pour s'y rencontrer avec le comte de Nassau, représentant en France des princes protestants d'Allemagne. L'Écossais remontra à Nassau que la cause de la religion réformée bénéficierait plus d'un mariage du prince de Navarre avec Élisabeth, par lequel il deviendrait roi d'Angleterre et d'Irlande, que d'une union avec la sœur du roi de France, qu'en outre, Catherine de Navarre, fille de Jeanne d'Albret, pourrait épouser Jacques d'Écosse et monter sur le trône de ce pays. Pour appuyer cet appel aux ambitions politiques des protestants français, Robert Beel laissa entendre non moins adroitement que la trahison travaillait contre eux. En effet, un autre agent de Walsingham avait cambriolé l'ambassade d'Espagne, à Londres, et dérobé une correspondance chiffrée, qui montrait que la Cour de France avait récemment fait de nouvelles avances à Philippe II.

Le comte de Nassau se laissa persuader et communiqua l'offre intéressante d'Élisabeth à Jeanne d'Albret, qui en fit part à Coligny. Tout d'abord étonné, l'Amiral finit par approuver cette proposition et conseilla de l'accepter. Mais la reine de Navarre ne fut pas convaincue. La différence d'âge était considérable entre Elisabeth et le jeune prince, et elle redoutait, non sans raison, que le mariage ne donnât pas d'enfant, événement qui créerait de graves difficultés à son fils en cas de mort d'Élisabeth. Peut-être, aussi, se vit-elle abandonnée par ses deux enfants, laissée seule à la tête du mouvement protestant en France, et devenue une vieille femme, entourée des deux haines conjuguées de Philippe et de Catherine, excommuniée par le Pape et condamnée, soit au bûcher de l'Inquisition espagnole comme on l'en avait menacée, soit à être empoisonnée par un des magiciens de la reine mère. Ainsi l'emportèrent ses craintes et ses faiblesses, et plus forte encore que celles-ci, l'intuition profonde que la destinée de son fils reposait sur le trône de France.

En conséquence, au cours de l'hiver 1571, Jeanne cédant aux invitations répétées de la Cour, se rendit à Blois pour négocier avec Charles et Catherine ; pour traiter plus librement du mariage, elle laissait Henri en Béarn.

Durant l'absence qui l'éloignait de son fils, l'énergique Jeanne d'Albret, qui dépassait à peine la quarantaine, se montra sous une nouvelle et charmante lumière. Si la licence et la corruption de la Cour la firent frémir, elle était hautement fière de la grâce et de la beauté de sa fille Catherine de Navarre, la sœur cadette de Henri. « Vous ne sauriez croire, écrivait-elle au précepteur de son fils, combien ma fille est jolie au milieu de cette Cour. » Elle se réjouissait d'apprendre que la chienne épagneule avait mis bas heureusement une portée de petits. Elle envoyait au jeune prince des boutons d'argent pour son pourpoint, et un bouquet de fleurs cueillies dans le jardin de Blois, pour mettre à son chapeau, « puisque mon fils est mis en vente », écrivait-elle sur un ton moitié railleur et moitié amer. Avec quelle joie elle aurait montré le jeune homme à son avantage dans cette Cour d'hommes élégants et beaux, et elle remarquait, avec orgueil, qu'il était plus grand que le roi et ses frères, plus grand que Guise lui-même, à cette époque où l'on estimait la taille comme un rare avantage masculin. De Marguerite de Valois elle-même, elle écrivait : « J'avoue qu'elle est de figure agréable, mais aussi qu'elle se serre excessivement. Sa contenance s'aide de tels artifices que cela me fait mal tant elle doit en souffrir. Mais, à cette Cour, les fards sont aussi communs qu'en Espagne. »

A son fils, en lui promettant plus tard un portrait de Marguerite, elle écrivait : « Elle est belle, gracieuse et de bonnes manières, mais élevée dans la société la plus maudite et corrompue, car je n'aperçois rien ici que n'empoisonne la corruption. Je ne voudrais pour rien au monde que vous viviez ici. C'est pourquoi je désire vous voir marié, mais éloigné avec votre épouse de toute cette corruption. »

La mère ne plaisantait qu'à moitié, quand elle disait que son fils était vendu à la sœur du roi, car les deux partis discutèrent longuement et âprement le marché. Tandis que les dames de la Cour et leurs galants dissimulaient leurs rendez-vous dans les tavernes de la petite ville, et dans les nombreux et discrets manoirs qui s'échelonnent sur les bords de la Loire, entre Blois et Orléans, tandis que Charles IX lui-même s'abandonnait à ses appétits désordonnés avec une frénésie sauvage qui faisait hocher la tête aux vieilles femmes à la fois d'admiration et de pitié, la Florentine et la reine protestante, ces deux diplomates accomplis, discutaient longuement sur les aspects politiques et religieux de l'union projetée. Les huguenots, après avoir réclamé, tout d'abord, l'abjuration de Marguerite, se contentèrent d'un compromis. Le mariage serait célébré à l'extérieur de l'église, et prononcé par le cardinal de Bourbon, non en qualité de prêtre romain, mais comme oncle de la mariée. Marguerite seule, mais non Henri, entendrait la messe avant le mariage. Enfin, si le Pape refusait ou ajournait la dispense requise pour l'union d'une catholique et d'un protestant, laquelle se compliquait d'une infraction à la loi de sanguinité, la dispense serait prononcée par la famille de la fiancée. 300.000 écus étaient promis comme dot à Marguerite par le roi, 200.000 livres par sa mère, 50.000 par chacun des princes ses frères. De son côté, Henri de Navarre lui garantissait une rente annuelle de 40.000 livres.

En avril 1570, Catherine, Charles IX et Jeanne d'Albret s'étaient mis d'accord sur ces conditions. Les fiançailles furent célébrées par procuration pour le futur époux dans l'élégante chapelle du château de Blois. Marguerite de Valois s'agenouilla pleine de réserve et de modestie en apparence, mais intérieurement saisie d'une rage froide. De la chambre

qu'on lui avait réservée dans l'aile bâtie par son oncle François Ier, et sous la surveillance des yeux qui l'espionnaient
pour le compte de Catherine à travers les fentes percées dans
le plafond, Jeanne d'Albret pouvait écrire ironiquement à la
reine d'Angleterre : « La décision irrévocable du mariage de
mon fils avec Madame, sœur du roi, a été prise aujourd'hui,
nonobstant plusieurs motifs de discorde soufflés par le diable
pour l'empêcher. »

Mais Jeanne d'Albret ne devait pas vivre assez longtemps
pour voir le mariage. Elle adressa à son fils, retenu en Béarn
par un accès de fièvre, une lettre paisible relatant avec satisfaction l'heureuse issue des négociations. Au mois de mai suivant, à la prière du roi, elle quittait Blois pour Paris, où elle
devançait la Cour en vue de poursuivre les derniers préparatifs du mariage. Elle tomba malade dans la maison de son
neveu, le prince de Condé, et cinq jours plus tard, le 9 juin, elle
mourait. L'énergique et ardente femme n'était âgée que de
quarante-quatre ans. Le bruit courut immédiatement dans
les milieux huguenots qu'elle avait succombé à un empoisonnement, causé par une paire de gants parfumés achetés
à René, le parfumeur italien de Catherine. Mais l'autopsie
du corps de l'indomptable reine révéla une cause de mort
plus naturelle. Son poumon droit était attaqué, et quand le
chirurgien ouvrit son crâne, comme la mourante en avait fait
la demande, il constata la présence de quelques dépôts
aqueux à la base du cerveau.

Quand la Cour arriva à Paris, le corps de la reine de Navarre
reposait sur son lit ordinaire, dans toute la simplicité huguenote ; ni prières, ni prêtres, ni crucifix, ni eau bénite. Les rideaux
ouverts et le voile blanc abaissé laissaient voir son visage, dont
on pouvait retrouver l'aspect dans les portraits de son fils.
Ses traits quelquefois durs étaient adoucis par la mort, tel
qu'ils se montraient à son mari et à ses enfants. Le corps rigide
était mince, ses lignes presque celles d'une jeune fille. Et tandis que les nièces de Jeanne et quelques autres jeunes femmes
de la Cour, craintives ou indifférentes se tenaient dans un
coin de la chambre, un peu éberluées de ce manque de cérémonial, les beaux yeux vigilants de Marguerite de Valois

purent remarquer un incident singulier. Une vieille rivale de
la défunte, madame de Nevers, qui l'avait remplacée dans la
volage affection d'Antoine de Bourbon, et qui avait rendu cordialement sa haine à la femme abandonnée, entrait dans la
pièce. Les yeux baissés, l'ancienne maîtresse s'avança
jusqu'à la couche mortuaire, et soulevant la main glacée de
Jeanne, elle la baisa doucement. Marguerite elle-même, qui
n'avait jamais dissimulé sa crainte et son peu d'affection pour
la reine de Navarre, ni son mépris pour la religion qu'elle pro-
fessait, se sentit quelque peu touchée de ce geste gracieux.

Sa mère était morte depuis quatre semaines quand Henri de
Navarre, rétabli, se hâta d'accourir dans cette cité hostile et
dédaigneuse. Au chagrin qu'il éprouvait se mêlait une réelle
appréhension de la Cour. Il arrivait malgré les messages
répétés de ses amis l'avertissant du danger qu'il courait dans
la capitale. La mort de Jeanne apportait un changement
inquiétant dans la situation des protestants. Seule pouvait
y faire face la présence à Paris de tous les chefs du mouvement,
à la fois, le prince de Navarre, son cousin Condé, l'amiral
Coligny et son frère. La ville était dangereusement remplie
de partisans des Guise et en outre submergée d'espions espagnols et d'agents provocateurs, de moines et de frères prêcheurs, rendus enragés par la haine religieuse et assoiffés de
sang comme les Inquisiteurs eux-mêmes.

Henri de Navarre n'en fit pas moins son entrée à Paris par
une belle matinée de juin, salué et escorté par le prince de
Condé, Coligny et le jeune duc de La Rochefoucauld. Vêtu de
noir, et le visage pâle, il avait les yeux gonflés de larmes.
Plusieurs centaines de gentilshommes huguenots vinrent à sa
rencontre à la porte Saint-Jacques et le conduisirent jusqu'à
la maison où était morte sa mère, enterrée depuis trois semaines.
Cinq semaines après son arrivée, s'ouvrait la cérémonie de
son mariage avec Marguerite.

Les secondes fiançailles officielles furent célébrées le 17 août.
Après un souper et un bal au Louvre, Marguerite accompagnée
du roi, de la timide reine de France, fille bien effacée de l'empereur Maximilien, de Catherine de Médicis et de la vieille
duchesse de Lorraine, fut conduite au palais de l'archevêque

de Paris, contigu à l'église Notre-Dame, où la fiancée passa la nuit. Le lendemain 18, le fiancé, qui, depuis la mort de sa mère portait le titre de roi de Navarre, arriva au palais pour conduire la jeune femme à la cathédrale. Henri avait laissé ses vêtements de deuil pour endosser les magnifiques habits de cour. Il était escorté des ducs d'Anjou et d'Alençon, frères de Marguerite, de son cousin Condé, de Henri de Guise, le dernier amant de sa future femme, et d'un grand nombre de seigneurs.

La cérémonie du mariage lui-même eut lieu non dans l'église mais à l'extérieur, sur un vaste échafaud élevé face au grand portail de Notre-Dame. La dispense du Pape n'étant pas arrivée, Charles IX déclara péremptoirement au cardinal de Bourbon qu'on s'en passerait. Il avait reçu la nouvelle, ajouta-t-il en mentant, que le courrier de Rome était en route. Le cardinal obéit, et en présence d'un grand concours de peuple, prononça l'union involontaire de ce couple étrangement assorti. Au moment décisif, la fiancée essaya de protester et, sans doute consciente du voisinage de son amant le duc de Guise, esquissa un mouvement de révolte. Ses lèvres refusèrent obstinément de prononcer le *oui* sacramentel. Mais, derrière elle, se tenait Charles IX, son pâle visage tourmenté s'assombrissant déjà de colère : il étendit la main sur la tête de sa sœur, et la força brutalement à s'incliner en signe d'assentiment. Le mariage était accompli.

La nouvelle reine de Navarre, le roi de France, la reine mère et toute la noblesse catholique pénétrèrent alors dans la cathédrale pour y entendre la messe. Le roi de Navarre et sa suite de seigneurs protestants les accompagnèrent jusque dans le chœur de la vieille église, puis s'en retournèrent au palais de l'archevêque pour y attendre la sortie de la mariée. Quand elle réapparut, Henri l'embrassa sous le regard ironique du roi.

L'après-midi et les jours suivants se passèrent en fêtes bruyantes, bals au Louvre et divertissements théâtraux, se terminant par une mascarade symbolique, représentant une sorte de conflit épique entre catholiques et huguenots, sous la plus transparente des allégories. Les principaux rôles des catholiques étaient tenus par Charles IX lui-même et ses frères, ceux des huguenots par Henri de Navarre et les princes protestants, qui figuraient des anges déchus chassés du Paradis et rejetés en Enfer. Dans la partie de la grande salle de bal dont la décoration reproduisait ce sombre séjour, les chefs huguenots furent contraints d'attendre une grande heure dans une attitude embarrassée, sous les yeux moqueurs de la Cour, tandis qu'une troupe de nymphes, parmi lesquelles la nouvelle mariée, exécutait un joyeux ballet avec le roi de France, le duc de Guise et les autres chevaliers catholiques. Enfin, aux applaudissements de l'assistance, l'intervention miséricordieuse d'un Cupidon d'argent délivrait les huguenots de leur position quelque peu ridicule et humiliante.

Le jour suivant, un tournoi se déroula dans la cour du Louvre qui servait de lice, organisé par Henri d'Anjou. La malice toute féminine de cet ingénieux et intrigant jeune homme le poussa à se déguiser en amazone, de même que le roi, son autre frère d'Alençon et le duc de Guise, tandis que Henri de Navarre et les gentilshommes protestants, costumés en Turcs infidèles, magnifiques avec leurs robes et leurs turbans dorés, se rangeaient en face de leurs adversaires à l'autre extrémité de l'arène. On pouvait voir dans cette mise en scène une manière de caricature politique, car les Turcs alors en guerre avec la Chrétienté étaient regardés comme les ennemis barbares de la vraie religion. En outre, ils venaient d'essuyer une honteuse défaite à Lépante. L'allusion était donc à double pointe.

Trois jours plus tard, la grossière caricature se changeait en un sinistre symbole, et les noces vermeilles étaient noyées dans le sang de la Saint-Barthélemy.

CHAPITRE VI

LA SAINT BARTHELEMY. HENRI DE NAVARRE
PRISONNIER AU LOUVRE

LES historiens protestants ont vu dans le massacre de la Saint-Barthélemy le résultat d'une vaste conspiration scerète, une mine à long retardement, dont le cordeau détonant avait été posé dix ans auparavant à Bayonne, par le sauvage duc d'Albe et la mystérieuse Catherine de Médicis, et même remontant trente ans en arrière, lors de la révélation faite dans les bois de Vincennes par Henri II, roi de France, au jeune Guillaume de Nassau, horrifié mais silencieux. Ils ont vu le massacre projeté par l'Espagne, par Rome, par les Guise et les catholiques de France. Sans doute l'exaltation féroce avec laquelle tous ces partis saluèrent l'événement a-t-elle fait illusion aux écrivains. Car un siècle plus tard un grand nombre de catholiques sincères considéraient encore l'extermination des huguenots comme un juste châtiment infligé par Dieu aux hérétiques. Le vieux maréchal de Tavannes, en confessant longtemps après ses péchés sur son lit de mort, répondait à son fils qui lui demandait s'il se repentait de la part prise au massacre : « Me repentir ? s'écriait le vieux guerrier, une flamme soudaine dans ses yeux sombres. Je suis plus sûr de ma conscience dans l'accomplissement de cet acte que dans n'importe quel autre de ma vie. Je compte sur lui pour l'emporter dans la balance sur tous mes péchés mortels. »

Mais ce zèle sanguinaire, par lequel l'épée rougie de la Saint-Barthélemy parisienne étendit ses ravages à des centaines de villes dans les provinces, ne fut pas l'inspirateur direct du massacre. Les causes, plus politiques que religieuses, furent au nombre de trois : le désir qu'éprouvait Catherine de se débarrasser de Coligny, lequel en était venu à exercer sur le roi une influence prépondérante, le rêve de vengeance longuement caressé par Anne d'Este, la veuve italienne de François de Guise, devenue duchesse de Nemours, qui attribuait à Coligny l'assassinat de son premier époux, enfin l'obsédante ambition de Henri d'Anjou, dont la personnalité brillante et perverse portait tous les espoirs de Catherine et qui aspirait au rôle de héros du parti catholique, celui d'un Don Juan d'Autriche français, écrasant les hérétiques à un nouveau Lépante.

Le hasard voulut que ces divers desseins vinssent se rencontrer sur la personne de Coligny, la tête et le chef du parti protestant. Sa disparition réaliserait à la fois les rêves de Catherine et ceux des Guise : pour la première, la suprématie de son fils préféré Henri, à présent l'héritier du trône, pour les seconds, leur rétablissement comme protecteurs héréditaires et éventuellement comme rivaux de la monarchie, aspirant à former eux-mêmes une seconde dynastie royale.

Le massacre, on peut du moins le supposer, eut simplement pour but de noyer le meurtre de Coligny dans un orage théâtral. Des jours durant, avant le mariage de Henri de Navarre, les Guise avaient assemblé secrètement à Paris une formidable armée de partisans. Les rues étroites de la cité étaient pleines d'hommes armés. Dans les églises, devenues des clubs politiques, des démagogues en froc prêchaient journellement contre le mariage de la sœur du roi avec un hérétique, péché mortel. On dénonçait Charles IX lui-même comme un ami des protestants — n'avait-il pas dit : « Je donne ma sœur Margot à tous les huguenots de France »? — et comme se rangeant lui-même aveuglément aux secrets desseins d'intervention contre l'Espagne dans les Pays-Bas nourris par Coligny.

Pendant les journées qui précédèrent et suivirent les fêtes nuptiales, la cité bouillonna de sourds mécontentements et retentit de secrètes incitations au meurtre. Néanmoins, le premier attentat contre Coligny fait au grand jour, le vendredi 22 août, échoua. Un habile tireur nommé Maurevert, aux gages des Guise, avait guetté l'amiral pendant trois jours d'une des fenêtres du cloître Saint-Germain l'Auxerrois, mais au moment critique, la main de l'assassin trembla. L'homme avait visé sous le bras au défaut de la cuirasse, comme Pol-

trot pour le duc de Guise. Mais la première balle d'arquebuse
ne fit qu'emporter un doigt de la victime. La seconde lui traversa le bras gauche. Coligny, son grave visage impassible,
désigna simplement d'un geste la fenêtre d'où les coups de
feu étaient partis et dit à ses compagnons d'avertir le roi.
Cette scène se passait au lendemain du symbolique combat
livré dans la cour du Louvre entre les amazones et les infidèles. Le premier des hérétiques avait été attaqué, bien que
seulement blessé.

Un second attentat contre Coligny, dans ces conjonctures,
ne pourrait être suivi que d'un massacre ou d'une insurrection.
Les trois personnages qui se réunirent en conseil secret, dans
la chambre de Catherine au palais des Tuileries, examinèrent
cette terrible alternative avec des sentiments divers : la reine
mère avec des larmes et une agitation tremblante, son fils
Henri avec l'enivrement joyeux causé par la sensation du
pouvoir, et Guise, le plus mortellement dangereux des trois,
avec une froide et redoutable assurance. Après une longue
discussion, un massacre général des huguenots fut décidé,
et pour obtenir le consentement du roi qui répugnait à un
expédient aussi rigoureux, on résolut d'exploiter à fond la
perspective d'un soulèvement menaçant.

Charles avait pour Coligny un véritable respect, presque de
la vénération. Quand la nouvelle de l'attentat lui parvint,
tandis qu'il jouait à la paume avec Teligny, le beau-fils de
l'amiral, et le duc de Guise, le roi jeta sur ce dernier un regard
soupçonneux, et s'écria en jurant violemment que le coupable serait châtié. Peu après, dans l'après-midi, en allant rendre
visite à Coligny en son domicile de la rue de Béthisy, Charles
trouva les deux princes protestants Navarre et Condé déjà
au chevet du blessé. La petite maison de l'Amiral était bon-
dée de gentilshommes huguenots en proie à l'indignation, qui
murmurèrent et regardèrent de travers la reine mère et le
duc d'Anjou, quand ils entrèrent dans le sillage du roi. Les
premiers mots de Charles furent une promesse de vengeance.
Se penchant sur l'amiral, qui venait de subir avec un calme
stoïque la tentative maladroite faite par un chirurgien pour
sonder la blessure, le souverain perçut malaisément l'avertis-

sement que le vieillard lui glissa à l'oreille : non seulement les huguenots n'étaient plus en sûreté à Paris, mais le roi lui-même devait se méfier de ceux qui, dans son entourage, conspiraient contre sa couronne. Épiant de toute son attention cette conversation échangée à voix basse, dont elle devinait, en partie l'objet, Catherine sortit bruyamment et reprocha au roi de causer cette agitation à l'amiral.

Quand Charles eut quitté la chambre, son pâle visage tourmenté de doute, de colère et de perplexité, Henri de Navarre et les autres princes reprirent leur consultation anxieuse au chevet du blessé. Quelques-uns conseillèrent au roi de Navarre de quitter Paris pour sauver sa vie en danger. Mais Teligny, qui avait été témoin de l'émotion violente du roi à la nouvelle de l'attentat, jura que le chagrin de Charles était sincère et assura qu'on pouvait se fier à sa royale promesse de protection. De surcroît, Coligny n'était pas transportable et on ne pouvait l'abandonner seul dans la capitale. Les princes décidèrent donc de rester à la Cour, mais de signer un manifeste qui protestait contre l'attentat en promettant de le venger.

Dans cette cité infestée d'assassins et pullulant d'espions, qui se glissaient jusque dans les chambres les plus secrètes du palais, la nouvelle de cette menace et les derniers mots proférés au Conseil du roi furent rapidement colportés et parvinrent jusqu'au duc d'Albe. On croyait à un coup de main imminent des huguenots. Les Guise, de leur côté, se préparaient ouvertement à la lutte. Leurs partisans étaient déjà rassemblés en force dans Paris. Des rumeurs furieuses circulaient dans les rues, assurant que le duc de Guise était menacé d'assassinat en représailles de la blessure de Coligny l'hérétique. Durant la nuit du vendredi au samedi, après une journée de chaleur pénible, la ville dormit à peine.

Quand le jour se leva, une lourde atmosphère de drame imminent pesa sur tous les esprits. S'apercevant brusquement de leur dangereux isolement, les protestants réclamèrent en hâte un renforcement de protection pour le logis de l'amiral et cinquante arquebusiers de la garde du roi vinrent se poster rue de Bethisy. Par un sinistre présage, ils étaient commandés par un officier nommé Caussens qui détestait violemment l'amiral. Sa mine agressive éveilla de nouveaux soupçons chez les amis de Coligny, et Henri de Navarre envoya cinq suisses de sa propre garde en renfort.

Pendant ce temps le Conseil secret, mentionné plus haut, s'était réuni dans les appartements de Catherine. Outre les trois principaux conjurés, y prirent part le maréchal de Tavannes, homme de guerre favori du duc d'Anjou, et l'ancien précepteur du roi, Gondi, duc de Retz, un Italien venu de Florence à la suite de Catherine, homme fourbe et rusé, qu'on rendait responsable de la dépravation de Charles IX. Le matin même, Catherine avait eu un entretien en tête-à-tête avec le roi, et s'était efforcée, mais en vain, de représenter l'attentat contre Coligny comme une juste représaille exercée par Guise pour l'assassinat de son père. N'ayant pas réussi à toucher son fils par cet argument, la patiente et terrible femme rappela que quelques mois plus tôt, un lieutenant de la garde du roi, Charry, avait été tué par un spadassin attaché à Dandelot, frère de Coligny. Mais Charles, toujours bouillant de colère, au témoignage sincère de sa sœur Marguerite, répliqua obstinément que justice devait être faite, et Guise arrêté et châtié.

Le soir après souper, entre neuf et dix heures, Catherine envoya Gondi au roi. Laissé seul avec Charles dans le cabinet royal du Louvre, le subtil Italien agit fort habilement. Avant de persister dans son intention à l'égard de Guise, fit-il remarquer au roi, Sa Majesté devait observer que Guise n'était pas seul à conspirer contre l'amiral. Le duc d'Anjou se trouvait impliqué dans ce dessein, et pareillement la reine mère elle-même. Celle-ci, assurait l'Italien, avait sur le cœur le meurtre de Charry, la seule épée fidèle qu'elle eût trouvée pour veiller sur l'enfance du roi. Tout en observant l'effet de cette révélation, que Charles avait déjà à moitié devinée, l'émissaire de Catherine insinua que le but principal poursuivi par Coligny, en servant le trône, était d'obtenir l'appui royal pour ses ambitieux projets personnels dans les Pays-Bas. Pour blâmable que fût assurément l'attentat contre l'Amiral, c'était encore un plus grand malheur qu'il eût échoué : car, à présent, les huguenots étaient si remplis de terreur que, dans leur désespoir, ils pourraient porter la main, non seulement sur

la reine mère et sur son fils le duc d'Anjou, mais sur le roi lui-
même. Déjà, ils allaient répandant la nouvelle que Charles
était complice de l'attentat.

Charles n'était pas couard, mais sa cervelle était aisément
en proie aux hallucinations. Sous l'empire du choc causé par
ces événements, les idées de violence perverse qui le hantaient
depuis son enfance revinrent assaillir cet esprit faible. Ses
rêves avaient toujours été confus et troublants, et son sommeil tourmenté par des visions de paysage lunaire, qu'assom-
brissait un ciel terrible couleur de sang. Il était sujet à des
accès de fureur démente. Toute la journée il s'emportait contre
ses serviteurs, ses chiens et leurs valets : le soir enfin, il se jetait
dans les bras compatissants de Marie Touchet. Toutes les
plaisanteries auxquelles il s'adonnait en compagnie des jeunes
gens de son âge commençaient ou se terminaient en farces
sauvages. Et quand, enfin, l'ordre fut donné pour le massacre,
le prince se laissa aller à une joie sombre et farouche, succédant
à l'indulgence qu'il avait montrée dans ses doutes torturants.
La cruauté latente que Charles devait à sa nature morbide
se manifesta dans son indifférence à l'égard de deux jeunes et
charmants courtisans huguenots, Teligny et La Rochefoucauld,
deux des compagnons presque inséparables de ses escapades
d'écoliers. Quand La Rochefoucauld, un aimable et souriant
gentilhomme, vit entrer à minuit six hommes masqués dans
sa chambre, il crut se trouver en présence du roi et de ses
favoris qui lui jouaient un bon tour et qui le menaçaient en
manière de plaisanterie. Il riait d'avance à la pensée de cette
farce, quand il tomba mort sous les coups de poignard. L'émissaire de Catherine sut d'ailleurs frapper l'imagination du roi.
Comme la plupart des Italiens, Gondi était un acteur con-
sommé, et il joua son rôle merveilleusement. La faible lumière
qui régnait dans la chambre royale, l'heure avancée de la nuit,
la rumeur confuse qui, au dehors, s'élevait de la mystérieuse
cité où se préparait Dieu savait quel terrible crime pour le
lendemain, tout contribuait singulièrement à la mise en scène.
Même l'attentat contre Coligny, tout d'abord ressenti profondément par Charles, dans une explosion de réel chagrin
et d'affection pour le vieux soldat que le jour même il avait

appelé son père, éveillait à présent chez le roi par une dangereuse et perverse réaction, une émotion trouble et sinistre.
Le sang qu'il avait vu sur le pansement de l'Amiral évoquait
en lui un profond et terrible instinct. Dans cet étrange et maladif cerveau, comme dans l'humeur de ces bêtes traquées,
que les portraits de Charles rappellent curieusement, la peur
se muait vite en cruauté. Le plan habile de Gondi avait
réussi.

A minuit, un Conseil se tint au Louvre. Le roi, Catherine,
Henri d'Anjou, le duc de Guise et les autres chefs catholiques
y assistèrent et le massacre fut décidé pour la nuit même. Des
préparatifs secrets avaient été faits dans tous les quartiers de
Paris et l'on n'attendait plus que le signal de l'extermination.
Il fut donné peu après minuit par le tocsin sonné au beffroi
de Saint-Germain l'Auxerrois, église située aux portes mêmes
du Louvre, mais auparavant un coup de pistolet joyeux tiré
par Guise exultant avait informé la reine mère que Coligny
était mort. Le premier martyr de la Saint-Barthélemy était
tombé.

Un Allemand, nommé Besme, qui par la suite fut récompensé
par la main d'une fille naturelle du cardinal de Lorraine, frère
du duc de Guise, entra dans la chambre de Coligny à la tête
de quelques archers de la garde royale, poignarda le vieillard
et ses serviteurs, et jeta le corps de l'Amiral aux pieds du duc
de Guise, qui attendait impatiemment dans la Cour. Le cadavre fut honteusement mutilé, traîné à travers les rues de Paris,
exposé aux insultes et aux railleries de la populace.

Henri de Navarre après avoir quitté l'amiral, était retourné
au Louvre, agité sans trop y croire par un pressentiment de
drame. Toute la nuit, sa chambre resta pleine de huguenots
anxieux qui craignaient de le laisser seul dans le palais. Quand
Marguerite de Valois entra dans la chambre de son époux,
renvoyée par Catherine avec l'ordre formel de s'aller coucher,
mais avertie par l'attitude de sa mère que quelque grave événement se préparait, elle trouva son propre lit entouré de
trente ou quarante gentilshommes inconnus d'elle, car elle
n'était mariée que depuis quelques jours. Toute la nuit, à travers les rideaux, elle les entendit s'entretenir à voix basse de

l'attentat contre Coligny, de leur intention d'en demander justice au roi le lendemain, et, si justice ne leur était pas accordée, de s'en charger eux-mêmes en exécutant le duc de Guise.

Mais avant le lever du jour, Henri de Navarre fut convoqué chez le roi, et suivi de ses gentilshommes, il laissa la jeune femme à ses appréhensions et à ses clairvoyants soupçons. En même temps que son cousin Navarre, Condé se rendit à l'appel du roi. Mais leur escorte se vit refuser l'entrée de l'appartement royal, et Henri dit tristement adieu à ses amis. Les princes demeurés seuls et admis en présence de Sa Majesté, Charles leur fit connaître la décision prise par la Cour de réprimer la conspiration huguenote contre la famille royale. Il ajouta, par une menace significative, que leur vie était en grand danger, mais qu'ils seraient épargnés s'ils abjuraient les erreurs de la religion réformée. Jusqu'au lendemain matin, les princes furent détenus dans l'appartement du roi. Pendant ce temps, leur suite avait été massacrée par la garde royale dans les couloirs du palais.

Restée seule dans sa chambre, Marguerite de Valois fut l'héroïne d'une terrible aventure dont elle a laissé un récit pittoresque. Elle avait fermé les rideaux de son lit, et après avoir dit à sa femme de chambre de pousser le verrou, s'était endormie profondément. Une heure plus tard, elle fut éveillée brusquement par un homme qui frappait furieusement à la porte des pieds et des mains, en criant désespérément : Navarre, Navarre. Pensant qu'il s'agissait du jeune époux, la femme de chambre courut ouvrir la porte. « C'était, conte Marguerite dans ses *Mémoires*, un gentilhomme nommé M. de Téjan, qui avait un coup d'épée dans le coude et un coup de hallebarde dans le bras et était encore poursuivi de quatre archers qui entrèrent tous après lui. Il se jeta dessus mon lit. Moi, sentant ces hommes qui me tenaient, je me jette à la ruelle et lui après moi me tenant toujours à travers le corps. Je ne connaissais point cet homme et ne savais s'il venait là pour m'offenser ou si les archers en voulaient à lui ou à moi. Nous criions tous deux et étions aussi effrayés l'un que l'autre. Enfin Dieu voulut que M. de Nançay, capitaine des gardes, y vînt, qui, me trouvant en cet état, encore qu'il eût de la compassion, ne put se tenir de rire et se courrouça fort aux archers de cette indiscrétion, les fit sortir et me donna la vie de ce pauvre homme qui me tenait, lequel je fis coucher et panser dans mon cabinet jusqu'à ce qu'il fût guéri.

« Je changeai de chemise, parce qu'il m'avait toute couverte de sang. M. de Nançay me conta ce qui se passait, et m'assura que mon mari était dans la chambre du roi et qu'il n'aurait nul mal. Et, me faisant jeter un manteau de nuit sur moi, il m'emmena dans la chambre de ma sœur, où j'arrivai plus morte que vive. Entrant dans l'antichambre, un gentilhomme, se sauvant des archers qui le poursuivaient, fut percé à trois pas de moi. Je tombai presque évanouie entre les bras de M. de Nançay et pensai que ce coup nous eût percés tous deux. »

A l'intérieur du palais, seuls Navarre, Condé et deux ou trois de leurs serviteurs échappèrent au massacre. Les autres huguenots furent impitoyablement passés par l'épée ou poignardés, ou bien, cherchant à s'échapper en sautant par les fenêtres, tombèrent sur les piques des troupes qui garnissaient les cours.

En dehors du Louvre, le massacre fit rage avec une cruauté furieuse, au sinistre appel du tocsin de Saint-Germain l'Auxerrois. Le sang coula dans Paris pendant plusieurs jours, et de la capitale, l'œuvre d'extermination gagna maintes villes de province, jusqu'à ce que les bouchers eux-mêmes fussent las de tuer.

Mais le massacre en définitive manqua son but. Il ne fit qu'affaiblir la cause des catholiques. Nombre d'entre eux, parmi les modérés, dégoûtés du carnage, se firent huguenots pour protester. Quant à Henri de Navarre, il ne perdit jamais la triste mémoire de ces jours d'humiliation, de meurtre et de trahison. Toujours étroitement gardé comme son cousin Condé, retenu virtuellement prisonnier à la Cour, il se vit contraint d'assister à la messe pour la fête de Saint-Michel, en compagnie des chevaliers de cet ordre, et le roi contempla d'un œil malicieux son air abattu et mélancolique. Quelques semaines plus tard, Henri était forcé de signer un Édit restaurant la pratique du culte catholique dans son domaine ancestral de Béarn, et expulsant les huguenots qui avaient été les amis et les maîtres de sa jeunesse. Enfin, pour comble de disgrâce, il dut se joindre à une expédition envoyée le printemps suivant pour soumettre La Rochelle, citadelle des protestants rebelles.

CHAPITRE VII

MORT DE CHARLES IX. LA COUR DE HENRI III
L'ÉVASION DE HENRI DE NAVARRE

LE massacre de la Saint-Barthélemy avait fait renaître la guerre civile, et pendant les deux années qui suivirent le siège de La Rochelle, le parti protestant soutint une résistance énergique bien que désordonnée dans les villes du midi et du sud-ouest. Les espoirs politiques des huguenots se tournaient à présent vers le duc d'Alençon, le plus jeune frère du roi, jeune homme impétueux, inconstant, à l'esprit peu profond, qui accueillait avidement les projets tendant à l'établir roi des Pays-Bas protestants, en attendant sa propre élévation assez probable au trône de France. Mais pour le moment, Alençon comme Navarre était un otage entre les mains de Charles et des Guise. Les espions de Catherine surveillaient étroitement les mouvements des deux princes, et après qu'une tentative de fuite eut été dénoncée par l'indiscrétion ou la malice de Marguerite de Valois, les gardes du roi fouillaient journellement leurs chambres pour y découvrir des conspirateurs et ne les perdaient pas de vue lorsqu'ils se promenaient au dehors.

Le duc d'Alençon, à cette époque, se tenait plus ou moins notoirement en communication avec la moitié des petits princes ambitieux ou des factions d'Europe opprimées. Sur ce fébrile et infatué gentilhomme reposait l'espoir des protestants d'Allemagne et des Pays-Bas, et même des modérés du parti catholique en France, qui cherchaient à concilier les éléments extrêmes des deux religions rivales. Les ministres de la reine d'Angleterre correspondaient secrètement avec lui, et depuis quelques années, Élisabeth faisait miroiter à ses yeux, comme auparavant à ceux de son frère aîné, le duc d'Anjou, l'éblouissante perspective du mariage.

En 1574, les princes firent une deuxième tentative pour s'échapper. Tandis que la Cour était à Saint-Germain, les conspirateurs établirent leur plan : profitant de ce que toute la Cour se trouvait à la chasse, ils comptaient gagner d'une traite à travers la forêt la petite ville de Mantes, dont la garnison avait été achetée. Mais il se trouva un traître dans leur camp, La Môle, alors l'amant de Marguerite de Valois, et l'ami tendrement chéri de Henri d'Anjou, qui venait d'être élu roi de Pologne. A l'aube du jour fixé pour l'évasion, tandis que Condé, Navarre et ses amis guettaient le moment favorable, La Môle dénonça le complot à Catherine. Averti par un ami que sa mère savait tout, le duc d'Alençon se hâta de confirmer la chose à Catherine pour obtenir son pardon. Les autres furent arrêtés avant même de pouvoir se mettre en selle. Navarre ne reçut son pardon qu'après avoir signé une nouvelle déclaration d'obéissance au roi et à la reine mère. Quant à Condé, il fut envoyé en disgrâce au gouvernement de la province de Picardie, d'où il passa peu après en Allemagne.

Quelques mois plus tard, à Paris, Alençon et Navarre firent une nouvelle tentative, cette fois avec l'aide de La Môle, qui, sa trahison pardonnée, avait regagné leur confiance. Un aventurier italien, Annibal de Coconas, était aussi du complot. Politiquement, la conspiration tendait à grouper sous les commandements des deux princes libérés les protestants allemands, les huguenots français et les catholiques modérés du Languedoc. Elle eut une issue fatale pour deux des conjurés. Dès le début, elle s'était entourée d'une atmosphère théâtrale de mystère caractéristique de l'époque. Durant ses préparatifs secrets, on rencontrait dans l'entourage de la Cour d'étranges et sinistres figures, parmi lesquelles, outre l'élégant et séduisant La Môle, l'alchimiste Tourtay, l'astrologue Côme Ruggieri et Coconas, soldat de fortune, enfin, puisque toute intrigue à cette époque était vouée à la trahison, un traître, Yves de Brinon.

Depuis le commencement, ce dernier avait tenu Catherine au courant des événements. Quand son plan fut bien mûri, l'artificieuse reine mère, comme une vieille tigresse, s'élança avec une soudaineté aussi terrible qu'inattendue. Coconas et La Môle furent arrêtés, jugés et exécutés. La mort de ce dernier fut l'occasion d'un étrange incident. Dissimulant à peine le chagrin que lui causait la perte de son amant, Marguerite de Valois acheta sa tête au bourreau, la fit embaumer, parfumer, enfermer dans une urne de plomb, et la porta de ses propres mains au petit cimetière de Montmartre.

Montmorency et Caussé, les deux principaux inculpés, furent jetés à la Bastille, Alençon et Navarre interrogés, blâmés publiquement et soumis à de nouvelles humiliations. Dès lors la surveillance se resserra autour d'eux. Catherine elle-même garda constamment auprès d'elle Henri de Navarre, qui n'acceptait qu'avec répugnance cette contrainte. Quand elle sortait dans son carrosse, le prisonnier montait à cheval à côté de l'équipage. Enfin les fenêtres de l'appartement qu'il occupait au Louvre furent garnies de barreaux comme une geôle.

Une fois de plus, Catherine jouissait d'une de ces périodes de pouvoir absolu qu'elle appréciait tant. Charles touchait à la fin prématurée qu'avaient prévue ses médecins et ses intimes. Et au soir d'une journée de mai 1574, il expirait, achevant dans les bras de Marie Touchet sa vie violente et torturée. Sa mort laissait la couronne au fils préféré de Catherine, Henri d'Anjou, roi de Pologne, dont l'orgueil et la cruauté avaient pris une large part au massacre de la Saint-Barthélemy. Le jour même des funérailles de Charles IX, les deux princes prisonniers firent sans succès une nouvelle tentative d'évasion et Marguerite qui, en dépit de son indifférence conjugale et de ses multiples infidélités, nourrissait pour Henri de Navarre une certaine affection garçonnière non dépourvue de loyauté, essaya en cette occasion d'enlever en fraude dans son propre carrosse son frère et son époux déguisés en femmes. Mais ce plan échoua comme le précédent. Dès lors, Henri, presque désespéré, s'efforça de trouver à sa captivité quelques aspects moins ennuyeux.

Trois mois après la mort de Charles IX, Henri III, abandonnant ses sujets polonais désillusionnés sur son compte, était rentré en France par l'Italie, rapportant à la Cour, outre les joyaux de la couronne de Pologne, les atteintes d'une maladie contractée à Venise, dont les suites allaient clore définitivement la succession des Valois au trône, une passion pour les arts, le théâtre et le faste, et un goût exagéré pour le luxe et les costumes somptueux, en même temps que les allures équivoques à la mode en Italie depuis les empereurs romains.

Sous le nouveau roi et son remarquable trio de mignons, MM. d'O, de Joyeuse et d'Épernon, la Cour du Louvre devint la plus fantastique de toute l'Europe. D'une extravagance sans frein, pressurant le trésor public et dilapidant sa propre fortune pour satisfaire son amour désordonné des splendeurs et l'insatiable cupidité de ses favoris, Henri III alla de banqueroute en banqueroute, comme ses courtisans et sa suite allaient de palais en palais. Pour sa sœur Marguerite, qu'il avait peut-être un moment chérie d'une tendresse plus que fraternelle, il avait conçu une jalousie et une haine violentes. Il la faisait surveiller de près, épiant ses amours et remplissant la Cour de commérages scandaleux moitié vrais, moitié faux, sur le compte de la jeune femme. Plus d'une fois, il essaya d'éveiller la jalousie de Henri de Navarre, en lui fournissant les preuves de l'inconduite de sa femme. Mais le Béarnais, qui, depuis la nuit de la Saint-Barthélemy, n'entretenait avec elle que des relations de tolérante camaraderie, ne faisait que rire des folies amoureuses de Margot. Lui-même, à ce moment, était absorbé par ses propres affaires de cœur, principalement avec une intrigante beauté, Charlotte de Sauves, laquelle distribuait ses faveurs impartialement entre Alençon et Navarre.

Cette jeune femme fut la première des maîtresses célèbres du futur Henri IV. Fille de Gabrielle de Sade, aïeule du fameux marquis de Sade, elle était âgée de vingt-quatre ans et veuve du baron de Sauves quand elle rencontra le jeune prince. Ses portraits révèlent à la fois la beauté et l'intelligence, un front large et élevé, un regard vif et curieux, un nez droit et un menton mince. Elle avait déjà eu une liaison avec Le Guast, un redoutable homme d'épée, de bonne heure un des familiers de Henri III. Ses charmes exercèrent une puissante

attraction sur Henri de Navarre, et pendant les trois ans et
demi de sa captivité dans cette Cour dangereusement oisive,
il avait succombé à la fascination qu'elle exerçait sans trop
de désintéressement. A la prière de Catherine ou de Le Guast,
on la vit même un moment exciter la jalousie du prince contre
son beau-frère le duc d'Alençon, en flirtant outrageusement
avec ce dernier.

Mais ce fut pour Henri de Guise qu'elle éprouva la vraie
passion de sa vie. Son mariage en dernier lieu avec M. de La
Trémoille, marquis de Noirmoutier, ne fit que souligner la
constance de son amour pour le beau duc, amour qui durait
depuis douze ans quand, un sombre matin de décembre, à
Blois, Guise sortit de ses bras pour jamais, avant de succomber
à la vengeance traîtresse de Henri III. N'ayant pas réussi à
faire tort à sa sœur Marguerite dans la froide affection que
lui gardait son époux, le roi tenta alors de diminuer Alençon
aux yeux de son rival, et d'affaiblir une alliance politique qui,
chaque jour, menaçait de devenir plus dangereuse. Un succès
partiel couronna cette tactique.

A la différence de ses frères, Henri III avait dépassé l'âge
de la majorité quand il monta sur le trône. A l'exception de
Catherine, vieillie et atteinte de la goutte, nul ne restait de la
génération précédente des princes et d'hommes d'État, dont
la rivalité avait tenu le premier plan sous le règne de ses prédécesseurs. La Cour du nouveau roi était la plus jeune de
l'Europe et peut-être la plus pervertie que le monde eût jamais
connue depuis l'Empire romain.

Tous les courtisans portaient des armes, même dans la salle
du bal, s'épiant furtivement les uns les autres, et déguisant
leurs soupçons mutuels et leur haine violente sous une profusion de compliments.

Aucun signe extérieur ne troublait la courtoisie des
manières et l'exubérance de la gaîté apparente. Guise et ses
frères Mayenne couvraient Henri de Navarre d'attentions
flatteuses, montant à cheval, chassant et festoyant sans cesse
avec lui. Et Henri jouait galamment son rôle dans cette
étrange comédie. Quand Guise reçut à Fonans une balle d'arquebuse dans la joue qui lui valut pour toute sa vie le glorieux

sobriquet de « Balafré », Henri monta en poste et voyagea sans débrider jusqu'au chevet de son rival. Et les femmes contribuaient à la mascarade périlleuse de cette «Cour d'Amis». Comme on l'a vu, Henri était épris de Charlotte de Sauves. Et sous les yeux froidement amusés de son complaisant époux, Marguerite de Navarre se consolait avec les attentions de ses nombreux admirateurs, dont les principaux étaient Guise lui-même, Souvré, d'Entragues, Bussy d'Amboise, le brillant et éblouissant homme d'épée, et même son propre frère, l'équivoque duc d'Alençon.

De multiples tentatives furent faites à nouveau pour créer le désaccord entre le mari volage et l'épouse légère, et en plusieurs occasions, les efforts malicieux de Henri III, de Catherine, de Guise, d'Alençon et même de Charlotte de Sauves, cherchèrent à allumer la jalousie du roi de Navarre contre Bussy d'Amboise.

Mais enfin cette période frivole se termina. Bien que l'étroite prison de Henri se fût changée en une alcôve discrète et séduisante, le prisonnier se fatigua bientôt de cette contrainte, de l'atmosphère artificielle et brûlante qu'il respirait, de ces folles perversités et de ces gestes exquis, et souffrit de se sentir isolé du milieu rude et actif dans lequel sa mère l'avait élevé. En lui-même, le robuste et passionné Gascon méprisait de toutes ses forces cette existence d'oisiveté mortelle. Le futur homme d'État et prudent monarque était las de sa futilité, et opposant la ruse à la ruse, l'effronterie à l'effronterie, il guettait sans cesse, avec une patience et un sang-froid admirables, le moment favorable pour s'échapper.

Après maintes alertes et de multiples péripéties, le duc d'Alençon avait enfin réussi de son côté à s'enfuir le 15 septembre 1575. Enflammé de haine contre son royal frère et prêtant l'oreille à tous les complots politiques de l'Europe, l'impatient jeune prince se mit à la tête des mécontents des deux partis, et lança une proclamation appelant à l'aide pour la restauration de l'ordre et le salut du royaume. Henri III et Catherine se hâtèrent de tourner ce document en acte d'accusation contre le roi de Navarre, lequel était manifestement au courant des intentions du duc d'Alençon et soupçonné de favoriser le fugitif. Mais par une habile tactique, le prisonnier réussit à désarmer les soupçons du roi et de sa mère, tout en dissimulant le secret espoir que la fuite d'Alençon avait éveillé en lui.

Toutefois, cette perspective s'assombrit d'une nouvelle humiliation pour son orgueil et son ambition politique. Il voyait la direction du mouvement de réconciliation religieuse, devenue la cause nationale en France, offerte par les rebelles impatients à l'inconstant et écervelé d'Alençon. A peine ce dernier s'était-il éloigné de la Cour, qu'il négociait secrètement son retour au prix d'une nouvelle trahison des huguenots. Henri de Navarre voyait son cousin Condé, qui deux ans auparavant s'était réfugié en Allemagne, entrer en France à la tête d'une armée fournie par les protestants allemands. Et dans le Midi, il discernait un nouveau rapprochement significatif entre les huguenots et les catholiques modérés, les uns et les autres révoltés des extravagances, des dissipations, et de la dangereuse incapacité de Henri III et de ses mignons. Ce fut à ce moment qu'un compagnon et ami du roi de Navarre, le poète Agrippa d'Aubigné, le même à qui son père avait fait jurer de venger les martyrs devant les cadavres pendus aux créneaux du sombre château d'Amboise, donna à son maître un conseil fameux qui l'incita à une action décisive.

D'Aubigné raconte que lui et Jean d'Armagnac, un serviteur huguenot s'entretenant une nuit à voix basse au chevet de Henri de Navarre, avaient entendu le prince, agité par une fiévreuse insomnie, murmurer derrière les rideaux les paroles du psaume dans lequel le roi des Hébreux, abandonné, se plaint d'avoir perdu ses fidèles amis. Ce fut alors que le poète, tirant les rideaux du lit, s'adressa hardiment à son maître en ces termes : « Sire, vous soupirez de l'absence de vos amis et fidèles serviteurs, dans le moment où ils soupirent après vous, mais travaillent à votre délivrance. Tandis que vous avez des larmes aux yeux, ils ont les armes à la main. Tandis que vous servez vos ennemis et les bercez de faux espoirs, ils les combattent et les remplissent d'une réelle terreur. » Les reproches passionnés du huguenot atteignirent leur but, et Navarre se rallia aussitôt à un projet de fuite immédiate. La date en fut fixée au 3 février 1576. et en attendant, les conspirateurs simulèrent adroitement quelques fausses évasions pour convaincre la Cour que ses soupçons n'étaient pas fondés. Enfin, ils saisirent l'occasion fournie par une chasse au sanglier dans la forêt de Senlis. Il fut convenu entre Navarre et ses loyaux serviteurs qu'on trouverait un prétexte pour fausser compagnie au gros des chasseurs, et qu'on galoperait ensuite à travers la forêt jusqu'à Sedan, où une petite troupe de gentilshommes les attendraient.

A la veille de l'événement, l'inévitable traître surgit. Un nommé Fervacques murmura à l'oreille du roi de France tous les détails du complot. Mais d'Aubigné, qui avait surpris le colloque et deviné son objet, ne perdit pas de temps. Avec un autre ami fidèle, il quitta nuitamment la Cour, partit pour Senlis, où il trouva le roi de Navarre, et l'avertit que retarder jusqu'à l'aube l'exécution du projet serait le faire échouer. Ceux qui n'étaient pas dans le secret furent dépêchés à Paris, sous prétexte d'un message urgent pour le roi. Les autres, le prince de Navarre à leur tête, se mirent en selle et marchèrent toute la nuit vers l'ouest. On passa la Seine à Poissy, et tandis que Navarre et d'Aubigné attendaient que leurs compagnons eussent traversé le gué, le poète huguenot récita avec son maître, les premiers versets du psaume triomphant : « Eternel ! le roi se réjouira dans ta force. »

La chevauchée fut marquée par un joyeux incident. Aux abords d'un village, on rencontra un gentilhomme qui examina avec quelque inquiétude les visages des fugitifs, et finalement prenant M. de Roquelaure, le plus richement habillé, pour Henri de Navarre, il le pria instamment de ne pas apporter le trouble dans son pays en s'y arrêtant, mais de continuer sur Châteauneuf, où il offrait de le conduire. En cours de route, observant toujours la discrétion vis-à-vis du prétendu Roquelaure, le guide se mit à bavarder avec les autres et avec Henri lui-même, commentant librement les histoires galantes de la Cour de France, et en particulier celles de Marguerite de Navarre, obligeant le prince à prendre part au rire malicieux de la compagnie. A la nuit tombante, on toucha à Châteauneuf, et on demanda d'ouvrir les portes au nom du roi de Navarre.

Quand il vit Henri entrer le premier dans la ville, le guide tomba à genoux en grande frayeur, et couvert de confusion, demanda son pardon au prince, qui le lui accorda aisément.

Le 6 février, les cavaliers arrivèrent à Alençon, ville protestante et, aux acclamations des habitants, Henri assista publiquement au service du culte réformé. De là, il gagna définitivement Saumur, place forte des protestants sur la Loire.

Derrière lui, il laissait la Cour de France et ses trahisons, dont le charme était rompu, les intrigues amoureuses des courtisans et le poignard des traîtres, les paroles fielleuses et trompeuses de Catherine, l'ombre sinistre de la Saint-Barthélemy, les humiliations, les politesses perfides et les amours oiseuses.

Devant lui, il avait les opiniâtres cités du sud et de l'ouest, avec leurs assemblées austères et indomptables qui avaient bravé les foudres du Pape, les menaces royales, les attaques des Guise et les intrigues de l'Espagne, devant lui, La Rochelle, son suprême refuge contre la colère de Henri III, et par delà, la mer ouverte aux vaisseaux d'Élisabeth à la voile blanche sur fond noir. Celle qui portait son nom était restée à la Cour avec les Valois ses frères et Catherine sa mère. « Je ne regrette que deux choses, disait-il ironiquement à ses compagnons : ma femme et la messe. Je tâcherai bien de me passer de la messe. Quant à ma femme je ne puis ni ne veux plus la revoir. »

Henri de Navarre atteignait à peine vingt-trois ans, et déjà, sous sa gaîté naturelle, brillait cette résolution énergique qui allait le fortifier contre les périls et les hasards. Mais il était jeune, avec l'esprit élevé, il se sentait enfin libre et sa vie aventureuse l'attendait.

CHAPITRE VIII

LA COUR DE NÉRAC. RÉCONCILIATION AVEC MARGOT. LA GUERRE DES AMOUREUX

LES dix années qui suivirent l'évasion de Henri de Navarre et l'établissement de sa petite Cour protestante à Nérac, en Guyenne, furent des années de paix relative. Une singulière époque s'était ouverte pour le midi de la France. Tandis que, dans les ports du Portugal et des Flandres, Philippe d'Espagne assemblait les vastes armements qui devaient sonner le glas de l'Angleterre et des protestants anglais, tandis que dans les Flandres et les Pays-Bas, commençait la résistance épique du prince d'Orange, un silence soudain et significatif s'était étendu soudain sur le royaume de France. Dans ce silence, il est vrai, on avait vu naître la Ligue catholique, puissant instrument révolutionnaire, qui allait favoriser l'intolérance de l'Église, la cupidité des Guise et les intrigues de la monarchie espagnole ; dans ces années obscures d'extravagances romanesques et de folies de la Cour, l'autorité du parti des Guise s'était affirmée successivement dans les villes et dans la capitale elle-même, jusqu'à mettre en balance et dépasser celle de la royauté. Si le dramatique conflit entre les deux religions était coupé d'un entr'acte comparativement tranquille, de nombreux faits d'armes isolés n'en marquèrent pas moins cette trêve. On vivait au siècle de la Renaissance, et succédant à un rude hiver qui suivit le massacre de la Saint-Barthélemy, un printemps nouveau semblait fleurir. La guerre civile languissait. La rivalité chevaleresque que déployaient individuellement des gentilshommes provoqua une série d'incidents pittoresques et souvent sans grand mal. Cette nouvelle manière de se battre pour se distraire, où la violence aboutissait à un éclat de rire, rappelait une querelle entre voisins de campa-

gne. Une arquebusade pouvait effrayer les perdrix dans un
champ de blé, une petite troupe de cavaliers prendre un village
d'assaut et en être chassée le lendemain, un bal de bourgeois
ou une fête rustique se terminer inopinément par des coups de
feu, l'esprit et la gaîté ne perdaient pas leurs droits. La mort
de Coligny avait mis fin à l'austérité des premiers temps
héroïques de a lutte religieuse. Et à l'occasion, les huguenots
de Henri de Navarre s'accordaient un répit dans l'ascétisme.
Le jeune de Rosny qui, plus tard, devint le grave Sully et le
grand ministre de Henri IV, l'ironique et sans souci d'Aubigné qui n'était pas encore l'historien morose et le sévère mora-
liste, s'adonnaient complaisamment aux folies de la jeune
Cour et aux plaisirs de l'amour dans cette joyeuse contrée
gasconne. Seul, le savant Duplessis-Mornay regardait de
travers ces passe-temps frivoles, et n'épargnait même pas
à son maître ses remontrances.

Peu de temps après l'évasion du roi de Navarre et de ses
amis, Catherine poussa Henri III à se réconcilier avec les
mécontents. Dans le traité connu sous le nom « de Paix de
Monsieur » et signé le 6 mai 1576, le roi désavouait partiellement le massacre de la Saint-Barthélemy, perpétré, assurait-il,
à son grand mécontentement. Les propriétés confisquées des
victimes furent restituées à leurs héritiers. On accordait aux
protestants reconnus comme une importante minorité politique et administrative quarante-cinq villes de sûreté répar-
ties dans six provinces, et on leur concédait le droit de se
gouverner eux-mêmes par leurs synodes. En outre, le roi prodiguait les dignités et les biens aux princes rebelles. Il donnait
à son frère Alençon, outre le Berry et la Touraine, le duché
d'Anjou avec un revenu annuel de 100.000 écus. Le prince de
Condé, rentré en France avec une armée de reîtres, reçut le
gouvernement de la Picardie. Damville, gouverneur catholique du Languedoc, qui s'était dressé contre le pouvoir royal
en favorisant le duc d'Alençon fut autorisé à conserver sa
province, et le roi de Navarre confirmé dans son gouvernement de Guyenne. Enfin les Guise, qui ne se laissaient jamais
oublier dans la distribution des faveurs, ne reçurent pas moins
de cinq des treize provinces de la France. Jamais, depuis

Charles le Chauve, on n'avait vu le royaume ainsi démembré. Et, comble d'humiliation, Henri III dut consentir à payer l'arriéré de solde dû aux reîtres allemands qui avaient combattu sous l'étendard des rebelles.

Puis il convoqua à Blois les États Généraux. Mais Navarre et Condé récusèrent avec indignation les délégués élus pour la plupart sous le signe de la Ligue catholique. Henri accompagna son refus d'une note par laquelle il expliquait fort habilement aux représentants sa foi religieuse : « Personnellement, disait-il, il a accoutumé de prier Dieu que si sa religion est la bonne, comme il croit, qu'il veuille bien l'y confirmer et assurer, que si elle est mauvaise, il lui fasse entendre la bonne et illumine son esprit pour la suivre et y vivre et y mourir et lui donner force et moyen pour aider à chasser l'autre de ce royaume et de tout le monde s'il est possible. »

Ainsi désavoués par une importante partie de la nation, les États Généraux furent d'abord intimidés et dominés par la Ligue qui avait pesé sur les élections. Fondée cette même année 1576, cette remarquable et puissante organisation exigeait non seulement le maintien de l'Église catholique dans ses droits et privilèges, mais l'extermination de toutes les sectes et religions rivales, à la différence des associations de calvinistes de France, tout d'abord unis pour se défendre en réclamant un minimum de tolérance. La Ligue ne faisait pas seulement la guerre aux protestants, ses ennemis déclarés, mais aux neutres, aux spectateurs inertes ou indifférents du grand drame. Les buts qu'elle visait se résumaient dans cette formule célèbre : « Tous ceux qui refusent d'adhérer à la Ligue seront traités comme ennemis et pourchassés par les armes. »

Ce fut aux États Généraux de Blois que le parti des Guise, à sa tête le jeune duc Henri et son frère le cardinal de Lorraine, comme lieutenant actif, intrigant et implacable, assuma définitivement la direction de la Ligue. Recevant secrètement des subsides de l'Espagne, ouvertement encouragée par Rome, recrutée parmi tous les oisifs, les ambitieux, les mécontents et les agités, la Ligue menait une incessante et double propagande contre la monarchie qu'elle accusait de tolérance excessive envers l'hérésie, et contre les hérétiques eux-mêmes.

Atteignant jusqu'aux plus modestes citoyens et aux plus humbles paysans par le pouvoir secret du confessionnal et grâce à une vaste ramification d'ordres religieux et d'organisations charitables, elle acquit rapidement une immense influence. Tout d'abord religieuse par ses buts, elle devint rapidement un parti politique, et même républicain et révolutionnaire. Ouvertement et secrètement, elle envoya de nombreux émissaires aux catholiques d'Angleterre pour conspirer contre Élisabeth. Elle entretenait à Rome et à Madrid des délégués permanents. Elle était maîtresse de Paris, qu'elle dominait par des hommes à elle dans les conseils des seize quartiers de la capitale. Et parmi cette population tumultueuse et fanatique de moines et de mendiants, d'oisifs, d'espions et d'assassins, le jeune duc de Guise, avec son visage curieusement balafré, sa belle allure et ses joyeuses manières, se posait comme un héros et devenait l'idole de la rue.

Pendant que Henri de Navarre était à Nérac, le siège de son gouvernement de Guyenne, Catherine vint le visiter, accompagnée de son escorte de filles d'honneur. Alors âgée de cinquante ans, la reine mère souffrait de la goutte. Sa tendresse passionnée pour son fils efféminé, Henri III, le seul sentiment qui fût désintéressé dans sa vie, était demeurée aussi vivace. Redoutant à présent la menace grandissante de la Ligue et les intrigues incessantes de son jeune fils d'Alençon, elle voyait en Henri de Navarre le seul appui possible pour le roi. Ne connaissant que deux moyens de gagner les hommes, la flatterie et les femmes, Catherine arrivait bien pourvue de ces armes. Mais Henri, de son côté, se tenait sur ses gardes. Jetant un regard ironique sur les coquettes aux yeux aguichants qui se tenaient derrière la reine mère, il écarta celle-ci d'un sourire et d'un mot : « Madame, il n'y a point ici d'ouverture pour moi. »

Au surplus, la Cour de Catherine avait maintenant une rivale. Abandonnée par son magnifique amant Bussy d'Amboise, et lasse à la fois de Paris et de la méchante jalousie de son frère Henri III, Marguerite de Navarre elle-même était arrivée à Nérac, si bien qu'en l'année 1578, l'agréable petite ville possédait trois cours dans ses murs, celle de Catherine, celle de Margot et celle de Henri de Navarre lui-même. Margot y fit son entrée montée sur un cheval blanc, également décidée à reconquérir son époux par l'art de sa séduction, si bien éprouvée et ordinairement triomphante, et à confondre les théologiens huguenots par son savoir.

La première rencontre des deux époux quelques semaines plus tôt à Castéras avait été courtoise mais froide. Cette fois, Marguerite déploya tous ses talents pour éveiller l'attention sympathique de Henri, lui promettant loyalement son aide politique et son concours, grâce aux intelligences qu'elle possédait dans le camp de son fourbe et royal frère. Fermant l'oreille aux protestations des pasteurs calvinistes, scandalisés des multiples et notoires adultères de Marguerite et appelant l'anathème sur cette fille de Babylone, Henri céda à ses propositions.

Les quatre années suivantes que le roi de Navarre et sa femme passèrent à Nérac et à Pau s'écoulèrent assez agréablement. On remeubla le château de Nérac pour satisfaire le goût de luxe de Margot. Les appartements furent pourvus du mobilier aux lourdes sculptures à la mode italienne. De riches tapisseries tombaient des plafonds peints et, sur les panneaux des murs, se détachaient des miroirs de Venise aux cadres d'or et d'argent incrustés de perles. On trouvait sur les tables les traductions nouvelles des classiques. Une armée de cuisiniers envahit les cuisines : les vignobles de Gascogne et de Guyenne furent pillés pour remplir les caves. Tous les matins, le roi chassait à cheval, tous les soirs, Marguerite conduisait la danse au son des violons et des luths. On donnait des ballets et des comédies italiennes. Les jardins du château furent également transformés, en vue de flatter le goût de Marguerite pour l'exotisme. On construisit des serres pour abriter les plantes rares qu'elle faisait venir à grands frais. Pour célébrer sa réconciliation avec son époux, la reine de Navarre planta de sa main dans un coin du parc deux ormes qui subsistent encore.

Durant ce bref et idyllique intermède, la garde-robe elle-même de Henri paraît avoir subi une transformation notable.

Depuis longtemps, il avait laissé de côté le sévère accoutrement huguenot du jeune prince béarnais lors de son arrivée à Paris. La grossière jupe de chasse qu'il portait lors de son évasion de la Cour, le simple costume qu'il arborait pendant son séjour à Alençon, Saumur et La Rochelle, étaient choses du passé.

Aujourd'hui les vastes armoires flamandes de l'appartement du roi renferment des pourpoints de satin noir et blanc, des chemises en toile de Hollande, des hauts de chausses de satin jaune, des bas de soie, des chapeaux de velours ornés de plumes, des manteaux écarlates garnis d'or et d'argent. Et Marguerite n'est pas oubliée dans la pluie éblouissante des magnifiques costumes dont toute la Cour est pour un moment inondée. Plumes d'oiseaux de paradis, immenses colliers de perles, bagues d'émeraude et de diamants, éventails d'or et d'argent, gants parfumés ou ambrés, pas un jour ne se passe sans apporter un riche cadeau nouveau à la capricieuse reine.

Cependant, n'ayant pu persuader à son gendre de regagner la Cour de France, Catherine quittait Nérac à regret pour rentrer à Paris, emmenant Charlotte de Sauves, dont les charmes avaient perdu leur pouvoir de séduction sur le roi de Navarre. Mais elle laissait la jeune beauté qui avait pris la succession de Charlotte, une mince et brune jeune fille de Chypre, Victoria de Ayola, surnommée Doyelle, moitié grecque, moitié espagnole de naissance, bien que tout à fait grecque par la grâce. De son côté, Marguerite demeurait à Nérac, pour éblouir de sa beauté, de son esprit, de ses charmantes folies et de ses ruses d'amoureuse ces vieux hommes de guerre huguenots, à l'épreuve des foudres et des tortures de l'Inquisition et des périls des champs de bataille, mais simples novices au milieu des pièges de cette Cour d'amour.

Mais la princesse n'avait pas réussi à garder l'affection nouvellement reconquise de son époux. Depuis lors, leurs relations restèrent amicales, quoique indifférentes. A Nérac et plus tard à Pau, Henri et Marguerite poursuivirent avec un remarquable succès le cours de leurs rivalités amoureuses.

Outre Charlotte de Sauves et la brune Doyelle, le roi de Navarre avait déjà connu et aimé Jeanne de Monceau, Cathe-

rine du Lac, Anne de Balzac de Montaigu, et Armandine
d'Agen. Pas une de ces maîtresses cependant ne réussit à fixer
son cœur, et bientôt, le roi de Navarre se sentit attiré par les
charmes plein d'artifice de Mademoiselle de Rebours, « cette
malicieuse fille, écrivait Margot dans son ressentiment, qui
ne m'aimait pas du tout, et qui me desservait de toutes les
manières en son pouvoir aux yeux de mon époux. »

La légende de Fleurette n'appartient pas à proprement
parler à cette période de l'histoire de Henri de Navarre, mais
à l'époque antérieure de dix ans qui précéda son mariage.
Fleurette était la fille d'un jardinier du château de Nérac,
et âgée seulement de dix-sept ans en 1572, année présumée
de sa mort. On raconte qu'un jour avant le départ de son amant
pour Paris, elle attendit vainement le prince près d'un puits,
lieu habituel de leurs rendez-vous galants dans la forêt, et
que lasse d'attendre, elle se noya de désespoir. Mais dans un
journal manuscrit du temps, dû à un gardien du château,
un érudit local a découvert cette mention : « Fleurette, jar-
dinière du Roi, morte le 22 avril 1592. » Si l'inscription est
authentique, Fleurette ne mourut qu'à l'âge de trente-sept
ans et survécut vingt ans à son idylle champêtre avec le roi
de Navarre.

Tandis que Mademoiselle de Rebours régnait temporairement sur le prince volage, Marguerite se consolait de la tristesse du château à demi abandonné de Pau et de l'insolence
dès pasteurs huguenots de Béarn, dans l'adoration passionnée, bien qu'à demi paternelle, que lui avait vouée le chancelier de Catherine, M. de Pibrac, homme d'âge mûr et poète
aussi doucereux que terne. Et plus tard, à Montauban, tout
en bâillant d'ennui mortel durant la conférence solennelle
qui se tint entre catholiques et protestants, la reine se laissa
séduire par le jeune vicomte de Turenne, un cousin éloigné,
qui comme elle avait passé son enfance à la Cour de France.

Durant ces années d'indifférence réciproque et de tolérance
mutuelle, il y eut pourtant des périodes de dévouement conjugal dans l'existence de Henri de Navarre et de Marguerite.
A Eauze, le roi tomba sérieusement malade et l'élégante princesse s'assit stoïquement à son chevet, et le soigna pendant

dix-sept jours sans répit. Ce fut à cette époque que survint
l'aventure de Mademoiselle de Fosseuse, une des demoiselles
d'honneur de la reine de Navarre. C'était une fillette de quinze
ans, ravissante mais prétentieuse, que pendant sa longue
convalescence, Henri regarda comme un jouet charmant. La
fièvre l'avait prématurément vieilli, pour quelque temps du
moins, et tout en appelant Fosseuse sa fille, il la berçait sur
ses genoux. Revenu plus tard à sa vigoureuse santé, il tomba
amoureux de la demoiselle, et elle le rendit père d'un enfant.
Sur quoi, Marguerite saisissant ce prétexte comme une offense
à sa dignité, et déjà lasse des austérités d'une cour huguenote,
quitta Nérac pour Fontainebleau et enfin pour Paris.

À Nérac, les années suivantes furent marquées pour le roi
par nombre de passions passagères. Les chroniqueurs mon-
dains du temps mentionnent la succession de ses affaires
d'amour avec une jeune fille nommée La Brousse, avec Esther
Imbert, fille d'un veneur, avec madame de Pétonville, mademoiselle de Duras, la comtesse de Saint-Mégrin, les sœurs
Lespée et enfin la fille d'un boulanger de Saint-Jean dont le
nom ne nous est pas parvenu.

Deux incidents caractéristiques vinrent rompre les deux
années de trêve après 1578, la prise des villes calvinistes, Agen
et La Réole, par les troupes royales.

Avant de s'installer à Nérac, Henri de Navarre avait tenu
sa cour à Agen, dont la population l'aimait. Un curieux et
scandaleux incident lui fit perdre à la fois la ville et l'affection
des habitants. Quelques-uns des jeunes élégants de la Cour
avaient organisé un bal en y conviant les citadins avec leurs
femmes et leurs filles. Au beau milieu de la fête, un courtisan
éméché s'avisa d'éteindre brusquement toutes les bougies
de la salle du bal. On entendit des rires et des cris de femmes,
et les bourgeois indignés regagnèrent leur logis, en déclarant
qu'on avait outragé leurs épouses, et en criant vengeance. Dans
leur colère, ils ouvraient leurs portes quelques jours plus tard
au maréchal de Biron, que Henri III avait envoyé pour gouverner la province de Guyenne.

La Réole fut pareillement livrée à l'ennemi à la suite d'un

incident non moins étrange. En dépit de son âge et de son manque d'attraits, le gouverneur, M. d'Ussac, vieux capitaine huguenot au visage cicatricé et fort laid, tomba amoureux d'une fille d'honneur de Catherine. Le vicomte de Turenne et quelques autres jeunes huguenots, ayant eu vent de l'aventure, en colportèrent une version ridicule, si bien que le roi et toute la Cour en firent des gorges chaudes. Ulcéré dans sa vanité jusqu'à trahir son parti, l'infortuné capitaine remit la ville aux mains d'un officier catholique au service du roi de France.

La réplique de Henri de Navarre fut prompte. La nouvelle de la reddition de La Réole lui parvint au château de Nérac, un soir de bal donné par Catherine de Médicis. Il avertit tout bas M. de Rosny et un groupe de ses compagnons, les priant de quitter la salle et de se joindre à lui à la porte de la ville, où il les attendrait avec des chevaux. Les conjurés obéirent et en pleine nuit, sans quitter leur costume de soirée, galopèrent jusqu'à Fleurance, petite ville qui leur ouvrit ses portes à l'aube, au grand émoi de Catherine. Celle-ci se consola toutefois en pensant que Fleurance ne valait pas La Réole.

Pendant cette singulière période, il semble que les rivalités religieuses aient cédé le pas aux jalousies amoureuses. Les dames d'honneur de Marguerite de Navarre persuadèrent aisément leurs galants champions, tous jeunes seigneurs imbus de trahisons chevaleresques, de rechercher une occasion d'arborer les couleurs de leurs maîtresses sur le champ de bataille. L'inquiet duc d'Alençon lui-même, pris dans les mailles du vaste filet tendu par sa sœur, affamé d'ambition et dévoré de vanité maladive, aspirait à une nouvelle rébellion qui le rapprocherait du trône de son frère. Et du côté du roi, les favoris d'Épernon et de Joyeuse observaient attentivement l'horizon, cherchant quelque audacieux exploit militaire à accomplir.

La nouvelle guerre éclata en 1578, baptisée par les contemporains et un peu plus tard par les historiens « Guerre des Amoureux ».

Une lettre de son royal beau-frère lui ayant reproché amèrement la plus récente infidélité de Marguerite (avec le vicomte de Turenne), Henri de Navarre répliqua non par des mots, mais par des faits. Il tomba soudainement sur la ville de Cahors, qui faisait partie de la dot de Marguerite de Navarre, mais que Catherine se refusait à livrer. L'opération fut conduite avec une scrupuleuse observance des usages de la guerre, assez rare à cette époque. N'ayant aucun agent secret dans la place, les huguenots n'attendaient rien de la trahison. Un message adressé au gouverneur l'avertit chevaleresquement qu'il allait être attaqué. Celui-ci, un brave officier, M. de Vesins, retourna le billet, sur lequel il avait griffonné une réponse insultante : « Nargue pour les Huguenots ».

Sur quoi le roi de Navarre, sans attendre de renforts, commença impétueusement l'attaque. On s'attaqua aux portes de chêne à coups de pétard, les trous déterminés par l'explosion furent élargis à coups de hache, et les assaillants, rampant sur les genoux, se glissèrent par l'ouverture. Parvenus dans les rues de la ville, ils se trouvèrent en face de soldats qui couraient pieds nus et de bourgeois à demi vêtus. A la lueur des torches et des arquebusades, au son du tocsin, et aux clameurs poussées de part et d'autre, ce fut une immense confusion.

Alors commença à l'intérieur des murs un combat corps à corps. La garnison et la milice se défendirent vigoureusement de rue en rue, de maison en maison. Au bout de cinq jours et cinq nuits, la résistance durait encore, assiégeants et assiégés, épuisés de fatigue, de faim et de soif, dormant debout à leur poste sans quitter leur armure. L'arrivée d'un renfort de 700 hommes donna enfin l'avantage au roi de Navarre, et les huguenots, noirs de poudre, beaucoup d'entr'eux, dont Henri lui-même, couverts de pansements ensanglantés, s'abandonnèrent enfin à la joie du triomphe et au partage du butin. Même le grand Sully, dans les *Economies royales* écrites dans sa vieillesse, rappelle avec une complaisance visible qu'il eut la chance de récolter 4.000 écus d'or, dans une cassette appartenant à un bourgeois.

Mais ce succès à part, la guerre des Amoureux fut désastreuse pour les protestants. Ils en sortirent grandement diminués en nombre et en influence, et la nouvelle division du royaume qui suivit la paix signée à Fleix partagea les provinces royales entre les favoris de Henri III et les Guise, sans attribution d'aucune terre ni charge au roi de Navarre. Le duc d'Alençon, négociateur du traité, et devenu duc d'Anjou, se trouvait libre de poursuivre un dessein grandiose qui lui tenait à cœur depuis longtemps. Emmenant avec lui les oisifs avides d'aventures des deux partis, il marcha vers les Flandres, répondant aux invitations réitérées que lui adressaient les protestants des Pays-Bas et il prit la tête de l'insurrection contre Philippe II.

Cependant, en dépit de l'appui que Catherine avait donné récemment à l'indépendance du Portugal, en fournissant à don Antonio des vaisseaux armés que la flotte espagnole avait écrasés à la désastreuse bataille des Açores, en dépit de l'expédition que son frère commandait publiquement dans les Flandres, Henri III maintenait qu'il était en paix avec Philippe, et Madrid accueillait ces assurances sans manifester plus d'indignation que ne le permettait la politesse la plus incrédule. Mais l'inconstant et agité duc d'Alençon, un vrai Valois avec ses yeux inquiets et sa moue boudeuse, conduisit sa mission au désastre.

Dès le début, l'avisé roi de Navarre avait prédit l'échec de l'aventure, en avertissant Sully qui, ayant des parents et des intérêts en Flandre, allait quitter momentanément le service de son maître pour suivre le duc d'Anjou.

« Quant au prince que vous allez servir, dit-il, il vous décevra grandement, car je sais, pour lui avoir entendu dire tant de fois, qu'il hait dans son cœur comme le diable tous ceux de la Religion. Ayant le cœur double et rusé, il est si enclin à la couardise, si mal bâti de corps, si maladroit en toutes actions de courage, que je ne le croirai jamais capable de rien de généreux. Et bien qu'il me traite en ami, m'appelant son bon frère, sais-je qu'il me déteste plus que personne au monde et que moi-même je ne l'aime pas de trop. »

Ce portrait sévère du duc d'Anjou était plus que justifié. Après plus d'une année de retardement, le prince français se mit enfin en route, dans l'été de 1579, pour secourir les Flamands assiégés dans Cambrai par le duc de Parme, le meilleur soldat de l'Europe. Ayant réussi à faire lever le siège il s'empara de la ville pour son compte par trahison. Par la suite, il refusa de poursuivre sa route pour se joindre au prince d'Orange et à son armée, et laissant les populations des Pays-Bas aux prises avec les soldats du duc de Parme, il s'embarque en hâte pour l'Angleterre, en vue de négocier un nouveau projet de mariage avec Élisabeth.

En dépit de l'attrait qu'il exerça, dit-on, sur la reine, le duc d'Anjou, à vingt-huit ans, était d'une étrange laideur, avec un nez aplati et divisé presque en deux, des yeux de furet, sombres et inquiets, sa bouche molle et traîtresse, et le visage boutonneux. Mais Elisabeth, à quarante-neuf ans, se laissa aisément toucher par les déclarations passionnées du prince. Un beau jour, elle retira un anneau de sa main flétrie, couverte de bijoux, et le passa au doigt du duc, donnant ainsi un gage public de son consentement devant ses ministres et la foule de seigneurs français qui avaient traversé le détroit à la suite du prince. Le comte de Leicester enragea de jalousie furieuse et même l'impassible Burleigh éprouva tout bas quelques ennuis. Mais l'indomptable fille de Henri VIII n'avait pas encore fixé son choix. Elle tergiversa, marchanda, et sachant bien que Henri III refuserait, proposa aux délégués français fort embarrassés une alliance offensive entre la France et l'Angleterre contre l'Espagne. Quand tous les autres prétextes eurent échoué, elle poussa quelques-uns de ses sujets à lui adresser une pétition protestant contre ce mariage : finalement, elle renvoya dans les Flandres le duc d'Anjou fort penaud avec 100.000 écus d'or dans sa bourse.

Le prince débarqua à Flessingue, où il fut accueilli avec de nouvelles démonstrations d'enthousiasme par une population à la mémoire courte. Au printemps de 1582, il se fit proclamer à Anvers duc de Brabant, et jura de défendre l'indépendance de ses nouveaux sujets flamands. Une année ne s'était pas écoulée qu'il les trahissait de nouveau. A l'instigation de ses officiers catholiques, il attaqua par traîtrise la ville d'Anvers et massacra une partie de la garnison protestante. Mais les bourgeois, sous la conduite du prince d'Orange, se soulevèrent contre ce nouvel ennemi et le chassèrent. Des tentatives semblables, faites par les partisans du duc d'Anjou, réussirent partiellement dans quelques autres villes de Flandre, mais la plupart des Français périrent dans les eaux grossies de l'Escaut.

Enfin, le roi de France se tira de la situation déshonorante dans laquelle il s'était mis lui-même en faisant la paix avec le prince d'Orange. Deux années plus tard, en 1584, le duc d'Anjou, le plus abject des Valois, mourait à Château-Thierry, objet du mépris et de la suspicion générale, sans avoir dans toute son existence d'intrigue et d'ambitions déçues, éveillé une seule étincelle de pitié ou d'affection, sauf dans le cœur de son étrange sœur Margot.

CHAPITRE IX

HENRI DE NAVARRE HÉRITIER PRÉSOMPTIF NÉGOCIATIONS AVEC HENRI III. BATAILLE DE COUTRAS

L E trône de France était maintenant précairement occupé par Henri III, le dernier survivant de la lignée mâle de Henri II et de Catherine de Médicis. L'histoire a tracé de lui un portrait étrange et peu flatteur. Était-il homme ou femme, ou les deux à la fois ? Les images du temps révèlent fidèlement le physique anormal du dernier des Valois : les jolis traits efféminés, les joyaux et les dentelles, l'élégance somptueuse, les mains blanches et fines qui éblouissaient Élisabeth. Dans de nombreux portraits contemporains, le roi est entouré de ses fameux *mignons*, avec leur aspect également féminin, leurs habits encore plus magnifiques, et avec des signes indiscutables de perversion morale, un trait plus rare, l'air de défi insolent dénotant une incroyable audace.

A trente-trois ans, la réputation de Henri III était déjà un objet de scandale dans tout le royaume et même au delà des frontières. L'impudeur de sa Cour, les prétendus vices italiens qu'il avait rapportés de Venise, outre une maladie généralement attribuée à ce pays par ses malicieux voisins, les sommes immenses gaspillées par le roi pour ses favoris, tout faisait l'objet des conversations ordinaires du peuple. L'âge viril n'avait fait que développer en lui les penchants vicieux de sa jeunesse. L'amour désordonné de la parure, l'intérêt qu'il portait à la toilette à l'égal d'une femme, le déploiement de bijoux qu'on remarquait déjà chez le vainqueur de Jarnac et de Moncontour, le maître de cérémonie des fêtes du mariage de Henri de Navarre, et le mauvais génie du massacre de la Saint-

Barthélemy, étaient devenus une véritable passion chez le jeune prince après son couronnement.

Son cœur perfide et cruel d'une cruauté perverse avait pourtant des moments de vraie tendresse et même de générosité. Il aimait sincèrement les animaux et les oiseaux, et s'entourait de ces timides créatures en cages. Sans s'inquiéter de ses gentilshommes, de ses secrétaires et des affaires ennuyeuses du Conseil d'État, il passait volontiers des jours en compagnie de ses perroquets et de ses petits chiens, les laissant dormir dans ses bras sans bouger pendant des heures. A l'égard de sa femme, la vertueuse Louise de Vaudémont, princesse de la maison de Lorraine et sœur de Henri de Guise, il témoignait une affection sincère qu'elle lui rendait modestement. Il l'emmenait dans son propre carrosse, partageant avec elle ses joies enfantines, et par deux fois, en 1582, il se rendit à pied de Paris à Chartres, en plein cœur de l'hiver, pour demander à Notre-Dame-de-Sous-Terre une fécondité qui ne pouvait s'obtenir que par miracle, en raison des inclinations contre nature de Sa Majesté ou de la maladie contractée à Venise.

Mais nonobstant les dires des chroniqueurs du temps et bon nombre d'historiens postérieurs, il n'y a pas de motifs absolus qui permettent d'attribuer à Henri III les pratiques mises à la mode par les empereurs romains. Perverti de naissance, choyé et idolâtré par sa mère, affaibli par les graves excès habituels à la cour licencieuse de Charles IX, le jeune prince revint du carnaval qu'il passa à Venise, lors de son retour de Pologne, prématurément et profondément changé de nature. A vingt-trois ans, il avait subi la métamorphose commune aux eunuques de l'Orient et qui n'est pas rare chez les hommes réfractaires au mariage en Occident. Tous les signes de masculinité, visibles en lui sinon prédominants dans son apparence, s'étaient évanouis. De sa barbe qui n'avait jamais été fournie, il ne lui resta qu'une pointe soyeuse au menton. Ses attaches devinrent longues et fines, ses mains effilées, ses cheveux légers comme ceux d'une femme. Le caractère arrogant qu'il avait montré dans son adolescence se transforma en douceur et même en timidité. Et à la seule exception de sa sœur Marguerite à laquelle il continuait à témoigner une jalousie presque féline, et de son vieux rival le duc de Guise, qu'il exécrait et redoutait, et qui lui infligeait insolence sur insolence, ses intimes étaient unanimes à louer sa générosité et sa gentillesse.

Ce sont eux qui ont éclairé la postérité sur les traits étranges et contradictoires de sa singulière figure et de cette multiple personnalité tour à tour féroce et sanguinaire à l'égard des victimes de la Saint-Barthélemy, corrompu et pressurant ses sujets, tendre et affectionné envers sa femme, et charmant, plein d'attentions et généreux envers ses amis, trop souvent même plus que généreux.

Même si l'on rejette la théorie de l'aberration sexuelle, on peut s'expliquer les mignons de Henri III. Avec toutes les grâces féminines, les goûts et l'apparence d'une femme, le roi était affligé d'une véritable timidité de femme. Il avait perdu le courage de sa jeunesse. Il vivait dans un monde de dangers plus réels qu'imaginaires. Entouré de périls et hanté de frayeurs, il souhaitait ardemment de jeunes champions hardis et belliqueux pour le protéger. La mode des duels empruntée à l'Espagne et aux cours princières d'Italie faisait rage depuis quelque temps à la Cour de France, sans que rien y mît un frein. Catherine de Médicis avait amené de Florence avec sa garde du corps de fameux hommes d'épée. Charles IX, dans son excitation morbide, aimait voir les bouillants jeunes seigneurs de sa cour se couper la gorge, et trépignait de plaisir à la vue du sang versé. Et Henri III lui-même, dans cette extrémité de crainte et de faiblesse à laquelle l'avait réduit son étrange changement de sexe, recherchait les lames les plus éblouissantes et les plus vaillantes du royaume de France, récompensant ses protecteurs de leurs prouesses par des bijoux, des terres et des titres de noblesse.

Trois de ses favoris, parmi lesquels le fameux Bussy d'Amboise, avaient soutenu en avril 1578 un duel historique contre trois champions de la maison de Guise. Le triple combat se livra dans la cour de l'ancien palais des Tournelles, et quatre des rivaux perdirent la vie dans la rencontre. De ces compagnons choisis, Henri III accorda surtout la préférence à deux. L'un, qui devint plus tard homme d'Église et cardinal, Anne de Joyeuse, seigneur d'Arques, et déjà fameux duelliste à 19 ans, était le fils de Guillaume de Joyeuse qui s'était distingué dans les guerres religieuses comme lieutenant du roi, en Languedoc, à la fois par ses duretés et ses talents militaires. L'autre, Jean-Louis de Nogaret de La Valette, plus tard duc d'Épernon, était âgé de 36 ans en 1581. Il descendait d'un rude ancêtre Guillaume de Nogaret, qui avait retenu captif le pape Boniface IV sur l'ordre de Philippe le Bel.

Blessés tous deux au siège de La Fère, ces jeunes gens s'étaient recommandés eux-mêmes par leur bravoure à la sollicitude et à la reconnaissance passionnée de Henri III. Le roi récompensa Joyeuse en le mariant à la sœur de la reine, Marguerite de Vaudémont, qu'il dota de 300.000 écus. Il érigea en duché-pairie la vicomté de Joyeuse, et accorda à son favori la préséance sur tous les pairs du royaume, à l'exception des princes du sang et des membres des maisons de Lorraine et de Savoie. Il conduisit lui-même la fiancée à l'autel de l'église Saint-Germain l'Auxerrois, et la remit à son époux aussi magnifiquement vêtu et aussi lourdement chargé de pierres précieuses que le souverain lui-même. Le trésor royal fut vidé pour payer les fêtes et réjouissances extravagantes qui suivirent le mariage, et quand ses conseillers se hasardèrent à lui reprocher ces folles prodigalités, le roi promit doucement de faire des économies « dès qu'il aurait marié ses trois enfants », c'est-à-dire Joyeuse, La Valette et un troisième mignon, François d'O. Ce dernier, ayant lassé la patience du roi en se montrant obstinément jaloux des autres favoris, avait été envoyé en disgrâce pour gouverner la cité normande de Caen. Quand vint son tour de se marier, La Valette se vit combler de récompenses non moins princières que celles de Joyeuse. Le roi érigea pour lui en duché-pairie la seigneurie d'Épernon, et lui donna pour femme une autre sœur de la reine, Christine de Vaudémont, qu'il dota pareillement de 300.000 écus d'or.

Les favoris du roi rivalisaient entre eux à qui épuiserait les ressources du pays. Les biens, les richesses, les terres et les joyaux prodigués à ses mignons par Henri III avaient si bien vidé le trésor royal que, pendant une période, la Cour elle-même fut à moitié réduite à la famine, en dépit de ses magnificences extérieures. Le gouvernement de Paris et celui de la plupart des provinces étaient déjà aux mains de grands seigneurs qui jouissaient d'une indépendance inconnue depuis les temps féodaux. Danville, gouverneur du Languedoc, s'était mis plus d'une fois en révolte ouverte contre l'autorité du roi, et bien que catholique et même modéré, avait rejoint les protestants sous la bannière de Condé. Le traité de La Flèche n'avait fait que le confirmer dans sa quasi indépendance. Le pouvoir de la monarchie s'affaiblissait de jour en jour. Les gouverneurs de province eux-mêmes, jouissant de peu d'autorité, furent bientôt incapables d'extorquer des taxes même par la violence au peuple déjà ruiné par le fisc royal, et la longue suite des guerres civiles. A maintes reprises, le roi tenta d'obtenir du parlement le droit de lever des impôts. Le chancelier de Birague répliqua un jour impudemment à Sa Majesté que si les taxes étaient injustes, elles étaient néanmoins nécessaires et que « la nécessité apparaissait à tout le monde », ajouta-t-il, avec un long regard significatif sur d'Epernon et Joyeuse qui, tout endiamantés, se tenaient aux côtés du roi. Manifestement, la monarchie était en décadence ouverte, et le pays mécontent mûr pour de nouveaux désordres, quand la mort du duc d'Alençon et l'impuissance du roi à donner un héritier au trône, vinrent créer une nouvelle crise de succession.

Comme il apparaissait improbable que Henri III eût des enfants après dix ans de mariage stérile, le roi de Navarre devenait l'héritier présomptif de la couronne de France. Mais en dépit des instances de Catherine et du roi qui le pressaient de rejoindre la Cour pour y recevoir les honneurs dus à sa nouvelle dignité, le prince huguenot préférait garder son indépendance en Guyenne. Cette offre, il est vrai, s'accompagnait d'humiliantes conditions. Il devait abjurer lui-même ses doctrines hérétiques, et supprimer la religion réformée en Guyenne et en Béarn. Des émissaires de la Cour étaient venus flatter le prince obstinément récalcitrant. Marguerite de Valois elle-même, abandonnée momentanément par son amant Harvay de Champvallon, et mue à la fois par un senti-

ment sincère et par les prières larmoyantes de Catherine et
les violents reproches de son frère, Marguerite essaya de nouveau de séduire son époux. Mais après une seule et courte
entrevue avec Henri, elle s'en retourna seule, tenta de s'emparer d'Agen pour le compte de la Ligue, n'échappa à la
fureur des habitants que grâce à son serviteur et le dernier
de ses amants, Lignerac, et finalement après de multiples
aventures, se retira en Auvergne dans son château d'Usson,
sur un roc solitaire, pour ne réapparaître que vingt ans plus
tard dans cette histoire et dans la vie de son mari.

Dans un de ses mouvements de révolte contre le pouvoir
grandissant de la Ligue et la trop insolente autorité des Guise,
Henri III avait dépêché également son favori d'Épernon au
roi de Navarre pour lui faire la cour dans son isolement.
Henri accueillit cordialement l'envoyé, le pria d'assurer le
roi de sa loyauté et de son affection, mais ne bougea pas de
Nérac. Enfin en 1586, Catherine elle-même arriva avec son
immense cortège de filles d'honneurs. Après maints pourparlers diplomatiques et de nombreux marchandages, le prince
huguenot et la reine mère se rencontrèrent près de Cognac,
dans la vaste salle renaissance du château de Saint-Brice.
Henri y pénétra sans escorte, et salua sa belle-mère avec un
mélange de déférence ironique et de précautions vigilantes.
La vieille Catherine l'embrassa chaleureusement et le fit
asseoir auprès d'elle parmi ses femmes. Tout en lui parlant
de cette voix à l'accent traînant italien qu'il détestait, sa
main potelée et couverte de bijoux se glissait vers le pourpoint du roi de Navarre, et sous prétexte de le caresser, s'assurait à travers l'étoffe s'il portait une cotte de mailles. Mais
Henri était maintenant familiarisé avec les secrètes pensées
de la Florentine. D'un geste moitié railleur, moitié méprisant,
il entr'ouvrit son vêtement en laissant voir sa poitrine sans
défense. S'il pouvait se risquer à ce défi, c'est que sur les hauteurs avoisinant le château et bien en vue de Catherine par
les hautes fenêtres, il avait posté son cousin Condé avec
400 cavaliers.

Après quelques adroites questions que Navarre éluda légèrement sur ses prochaines intentions, Catherine en vint à

l'objet réel de sa démarche. Protestant toujours que son fils et elle n'avaient que de bons sentiments à l'égard de Henri, elle proposait de mettre un terme à la guerre intermittente qui durait depuis dix-huit mois. Elle s'engageait à faire retirer l'armée du duc de Joyeuse envoyée pour étouffer le mouvement des partisans du roi de Navarre en Poitou. Henri ferait sa réapparition à la Cour comme héritier déclaré, et promettrait de mettre fin à la rebellion armée en Guyenne et en Béarn, la religion réformée étant bien entendu proscrite de nouveau dans ces provinces.

Les conversations furent reprises le lendemain, cette fois en présence de Condé, et les deux princes huguenots se mirent d'accord pour ajourner leur réponse jusqu'à l'Assemblée des Églises réformées, ce qui nécessiterait un délai de deux mois. Mais le siège de Henri était déjà fait. Il n'avait jamais oublié la trahison de la Saint-Barthélemy, et les humiliations subies à la Cour pendant une longue période de soumission. Au cours de ses entretiens avec Catherine, il lui rappela amèrement ces années si pénibles : « Vous ne pouvez me reprocher, Madame, qu'une trop grande fidélité. Je ne me plains pas de votre croyance mais de votre âge, qui sert mal votre mémoire, et vous fait oublier trop aisément ce que vous m'avez promis. »

Ce fut sous cette impression qu'ils se séparèrent, Henri, pour prendre l'avis de ses conseillers, la reine mère, pour inciter son fils Henri III à offrir de nouvelles concessions au soupçonneux roi de Navarre. Cette rencontre fut d'ailleurs la dernière. Le charme redoutable de la Florentine était à jamais rompu, et leurs fatals destins ne devaient plus se rencontrer.

Les hostilités momentanément suspendues par cette conférence se rouvrirent aussitôt. En dix-huit mois, le roi et la Ligue avaient levé huit armées contre Henri de Navarre. L'une après l'autre avaient été défaites ou terrassées par les épidémies qui accompagnaient inévitablement les guerres civiles à cette époque, ou bien, faute de paie, réduites par les brusques désertions. Jusqu'à présent, la résistance des Huguenots s'était maintenue solidement, marquée par quelques succès, comme la délivrance hardie de Castet assiégé.

Mais en cette occasion l'audace du Gascon avait été compromise par son imprudence. A peine avait-il donné de l'air à la ville, qu'au lieu de marcher contre les forces du duc de Mayenne qui s'approchaient, il galopait jusqu'à Pau, où Diane d'Andouins, la belle Corisande qui depuis de longs mois tenait son cœur, l'attendait. Mais cette folie faillit lui coûter la liberté, car en revenant de Pau, il se trouva pris à Nérac entre deux armées ennemies, celle de Mayenne et celle du maréchal de Biron. Il n'échappa au danger que par une ruse aussi heureuse qu'inattendue. A la tombée de la nuit, il ordonna aux habitants de se munir de torches et de se rassembler sur les remparts du château, bien en vue de l'adversaire qui occupait la hauteur voisine. Lui-même se montra ostensiblement au milieu des lueurs, puis il fit tirer brusquement toute l'artillerie de la place. Et tandis que la confusion se mettait parmi les troupes catholiques surprises, il descendait vivement par l'escalier d'une des tours jusqu'à une poterne où l'attendait une petite troupe de cavaliers. Quelques minutes plus tard, sous le couvert de l'obscurité et de la fumée produite par la canonnade, il s'échappait librement à travers champs.

Le temps de la résistance passive étant résolu, Henri se prépara à attaquer la Ligue sur son propre terrain. Quittant son gouvernement de Guyenne, il remonta hardiment par la Loire jusqu'en Poitou. Une nouvelle guerre commençait, faite de vives escarmouches, d'attaques de place par surprise, d'embuscades et de faits d'armes individuels héroïques. Le roi de Navarre lui-même paya de sa personne et prit une part active à la lutte. Pendant le siège de Chizey, il s'entretenait dans un poste avancé avec un envoyé des princes protestants d'Allemagne, quand une balle d'arquebuse vint frapper le messager à la tête et l'étendit raide mort aux pieds du roi.

Devant Fontenay, il s'exposa constamment au feu des défenseurs et mit la main au pic et à la pelle pour creuser une sape sous les murs de la place. Pendant des mois, il vécut en selle. « Je n'ai pas dormi dans un lit depuis quinze jours », écrivait-il en mai 1587. Mais bien que les privations, les fatigues et les soucis eussent déjà parsemé d'argent sa barbe noire et drue, son étonnante jeunesse et son extraordinaire endurance ne l'abandonnaient pas.

Dans l'automne de cette même année, il allait enfin goûter le premier triomphe d'une grande victoire. Il s'était déjà emparé de maintes forteresses, et avait échappé à des armées plus fortes et mieux équipées que la sienne. Adolescent, il avait pris part à la longue et brillante retraite de l'amiral Coligny à travers une grande partie du royaume. Mais la bataille de Coutras fut la première rencontre importante qu'il engagea et commanda lui-même, et qu'il gagna par sa bravoure et son habile tactique.

Joyeuse avait réoccupé le Poitou à la tête d'une nouvelle armée, mais celle-ci fut rapidement épuisée par de longues marches à travers un pays dévasté. Et quand le favori, laissant le commandement à M. de Lavardin, eut regagné Paris pour des motifs personnels, les vétérans huguenots du roi de Navarre chassèrent aisément ces troupes en les poursuivant jusqu'en Touraine.

Quelques mois plus tard, Henri III donnait à Joyeuse une nouvelle armée pour lutter contre le roi de Navarre. En même temps, il envoyait le duc de Guise à la tête de forces importantes contre les troupes des princes protestants qui s'assemblaient sur la frontière de l'Est. Dans l'intervalle, Henri s'était vu renforcer par l'arrivée de partisans venus d'Anjou, du Maine et de Normandie, sans que Joyeuse eût réussi à s'y opposer. Dès lors, celui-ci devait empêcher le roi de Navarre de se joindre à l'armée protestante étrangère, qui déjà s'avançait à travers la Bourgogne. Pour cela, il lui fallait mettre hors de cause le roi de Navarre et ses huguenots. Joyeuse décida de les attaquer à Coutras.

Les forces des deux adversaires étaient à peu près égales, 4 à 5.000 hommes de pied de part et d'autre, et 15 à 1.800 chevaux du côté des catholiques, un peu moins du côté des protestants. Mais le roi de Navarre, en mettant ses troupes en place à la veille de la bataille, s'était assuré de sérieux avantages tactiques : son artillerie, installée sur une éminence face au village de Coutras et dominant la plaine, sa gauche flanquée par un cours d'eau, sa droite par une garenne que bordait un fossé, le long duquel il dissimula une longue ligne d'arque-busiers. Entre ces deux positions, il avait disposé le gros de ses troupes en forme de croissant et derrière l'artillerie par-tiellement dissimulée, trois escadrons en réserve. Les empla-cements de l'armée de Joyeuse étaient beaucoup moins avan-tageux, tous ses éléments en pleine vue des huguenots, et sans accident de terrain pour les appuyer. Sa cavalerie cependant était déployée largement en raison des longues lances dont il avait récemment doté ses escadrons.

Au matin du 20 octobre 1587, la bataille s'engagea.

CHAPITRE X

LA BATAILLE DE COUTRAS. L'IDYLLE DE HENRI ET DE CORISANDE

MES compagnons, nous sommes ici pour la gloire de Dieu, notre honneur et le salut de notre vie. La route s'ouvre devant nous. En avant ! au nom du Seigneur, pour lequel nous combattons... C'est en ces termes qu'Henri s'adressait à ses hommes au matin de la bataille de Coutras, le visage grave et la tête nue, revêtu de son armure bosselée par dessus son pourpoint gris rapiécé.

L'artillerie des huguenots avait ouvert la lutte en creusant de larges sillons dans la masse ennemie. Aux neuf volées de ces canons, les catholiques ne purent riposter que par trois salves, puis replièrent en hâte leurs pièces sur une position moins désavantageuse. Pendant ce temps, Joyeuse, sur les instances pressantes de M. de Lavardin, donna à sa cavalerie l'ordre de charger. Comme les escadrons catholiques s'avançaient, toute l'armée des protestants, au signal donné par d'Aubigné, entonna en chœur le psaume :

> La voici l'heureuse journée
> Qui répond à notre désir.

Ces chants et ce spectacle étaient chose nouvelle pour maints catholiques, et l'un des gentilshommes de la compagnie de Bellegarde s'écria : « Par la mort, ils tremblent, les poltrons, et ils se confessent. » Sur quoi, Jean de Montalembert, dit à Joyeuse : « Monsieur, quand les huguenots font cette mine, c'est qu'ils sont fort décidés à se battre. » La première charge de la cavalerie royale fut si rude et menée avec un tel succès que Joyeuse parut avoir la victoire en mains, et aux cris de triomphe de son armée, le duc fit avancer tout son gros, à

l'exception de deux compagnies de réserve. Mais la marche
de cette puissante ligne se trouva brusquement prise sous le
feu d'un détachement huguenot qui se découvrit derrière la
Butte aux Loups. Le corps d'arquebusiers dissimulé par Henri
de Navarre sur son flanc droit mit à profit ce moment de surprise et par son feu nourri et bien ajusté, jeta le désordre dans
les rangs catholiques. En outre, les fantassins du duc de
Joyeuse lâchèrent pied à la vue de l'ennemi et prirent la fuite.
Embarrassés par leurs longues et lourdes lances, les escadrons
royaux se disloquèrent et tourbillonnèrent bientôt en grande
confusion, et la mêlée devint générale, aboutissant à une série
de corps à corps. Chaque chef combattait l'épée à la main.
Henri de Navarre lui-même courut les plus grands dangers.
Sommé de se rendre et attaqué à la fois par MM. de Fumel et
de Château-Renard, il fut sauvé par son compagnon de Frontenac, qui tua l'un des adversaires, tandis que le roi, saisissant
l'autre à la gorge lui mettait le pistolet sur la tempe en criant :
« Rends-toi, Philistin ». Peu après, un gendarme frappa le
roi par derrière, mais sa lance se brisa sur le casque du prince,
et l'assaillant fut abattu par un gentilhomme, Constant de
Rebecque.

Cependant le duc de Joyeuse avait été tué d'un coup de
pistolet, ainsi que son frère Saint-Sauveur. L'armée royale
n'attendit pas davantage pour se mettre en débandade, et
s'enfuir, poursuivie par la cavalerie des huguenots. Elle laissait près de deux mille hommes sur le terrain, chevaux, armes
et lances brisées, entassées en une inextricable confusion. Les
corps du duc de Joyeuse et de son frère furent déposés dans
la salle basse de la taverne du Cheval Blanc à Coutras. S'arrêtant pour y dîner après la bataille, son propre logis étant bondé
de blessés, Henri de Navarre contempla gravement les cadavres de ses ennemis.

Mais le lendemain, renonçant à exploiter la victoire, négli-
geant même la conquête facile du Poitou et de la Saintonge,
sans même se soucier de marcher à la rencontre des protestants allemands, Henri de Navarre se mit en selle et à la consternation de ses ministres et au désespoir de ses officiers, suivi
d'une simple escorte de cavalerie légère, traversa au galop

toute la Gascogne et perça jusqu'en Béarn, pour aller jeter aux
pieds de sa maîtresse. Corisande les étendards conquis sur le
champ de bataille.

Cette retraite fâcheuse au lendemain d'une victoire ne fut
pas le moins discuté de ces mouvements impulsifs de Henri de
Navarre, et dont on n'a jamais donné d'explications satisfai-
santes. Il se sentait tiraillé par des forces diverses. Il était
passionnément épris de Corisande, mais cette attraction puissante ne suffit pas à expliquer comment, au lendemain de
Coutras, il s'éloigna brusquement pour se confiner obstinément à Pau depuis octobre 1587 jusqu'à la fin de l'année
1588. Peut-être avec cette claire vision qu'il avait héritée de sa
mère, aperçut-il que l'exploitation logique de son succès et la
jonction de ses forces avec celles des protestants allemands le
mettrait à la tête d'une armée victorieuse en conflit direct
non seulement avec la Ligue, non seulement avec le favori du
roi, mais avec le roi de France. Il se sentait lui-même trop près
du trône pour souhaiter une nouvelle humiliation. Dès lors
sa politique s'inspira de cette préoccupation secrète, et du
pressentiment très sûr de sa royale destinée. Sous ses actes les
plus simples, sous les caprices de la passion, les railleries qu'il
opposait aux avances de Catherine, aux froncements de sourcil
de ses ministres ou aux reproches à haute voix de ses censeurs,
on ne pouvait découvrir les grandes lignes d'une profonde et
brillante tactique, Henri de Navarre n'était pas pour rien le
rusé Béarnais que plus tard son alliée même Élisabeth d'Angleterre ne devait regarder qu'avec une admiration soupçonneuse.

L'armée victorieuse laissée aux mains du prince de Condé
n'eut pas une longue existence. A la vérité, ce soldat ambitieux, mais incapable, avait bien essayé d'entrer en Angoumois, mais il vit fondre ses troupes avant d'avoir pu pénétrer
profondément dans cette province. De leur côté, les reîtres
allemands marchèrent à une prompte défaite. Depuis près
d'un an, les Conseils des huguenots étaient déchirés par des
dissensions et des récriminations. Le comte de Soissons, demi-
frère de Condé et cousin du roi de Navarre, abandonna la

Cour protestante de Pau, dégoûté et désappointé, leurré par une promesse de mariage avec Catherine de Navarre, sœur de Henri. Condé lui-même avait disputé sans succès pendant longtemps la direction du parti à Henri de Navarre. Sa fin mystérieuse en novembre 1588 vint simplifier la situation. On crut généralement qu'il était mort empoisonné, et Henri, dans une lettre à Corisande, laissa entendre nettement que la princesse de Condé, Charlotte de La Trémoille, n'était pas étrangère à cet événement. Lui-même, quelques mois auparavant l'avait échappé belle à une tentative d'assassinat. Le bruit de sa mort courut même jusqu'à Paris, accueilli avec joie par la Ligue et non sans complaisance par le roi. A l'époque de la mort de Condé, il écrivait à Théodore de Bèze : « Il y en a vingt-quatre dans ce parti tout prêts à me tuer à la première occasion. » L'un d'eux, déguisé en émissaire frison, avait pénétré dans Nérac, porteur d'un message pour le roi de Navarre. Mais au dernier moment, le cœur lui manqua et le poignard demeura dans le fourreau. L'homme fit plus tard des aveux complets.

Un mois après la mort de Condé, les ambassadeurs de Florence écrivaient au duc leur maître que « le roi de Navarre était en grand danger d'empoisonnement et avait changé ouvertement sa manière de vivre. » En fait, pendant cette année, il ne sortit que rarement de sa retraite volontaire en Béarn ; une fois en février pour expulser de Guyenne le grand prieur de Toulouse, Scipion de Joyeuse, frère du feu duc, une seconde fois en juin, pour mettre le siège devant la petite ville de Marans défendue par un lieutenant du roi M. de Lavardin, et une troisième fois en octobre, pour attaquer avec succès la place de Beauvoir-sur-Mer, opération au cours de laquelle il courut de grands dangers. Les incidents violents de cette brève campagne, l'odeur de la poudre, le retour à une rude existence avec ses risques incessants, vinrent apporter à l'amant fougueux un dérivatif agréable à la douce monotonie quelque peu champêtre de son idylle avec Corisande.

Arrivons à cette curieuse personnalité qui partagea avec Henri les ardeurs de l'amour et les dangers du combat dans les premiers temps héroïques du prince. Même à distance, le

portrait de Corisande est singulièrement émouvant. Sa tendresse pour le roi de Navarre semble avoir été non seulement
tout à fait désintéressée, qualité presque unique chez ses
maîtresses, mais paisible et impersonnelle : une passion
froide, protectrice et presque maternelle, dont elle apercevait
clairement et sagement les désillusions successives et la fin
inévitable. Catholique elle-même et, comme telle, regardée
avec suspicion par les calvinistes de l'entourage de son amant,
elle vendit ou engagea tranquillement et sans regret tous ses
biens, jusqu'à son dernier bijou, jusqu'à la dernière forêt de
son domaine pour venir en aide à la cause du prince. Née en
1554, à peine d'un an plus jeune que lui, fille de Paul d'Andouins, comte de Louvigny, et de Marguerite de Caune, elle avait
été baptisée Diane. En 1567, elle épousa Philibert de Gramont,
comte de Guiche, qui fut tué en 1580, au siège de La Fère, lui
laissant deux enfants. Un an plus tard, elle adoptait le nom de
Corisande, qui apparaît pour la première fois sur un acte en
1581, « Corisande Dandoyns ».

Dans sa jeunesse, la comtesse de Guiche avait été une grande
amie de Catherine de Bourbon, sœur de Henri, et avait probablement connu celui-ci à Pau. C'est là qu'ils semblent avoir
renoué connaissance en 1582, quand Henri et Marguerite de
Valois jouissaient déjà des libertés réciproques de leur ménage
séparé. En 1583, l'amitié s'était muée en une passion mutuelle
et dès lors ininterrompue.

Les allusions faites par Marguerite à l'influence de Corisande
sur son époux, plus teintées de jalousies qu'à son ordinaire,
ne laissent aucun doute sur l'amour violent qu'éprouvait
Henri pour sa maîtresse. Et la propre correspondance du prince
avec Corisande (les lettres de cette dernière n'ont malheureusement pas été conservées) se distingue parmi tous les joyaux
de ce brillant héritage épistolaire, par un ton de véritable
lyrisme, une tendresse et une nuance d'union intellectuelle
plus étroite qu'il n'était ordinaire au joyeux et capricieux
amant.

C'est à Corisande « sa chère maîtresse » qu'il adressa le 17
juin 1586, en arrivant dans la verte région de Marans, cette
lettre tout imprégnée du tendre amour de l'heureux amant,

et qui dénote un goût de la nature surprenant chez cet homme
de guerre : « J'arrivais hier soir de Marans, où j'étais allé pour
pourvoir à la garde d'icelui. Ah ! que je vous y souhaitai.
C'est le lieu le plus selon votre humeur que j'aie jamais vu.
C'est une île renfermée de marais bocageux, où, de cent pas
en cent pas, il y a des canaux pour aller chercher le bois par
bateau. L'eau claire, peu courante, les canaux de toutes lar-
geurs, les bateaux de toutes grandeurs. Parmi ces déserts,
mille jardins où l'on ne va que par bateaux. L'île a deux lieues
de tour, ainsi environnées. Passe une rivière par le pied du
château, au milieu du bourg, qui est aussi logeable que Pau.
Peu de maisons qui n'entre de sa porte dans son petit bateau.
Cette rivière s'étend en deux bras, qui portent non seulement
grands bateaux, mais les navires de cinquante tonnes y
viennent. Il n'y a que deux lieues jusqu'à la mer. C'est un
canal non une rivière. Contre mont vont les grands bateaux
jusques à Niort, où il y a douze lieues ; infinis moulins et
métairies insulées, tant de sortes d'oiseaux qui chantent, de
toutes sortes de ceux de mer. Je vous en envoie des plumes.
De poissons, c'est une monstruosité que la quantité, la gran-
deur et le prix, une grande carpe trois sols et cinq un brochet.
C'est un lieu de grand trafic et tout par bateaux : la terre
très pleine de blés très beaux. L'on y peut être plaisamment
en paix et sûrement en guerre. L'on s'y peut réjouir avec ce
que l'on aime et plaindre une absence. Ah ! qu'il y fait bon
chanter ! »

Ce n'était pas pour ses attraits physiques qu'Henri préférait cette rare maîtresse. Si sa peau avait une incomparable
blancheur, ses traits, bien qu'agréables, n'étaient pas beaux,
sauf de jolis yeux au regard franc. Elle avait la voix douce
et persuasive, un courage élevé et l'esprit très vif, qualités
bien propres à charmer un amant qui, d'instinct, était à la
fois poète et soldat. De toutes les maîtresses célèbres de
Henri IV, Corisande seule lui resta entièrement fidèle. Il ne
pouvait en être autrement chez une femme si éloignée de
l'intrigue vulgaire, si dépourvue des frivolités ordinaires, si
différente de ses contemporaines par sa passion pure et réflé-
chie, son admirable effacement, et son oubli d'elle-même,

devant les intérêts de son amant. Seule au château de Pau,
comme Jeanne d'Albret, dans sa jeunesse, l'amoureuse veuve
entretenait ses longues rêveries de la lecture des billets si
tendres et si pittoresques griffonnés en hâte par son héros.
Elle ne fermait pas les yeux sur ses défauts, dont l'inconstance
était le moindre. En réponse à ses flamboyantes protestations
de fidélité éternelle, elle se contentait de crayonner en marge
des brûlantes épîtres quelques exclamations ironiques, d'étonnement, d'amusement, de désenchantement. Cette âme sage,
qui avait vécu si longtemps de rêve, ne se laissait pas abattre
par des réalités fragiles.

Mais si Corisande laissait voir à Henri le côté poétique d'un
esprit qui, dans les affaires pratiques, se montrait averti et
pénétrant, elle était regardée différemment par le monde.
Les puritains du parti huguenot se sentaient tour à tour
éblouis et effrayés par cette brillante créature. Ils voyaient
en elle une personnalité excentrique, capricieuse, qui méprisait sans affectation leurs conventions étroites. Corisande
aimait à s'entourer d'un décor étrange. Ses serviteurs portaient un accoutrement bizarre et grossier. Sa maison était
pleine de curieux animaux, oiseaux au gai plumage et rep-
tiles. Les pasteurs suisses de la petite cour huguenote s'offus-
quaient en particulier des couleurs éclatantes et du bavardage
grivois de ses perroquets, dont deux cacatoès, cadeau de son
amant. D'Aubigny, observateur aigu mais passionné, a laissé
un amusant portrait de Corisande allant à la messe « accompagnée par Esprit, la fillette Lambert, un Maure, un page bas-
que en robe verte, un magicien nommé Bertrand, un page
anglais, un bouffon et un valet de pied. » Et M. de Bellièvre,
chancelier de Marie de Médicis, reprochait aux huguenots
le manque de dignité de Corisande, se rendant à la messe
« sans autre escorte que celle d'un fou, d'un singe et d'un
barbet ».

Tandis que Henri de Navarre badinait avec Corisande, le
rideau se levait lentement sur le grand drame de la lutte protestante. La vaste machination ourdie par Philippe II contre
la Réforme avait été mise en échec en France. Dans les Pays-
Bas, le roi d'Espagne s'était heurté à une énergique résistance.

Il lui restait à porter son suprême effort contre Élisabeth et les protestants d'Angleterre.

Ce fut 1588, l'année de l' « Invincible Armada ». Les flots sauvages qui baignent l'Irlande allaient humilier l'orgueil de Philippe II et engloutir le plus formidable armement que le monde ait jamais vu sur mer. Mais tandis que sur ce terrible et prodigieux théâtre, le grand drame du seizième siècle touchait au dénouement fixé par le destin, une tragédie de moindre envergure, mais non moins passionnante, se jouait en France dans le magnifique décor du château de Blois.

CHAPITRE XI

LES BARRICADES A PARIS.
LA FUITE DE HENRI III. L'ASSASSINAT
DU DUC DE GUISE A BLOIS

L'ANNÉE 1588 s'ouvrit avec tous les phénomènes prédits par les astrologues pour cette année fatidique. Le 24 janvier, Paris fut couvert d'un brouillard si épais, qu'il fallut éclairer les rues de torches en plein jour. Les mois suivants furent marqués par des bouleversements sinistres. Un tremblement de terre sema l'effroi chez les vignerons de la vallée de la Loire, et chez les paysans des vergers normands. Pendant six semaines, des tempêtes furieuses soulevèrent la mer et ravagèrent la terre. Ces perturbations du monde inanimé présageait des convulsions non moins redoutables dans les affaires humaines.

Comme pour justifier ces augures, les événements se succédèrent en France avec une soudaineté dramatique, et presque surnaturelle : la mort de Condé, accueillie par la Ligue avec une explosion de joie sauvage, les barricades dans Paris, le démembrement final du royaume, l'assassinat des Guise, la réconciliation inattendue entre le roi de France et le roi de Navarre, enfin le meurtre de Henri III lui-même. Et en dehors de la France, l'horoscope des astrologues s'accomplit par les différents actes d'un drame titanesque, la préparation, le départ, la défaite et la destruction de l'Armada espagnole.

Quand cette fatale année s'ouvrit, la Ligue catholique était le parti le plus puissant du royaume de France. Son chef, le duc de Guise, en s'opposant aux faibles tentatives du roi pour lever des taxes, et en dénonçant ouvertement en toute occasion l'extravagance et les excès des favoris, était devenu l'homme le plus populaire du royaume. La Ligue avait gagné plusieurs membres des Conseils du roi, notamment M. de Villeroi, l'habile secrétaire d'État, qui croyait sincèrement que les intérêts de Henri III et ceux de la France reposaient sur ce mouvement. A Paris, le parti catholique régnait sans conteste. Il avait intimidé et dompté le Parlement, il était maître de la loi et des théologiens de la Sorbonne. Dans les seize quartiers de la capitale, il avait renversé ou écarté l'autorité des officiers royaux, en les remplaçant par un conseil de politiciens qui imposait son pouvoir autocratique. Ces turbulents démagogues, généralement appelés les Seize, ne tardèrent pas à entrer en conflit violent avec le duc d'Épernon qui avait incité Henri III à châtier leur insolence grandissante. Des troupes furent introduites dans la ville sur l'ordre du roi, et des préparatifs faits pour l'arrestation des chefs catholiques dans chacun des quartiers. Pendant quelques jours, on se crut à la veille d'une seconde Saint-Barthélemy, mais cette fois, c'était le massacre des catholiques qui semblait imminent. Guise lui-même reçut de Henri III l'ordre de ne pas mettre le pied dans la capitale. Tout d'abord, le duc parut obéir, puis changeant d'avis, il entra dans Paris le lundi 9 mai par un chemin détourné, presque sans escorte, les traits à demi masqués. Mais à la porte Saint-Denis, le grand jeune homme blond, au fameux visage balafré, fut immédiatement reconnu et accueilli par les clameurs délirantes de la foule. Les femmes des marchands lui envoyaient des baisers par les fenêtres, l'humble peuple lui embrassait les pieds et touchait ses habits avec des rosaires, que de ce fait, on considérait comme bénits. On l'acclamait hystériquement comme le défenseur de la Foi. Toujours accompagné de ces démonstrations, il entra au Louvre, où son apparition était moins attendue. Il fut reçu au milieu d'un silence glacial. Le roi, d'un air pointu, laissa sans réponse le salut correct que lui adressa le duc. Crillon, le brave Crillon, colonel des Gardes, enfonça violemment son chapeau sur les yeux plutôt que de se découvrir devant l'homme qu'il s'attendait à recevoir l'ordre d'arrêter. Enfin le roi s'adressa au duc avec colère, mais il hésita à frapper et Guise quitta le Louvre sans être inquiété. Le lendemain 10 mai, il était le maître de Paris. Les barricades surgirent dans les rues, et la nouvelle en fut lancée à Madrid, qui donna à l'Armada le signal du départ.

Le triomphe de Guise ne laissait à l'opinion publique aucun doute sur la faiblesse du roi de France dans sa propre capitale. Un seul pouvoir subsistait dans Paris et ce n'était pas celui de Henri III. Les bourgeois armés accoururent à la défense des Seize, les rues, jusque sous les murs du Louvre, étaient remplies de rebelles. Les troupes royales, taillées en pièces furent désarmées. La Ligue attaqua la Bastille, l'Hôtel de Ville, le Louvre et le Temple, les forteresses et les centres d'autorité. Le Prévôt des marchands, président du Conseil de Ville, fut remplacé par un zélé ligueur. Le roi lui-même sortit de son palais par la porte des Tuileries, escorté par quelques suisses, et trouva son salut dans la fuite. Seule Catherine, surmontant ses terreurs et les douleurs de la goutte qui tourmentaient ses membres et lui causaient de graves maux de tête, demeura à Paris pour apaiser les Guise par de nouvelles promesses. Henri III, réfugié à Chartres, accepta alors de convoquer les États Généraux sur la fin de l'année, en vue de nommer un successeur au trône qui fût de sang royal et de religion catholique. Toutefois il insista hardiment pour que, en attendant, les deux partis aux prises missent bas les armes.

Mais une délégation des bourgeois de Paris alla trouver Sa Majesté à Chartres, et à l'instigation de Guise, réclama au contraire la continuation de la guerre contre les hérétiques et le bannissement du duc d'Épernon. Finalement, après quelques efforts pour garder son favori, Henri III se soumit aux deux conditions, et renvoya d'Épernon dans sa province d'Angoumois. Sur ces entrefaites, Guise arrivait lui-même à Chartres. Après un échange de mutuels compliments, le roi l'embrassa, et par un édit du 10 juillet, il le fit Grand Maître de la Gendarmerie. Au moment même où l'Armada, après quelques tentatives de départ infructueuses, se préparait à mettre à la voile, Henri III livrait à la Ligue catholique la moitié des plus importantes places et tous les principaux postes du royaume, et déclarait publiquement Henri de Navarre exclu de la succession au Trône.

Ce fut le point culminant du triomphe de Guise. Après avoir

été le héros de Paris, il se trouvait, comme son père avant lui, à la tête des forces armées du pays. Maîtresse non seulement de la capitale, mais aussi d'Orléans, de Bourges, Amiens, Rouen et de vingt autres grandes villes, la Ligue devenait un État dans l'État.

Ce fut en juillet que le roi capitula devant ce puissant parti. En août, il se prépara à le décapiter. L'extraordinaire mobilité du faible monarque l'entraînait d'un extrême à l'autre. Dans son désespoir, sa couardise lui tint lieu d'une sorte de courage.

Les États Généraux se réunirent à Blois, au mois d'août 1588, dans la grande salle à hautes voûtes du xve siècle bâtie par Louis XII, voisine de l'aile du château renaissance construite par François Ier. Dès l'ouverture de l'Assemblée, il apparut qu'elle ne serait qu'un nouvel instrument destiné à humilier le roi. Deux au moins des trois présidents élus étaient les ennemis personnels de Henri III, l'un le comte de Brissac, représentant de la noblesse, qui s'était distingué sur les barricades et haïssait le souverain, l'autre, le cardinal de Lorraine, propre frère du duc de Guise, un homme orgueilleux à l'esprit inquiet et dévoré d'ambition. Le Tiers État, le plus insolent de tous dans ses réclamations, et bien décidé à obtenir l'abolition des taxes royales, avait à sa tête La Chapelle-Marteau, un des chefs que l'insurrection de Paris avait créé Prévôt de la Cité.

Dans l'atmosphère d'agitation et de tension qui marqua l'ouverture de l'Assemblée, les partisans de la Ligue apparurent aussitôt en grande majorité. Le président de la noblesse contraignit le roi à entendre une harangue insolente, lui reprochant violemment son indulgence à l'égard des hérétiques. Le Clergé réclama la restitution des offices et des biens dont il avait été exproprié par la Couronne sous les règnes de François Ier et de Henri II, et de tous les privilèges dont on l'avait dépouillé durant les guerres de religion. Le Tiers État enfin, prenant pour thème les extravagances du roi, lui refusa tous nouveaux subsides et en fin de compte, demanda une exonération de taxes pour l'avenir. Sous la menace de cette assemblée vociférante, la Cour de France vivait en proie à la plus

sombre dépression. Finis les beaux jours de sa splendeur. Les
cuisines royales étaient vides, le palais désert, les grandes
salles et galeries du château pleines d'ombres fantomatiques.
A travers le domaine royal, avec son atmosphère enchanteresse
mais sinistre, ses mystères cachés et le chuchotement de ses
intrigues, le duc de Guise marchait fièrement comme un maître. Les rumeurs et les bruits de l'Assemblée pénétraient parfois par la porte ouverte jusqu'au cabinet aux panneaux de
chêne où le roi méditait sur son humiliation. Pour la première
fois de sa vie, il se sentait complètement seul. Il avait ren-
voyé son Conseil à la veille des États Généraux, et le secrétaire d'État Villeroi était devenu un zélé ligueur. M. de Cheverny était affilié aux Guise de par son mariage. Pas un homme
dans l'entourage du souverain qui ne fût secrètement en communication avec les Guise ou avec l'intrigante Catherine.
Dans cette redoutable solitude, ne se sentant plus protégé
par les promptes et fidèles épées de ses favoris, l'un en disgrâce comme d'O, l'autre inaccessible dans sa province lointaine comme d'Épernon, Henri III revint à son ancienne
arme, la trahison. Son premier geste fut de s'isoler de Catherine, en condamnant la porte qui, par un escalier étroit caché
dans la muraille, reliait son appartement avec celui de sa
mère situé au-dessous.

Le 30 novembre, l'atmosphère de drame s'épaissit au
château de Blois. L'hostilité muette entre le roi et le duc de
Guise s'était communiquée à leurs partisans. Des pages se
battirent à l'épée dans la cour, se blessant ou se tuant. D'une
fenêtre de sa chambre, Guise les observa cyniquement,
espérant peut-être que l'algarade se développerait, et que le
roi lui-même, qui revêtu d'une armure, était sorti de son cabinet solitaire, se laisserait entraîner dans la bataille. Mais une
rude et hargneuse intervention de Crillon força ces belliqueux
jeunes gens à rengaîner l'épée. De jour en jour, cette situation
singulière se prolongeait. Guise surveillait le roi avec la joie
méchante d'un chat qui guette la souris, mais il n'avait plus
besoin d'employer la ruse. Il comptait trop sur la lâcheté et
l'irrésolution de son royal prisonnier pour prendre garde aux
bruits de trahison imminente, qui lui parvenaient chaque

jour. Car, en vérité, le roi était maintenant vivement pressé par ses amis d'ordonner la mort de l'insolent duc. Le maréchal d'Aumont, que Guise avait tenté de gagner en lui offrant la province de Normandie s'il abandonnait la cause du roi, insistait énergiquement pour l'exécution du duc. Un conseiller au Parlement, M. de Rambouillet, suggéra naïvement au roi de faire passer en jugement son orgueilleux rival. « Et où trouverez-vous des témoins, des gardes, des juges ? » demanda amèrement Henri III. Dans son désarroi, il manda le redoutable Crillon, colonel des Gardes, dont la réputation de bravoure est devenue légendaire. Mais le rude guerrier se refusa à lui rendre un service déshonorant. Il serait heureux, dit-il, de tuer Guise en duel, mais un vrai gentilhomme ne saurait en attaquer un autre qu'en combat singulier. En fin de compte le roi s'adressa à un bravo corse, nommé Orsino.

Un peu avant Noël, Guise reçut de multiples avertissements l'informant que sa vie était menacée. Les chefs de la Ligue, Menneville, le président de Neuilly, l'archevêque de Lyon, le pressèrent de quitter Blois à la tête de ses hommes pour appeler le pays aux armes contre le souverain. Guise hésitait. Son orgueil le poussait à rester et à braver le danger. « Au point où sont les affaires, dit-il orgueilleusement, quand je verrais entrer la mort par la fenêtre, je ne fuirais pas par la porte ». En réalité, il manquait de cette froide férocité qui avait fait de son père l'impitoyable champion de la cause catholique. Il n'était pas taillé pour faire un chef de parti. Il répondait volontiers à l'enthousiasme du peuple et à l'idolâtrie de la foule, mais dans les conseils, son caractère dédaigneux se sentait froissé et irrité des intrigues. Et il cherchait un refuge dans les caresses des femmes contre les désillusions et les laides réalités des luttes politiques. Ces compensations s'offraient à lui aisément, car il était beau, gracieux et spirituel, et le premier gentilhomme de son temps.

Sa dernière maîtresse et la plus dévouée était Charlotte de Sauves, marquise de Noirmoutiers ; retenu autant par les séductions de cette femme que par son fatal orgueil, il remettait de jour en jour son départ de Blois.

Le 22 décembre, enfin, il prit la décision si longtemps attendue. A la suite d'une violente dispute avec le roi, il offrit sa démission de lieutenant général du royaume, ajoutant qu'il quitterait Blois dès le lendemain. C'était une déclaration de guerre. La Ligue se trouvait alors en rébellion ouverte, et Henri III était contraint d'agir rapidement ou de ne rien faire. Il convoqua son Conseil pour le 23. Guise soupait avec Madame de Noirmoutiers, quand un message mystérieux vint l'avertir que le roi complotait sa mort. Sous les yeux de sa maîtresse, le duc griffonna ironiquement en marge ces seuls mots : « Il n'oserait » et jeta le papier sous la table. Le billet fut ramassé et apporté au roi.

Le lendemain matin, à quatre heures, Henri III s'éveilla. Il fit venir un groupe de gentilshommes gascons, et enferma huit d'entre eux armés d'épées et de poignards dans l'anti-chambre qui séparait son propre cabinet de la grande salle où devait s'assembler le Conseil. Dans sa chambre à coucher, il posta le Corse Orsino, un Gascon nommé La Bastide et un jeune secrétaire, Révol, que lui avait recommandé son favori d'Épernon. Le Conseil était convoqué pour neuf heures. Le roi passa dans une impatience fiévreuse les moments d'attente.

Comme l'heure sonnait, le duc de Guise fit son entrée dans la salle du Conseil, pâle mais résolu, très élégant dans son nouveau pourpoint de satin gris. Il sortait des bras de Madame de Noirmoutiers. Dans la cour du château, comme sur les marches du fameux escalier en spirale de François Ier, il avait bien remarqué des soldats de la garde royale en nombre inusité. Cependant, il ne s'en alarma pas, leur capitaine, Larchant, l'ayant averti la veille qu'ils présenteraient au matin leur demande de paiement de solde. Les gardes, le chapeau à la main, suivirent humblement le duc dans la chambre du Conseil. Dès qu'il y fut entré, ils repoussèrent sa suite en bas de l'escalier et en dehors des portes, dont Crillon fit clore l'entrée.

Guise eut à ce moment un premier pressentiment du danger. Grelottant dans son pourpoint par cette sombre et froide matinée, il demanda du feu à haute voix. A la lueur des bûches qu'on apporta et qui flambèrent dans la cheminée, il aperçut le roi qui le surveillait furtivement par la porte entr'ouverte du cabinet neuf à travers le passage qui donnait sur la chambre du conseil. Près de ce cabinet, petite pièce carrée au plafond bas et revêtu de panneaux, était la chambre à coucher de Henri III, et au-delà, par une porte de communication, une petite antichambre conduisant au vieux cabinet. De son poste d'observation, le roi appela Revol et lui dit de prier le duc de Guise de l'attendre dans le vieux cabinet. Le secrétaire s'acquitta du fatal message et s'esquiva pâle et tremblant.

Cependant, Guise, impressionné par cette sinistre atmosphère, se sentait las et abattu par une nuit blanche. Il avait envoyé un de ses serviteurs lui chercher quelques fruits. L'homme revint en lui rapportant des prunes sèches de Brignoles, dont les galants de l'époque usaient comme remontant contre les fatigues de l'amour. Le duc était assis près du feu en mangeant ces fruits, quand lui parvint l'avis du roi. Il se leva lentement et sa fameuse cicatrice apparut soudain rouge sombre sur son visage pâle. Il regarda curieusement les Conseillers assis en silence autour de la table, puis s'avançant vers eux délibérément, d'un air moqueur et fanfaron : « Voulez-vous des prunes ? » dit-il, et sans attendre leur réponse, il vida le restant de son drageoir ciselé sur la table du Conseil. Puis, se drapant dans son manteau, prenant sa boîte et ses gants dans la main gauche, il sortit en s'écriant : « Adieu, Messieurs », et marcha vers la porte qui conduisait à l'appartement du roi. Un huissier la lui ouvrit et la referma derrière lui.

Dans l'antichambre, le duc se trouva devant les huit gentilshommes gascons qui le regardèrent froidement sans lui rendre son salut. Rassemblant tout son orgueil, il traversa la petite pièce, et la main sur la porte du vieux cabinet, il se retourna à moitié, saisi d'une brusque appréhension. Il était trop tard. Une lame le poignarda au sein gauche et d'autres dagues le percèrent de toutes parts. Incapable de tirer son épée, ses jambes saisies par un des assassins, il réussit à ouvrir la porte et à se traîner au dehors, avec le poids de ces huit hommes s'acharnant sur lui comme une meute. Il fit tête jusqu'à la chambre à coucher, et enfin, tomba mort au pied du lit royal.

De son poste, Henri III, dans l'anxiété, la crainte et l'espoir,

avait entendu les bruits sourds de cette lutte. Quand il vit,
en entrant, le cadavre allongé de son rival, il ne put retenir
un cri d'étonnement : « Ah ! qu'il est grand ! Encore plus
grand mort que vivant. » L'instant d'après, dans un geste
féminin de triomphe et de mépris, il posait son pied sur la face
pâle de cet ennemi. Un peu plus tard, descendant allègrement
par l'escalier secret dans la chambre de sa mère, qui, clouée par
la goutte, attendait anxieusement des nouvelles, le roi s'écria
en plaisantant : « Comment vous sentez-vous maintenant,
Madame ? » et comme Catherine larmoyante répondait qu'elle
se sentait bien malade, il s'écria : « Quant à moi, je me porte
fort bien. Je suis redevenu roi de France, car j'ai tué le roi de
Paris. »

Quand on fouilla les vêtements du duc de Guise, on y trouva
un papier portant cet aveu significatif « 700.000 livres par
mois seront nécessaires pour entretenir la guerre en France. »
Le cadavre fut brûlé sur l'ordre du roi et ses cendres jetées
à la Loire.

Dans la chambre du Conseil, on avait perçu à peine les bruits
de la lutte. Cependant le cardinal de Lorraine, alarmé, s'était
dressé sur ses pieds. Mais le maréchal d'Aumont, la main sur
la garde de l'épée, le contint. Un autre ligueur, l'archevêque de
Lyon, joignit ses mains en supplication et s'écria : « Nos vies
appartiennent à Dieu et au roi. » Tous les princes de la maison
de Lorraine furent arrêtés, et avec eux les principaux ligueurs.
Mais finalement, on les relâcha, à l'exception des deux prélats.
Le cardinal, plus soldat que prêtre, avait hérité en partie
la violence et la cruauté de son père. Proférant d'horribles
imprécations et de terribles menaces de vengeance, il fut
traîné dans une cellule sous les combles du château, en compagnie de l'archevêque tout tremblant. Après deux jours d'hésitation, dont le roi profita pour s'assurer l'indulgence du légat
du pape, un ami vénitien, nommé Marosini, le sort du cardinal
se décida. Un capitaine des gardes reçut la promesse de 400
écus pour régler cette affaire d'importance, eu égard à la haute
dignité ecclésiastique de la victime. Après avoir été autorisé
à se confesser, le frère du duc de Guise fut poignardé à mort
dans sa prison.

Deux semaines plus tard, Catherine de Médicis elle-même mourait, écrasée de terreur, et accablée par les calamités qui s'étaient abattues sur sa race. La vieille femme restée seule avait vu la mort frapper successivement son fils maladif François, le violent et insensé Charles IX, le traître d'Alençon, sa fille Élisabeth empoisonnée par Philippe d'Espagne. Elle avait vu sa dernière fille Marguerite de Valois provoquer scandale sur scandale. Elle se voyait enfin méprisée, humiliée, tourmentée par le seul de ses enfants qu'elle eût réellement aimée, son fils Henri III.

La reine mère succomba misérablement le 5 janvier 1589, après une agonie de corps et d'esprit. Son corps demeura quelques jours dans l'église Saint-Sauveur de Blois, puis fut secrètement inhumé de nuit.

Ce fut seulement vingt ans plus tard, sous le règne du Béarnais qu'elle détestait, que ses restes furent conduits à Saint-Denis, dans le magnifique tombeau de Henri II, où sa propre statue, d'un splendide nu, bien différent de l'affreuse réalité, avait attendu la fin de son long règne tragique de violence et de splendeur.

CHAPITRE XII

RÉCONCILIATION DU ROI ET DE HENRI DE NAVARRE. L'ASSASSINAT DE HENRI III

C E fut dans les derniers jours de décembre 1588 que Henri de Navarre apprit la mort du duc de Guise. Il ne montra aucune satisfaction mais plutôt quelque regret du sort fatal de celui qui avait été son propre rival. Quand la nouvelle lui parvint, il déclara que si le duc était tombé entre ses mains, il l'eût traité différemment « Que ne s'est-il rangé de mon côté ? s'écria-t-il. A nous deux nous aurions conquis toute l'Italie. »

Mais dans le drame sanglant du château de Blois, il ne pouvait manquer de voir la fortune tourner en sa faveur. Trois villes venaient de tomber au pouvoir de ses troupes victorieuses, Niort, Saint-Maixent et Maillezais. Au premier jour de la nouvelle année, il écrivait à Corisande en grande excitation :

« Le roi triomphe. Il a fait garrotter en prison le cardinal de Guise puis montrer sur la place, vingt-quatre heures, le président de Neuilly et le prévôt des marchands pendus, et le secrétaire de feu Monseigneur de Guise et trois autres. La reine mère lui dit : « Mon fils, octroyez-moi une requête que je vous veux faire. — Selon que ce sera, Madame. — C'est que vous me donniez M. de Nemours et le prince de Joinville. Ils sont jeunes et vous feront un jour service. — Je le veux bien, dit-il, Madame. Je vous donne les corps et en retiendrai les têtes. Il a envoyé à Lyon pour attraper le duc de Mayenne. L'on ne sait ce qui en est réussi. L'on se bat à Orléans et encore plus près d'ici à Poitiers, d'où je ne serai demain qu'à sept lieues. Si le roi le voulait, je les mettrais bien d'accord.

« Je n'attends que l'heure de ouïr dire que l'on aura envoyé étrangler la reine de Navarre. Cela, avec la mort de sa mère, me ferait bien chanter le cantique de Siméon. »

L'amertume inusitée de cette lettre dissimulait du moins un curieux pressentiment. Cinq jours plus tard, Catherine expirait. Et pendant les années qui allaient suivre, Marguerite fut comme morte pour son époux, incapable d'aider ou de gêner sa cause.

Comme si même de son lit de mort, Catherine eût pu exercer une influence maligne, Henri lui-même, tandis que la reine mère agonisait, prit froid et faillit succomber à une pleurésie, alors qu'il était en route pour assiéger Garnache. « J'ai vu le Ciel s'ouvrir, écrivait-il à sa maîtresse, bien que je fusse indigne d'y entrer. Dieu veut encore se servir de moi. Deux fois en vingt-quatre heures, peu s'en fallut que je fusse au linceul. Vous auriez eu pitié de moi. Si la crise se fût prolongée une heure, les vers auraient fait un régal. »

Quelques jours plus tard, il se remettait en selle, Garnache capitulait et l'armée de M. de Nevers se repliait pour protéger le roi de France contre la vengeance de la Ligue. L'isolement de Henri III était maintenant complet. En abattant ses rivaux, les Guise, il avait tranché le dernier lien, tout précaire qu'il fût, entre lui et la masse de la nation. Chassé de Paris, détesté de la Ligue, exécré et méprisé par les bourgeois et la noblesse de province, les docteurs en Sorbonne lui refusant l'exercice de ses privilèges, le souverain pâle et efféminé se trouvait bien seul. Il ne lui restait que l'épée du brave Crillon pour le défendre contre les assassins que déjà dressait contre lui la vengeance du parti dont il avait tué traîtreusement le chef. Henri III implora le secours de son favori d'Épernon qui lui envoya, quoique tardivement, 2.000 arquebusiers. Dans son extrême abandon, un seul pouvait aider le triste monarque, son beau-frère le roi de Navarre. Quittant le sinistre château de Blois, le roi de France se rendit à Tours, où les éléments du Parlement demeurés loyaux s'étaient réfugiés, après la journée d'émeute des Barricades. De son côté, Henri de Navarre était à Châtellerault, d'où Duplessis-Mornay, son principal lieutenant, lançait un éloquent appel aux trois états du royaume pour mettre fin à cette anarchie désastreuse.

Les armées des deux rois s'avancèrent l'une et l'autre jusqu'aux faubourgs de Tours, et bientôt catholiques et protestants ne furent plus séparés que par la largeur d'un fleuve. Les négociations commencèrent aussitôt, par l'intermédiaire de Diane de France, demi-sœur de Henri III, et de Mornay et

de Châtillon, fils de l'amiral Coligny. Le 3 avril, une trêve
d'un an était signée entre les deux princes et enregistrée
solennellement le 29 par le Parlement siégeant à Tours. Le
lendemain, les deux Henri se réconciliaient à Plessis-les-Tours,
dans le parc même du château où Jeanne d'Albret avait passé
sa triste enfance, après s'être retirée de la cour de François Ier.

L'entrevue solennelle ne manqua pas de pittoresque. Le roi
de France, entouré des princes et des grands personnages de
la Cour s'avança sous les arbres du parc. Comme le château
était bâti sur une île formée par la Loire et le Cher, Henri de
Navarre, pour s'y rendre, dut laisser son armée sur la hauteur
de Saint-Symphorien et, traversant la rivière dans une barque,
il s'aventura presque seul dans ce qui pouvait être une embuscade. Avec un généreux dédain de toutes précautions, il marcha sans escorte vers le lieu de rendez-vous, accompagné seulement de MM. d'Aumont et de Montbazon. Une grande foule
de peuple assistait à la rencontre et les arbres du parc étaient
noirs de spectateurs. Le roi de Navarre portait un court manteau écarlate par-dessus son pourpoint usé et rapiécé, et un
chapeau orné d'une grande plume blanche. Quand les courtisans s'écartèrent et que Henri III apparut, il mit un genou en
terre devant le souverain qui le releva et l'embrassa au milieu
des acclamations et tous deux entrèrent au château bras dessus bras dessous en s'entretenant amicalement. A la suite de
cette réconciliation, le roi lança une proclamation qui reconnaissait Henri de Navarre comme héritier du trône, et révo-
quait l'édit par lequel les États Généraux, assemblés à Blois
cinq mois plus tôt, avaient écarté ce prince de la succession.

Cependant les réjouissances fraternelles entre les deux
armées furent brusquement interrompues par le duc de
Mayenne. Ce lourd et naïf frère du duc de Guise, qui lui avait
succédé à la tête de la Ligue depuis le meurtre de Blois, avait
échappé aux troupes envoyées pour l'arrêter, et regagné Paris,
où les Ligueurs, devenus maîtres absolus de la cité, s'abandonnaient à une orgie de fanatisme religieux. Mayenne avait
passé plusieurs mois à organiser un Grand Conseil du royaume,
pour assurer le gouvernement du pays, à la place du roi, publiquement répudié par la Ligue, et du Parlement réduit qui

l'avait suivi à Tours. En même temps, Mayenne avait mis sur pied une armée, et en dépit de sa corpulence, de son extraordinaire gourmandise et des somnolences qui lui attiraient les railleries de ses adversaires plus actifs, il apparaissait aux environs de Tours, marchant avec une dangereuse rapidité. L'armée royale et le roi de France furent sauvés juste à temps par l'intervention de Henri de Navarre.

Au mois de juin, celui-ci persuada à Henri III de prendre l'offensive contre la Ligue et de marcher hardiment sur la capitale qui refusait d'ouvrir ses portes. Leurs armées réunies, renforcées de 15.000 Suisses mercenaires, se mirent en route vers le nord, et le 30 juin s'emparèrent du pont et de la ville de Saint-Cloud. Le roi de Navarre, qui commandait l'avant-garde, prit ses quartiers à Meudon sur la rive gauche de la Seine, et de là marcha rapidement sur Paris, où les Ligueurs commençaient à concevoir de vives appréhensions. Le premier août 1589, un courrier hors d'haleine vint lui apporter la nouvelle qu'on avait attenté à la vie du roi de France.

La sœur des Guise assassinés, la duchesse de Montpensier, était une jolie femme de vingt-sept ans, arrogante, malicieuse et à l'esprit mordant. Dans cette étrange et délirante recrudescence de toutes les folies et frénésies moyenâgeuses qui souleva Paris après la journée des Barricades, cette princesse remarquable joua un rôle de premier plan. On l'avait vue marcher nu-pieds et presque découverte dans une procession religieuse, et du balcon de sa fenêtre, rue de Tournon, encourager de la parole et du geste les plus violentes démonstrations anti-royalistes des étudiants sur la montagne Sainte-Geneviève, autour des vieilles écoles. Elle intriguait journellement de concert avec les émissaires du Pape, les envoyés et les agents de l'Espagne. Et au printemps de cette fatale année 1589, elle travaillait passionnément à venger la mort de ses frères sur la personne du fourbe et sanguinaire monarque.

L'instrument qu'elle choisit pour son dessein était un jeune moine grossier, chassé de son ordre pour dérèglement, illettré et faible d'esprit, nommé Jacques Clément. Les rites les plus étranges l'avaient préparé à l'événement. La nuit, il voyait sa cellule hantée de démons; le jour, il était assailli de visions charnelles qu'évoquaient les paroles et les aspects de l'adroite duchesse. Ses compagnons lui préparèrent un breuvage qui, assuraient-ils, le rendrait invisible. Le 31 juillet, dans l'après-midi, son pauvre cerveau farci de promesses merveilleuses, Clément quitta Paris et gravit la côte de Saint-Cloud, dissimulant un long couteau dans la manche de sa robe de bure.

Arrivé tard au quartier royal, on lui dit que le souverain s'était retiré. Le matin du premier août, après une nuit de lourd sommeil, il se présenta de nouveau, et montrant aux gardes une fausse lettre, il demanda une audience de Sa Majesté. Le roi, qui avait entendu les paroles échangées à sa porte, et informé que ses gardes refusaient le passage à un moine, donna l'ordre de le laisser entrer. Jacques Clément pénétra dans la chambre, s'inclina humblement à la vue du prince, et s'avança, tenant à la main une lettre du comte de Brienne, gentilhomme royaliste. Il déclara qu'il était chargé en outre d'une communication secrète, sur quoi Henri III fit signe à tous de se retirer. Il venait de quitter sa chaise percée. Comme il se tenait debout et parcourait le message, le religieux tira son poignard et le frappa au ventre : « Le méchant moine m'a tué », s'écria le roi avec un cri de douleur. A cet appel, le procureur général se rua dans la chambre, aperçut l'assassin la face tournée contre le mur et lui plongea son épée dans le dos, détruisant à la fois l'instrument et la preuve du complot meurtrier.

Tout d'abord, la blessure du roi ne fut pas jugée mortelle, et Henri de Navarre, accouru en hâte de Meudon, trouva le monarque en train d'écrire à sa femme Louise pour la rassurer. Mais dans la nuit, son état empira. Il confessa ses péchés, et après avoir exhorté sa noblesse à prêter obéissance au roi de Navarre comme à l'héritier légitime du trône, le dernier Valois rendit à Dieu son âme coupable, perverse et timorée. Quand, au matin du 2 août 1589, Henri de Navarre entra dans la chambre mortuaire, les jolis traits de l'efféminé roi de France étaient déjà glacés.

Le second des trois Henri qui avaient jeté les dés sur la table de jeu du Louvre, après le massacre de la Saint-Barthélemy, avait succombé à son sort violent et inéluctable.

LIVRE II : UN ROI SANS TRÔNE

CHAPITRE XIII

L'EMBARRAS DE HENRI IV. BATAILLES D'ARQUES ET D'IVRY

La mort de Henri III mit en branle toutes les cloches de la Ligue dans les églises de Paris. Quand le messager en apporta la nouvelle, Madame de Montpensier lui sauta frénétiquement au cou en s'écriant : « Ha, mon ami, soyez le bienvenu. Mais est-il vrai au moins ? Ce tyran est-il mort ? Dieu, que vous me faites aise. Je ne suis marrie que d'une chose, c'est qu'il n'a su, avant que de mourir, que c'était moi qui l'avais fait tuer. » Et dans son ravissement, la sœur des Guise monta dans son carrosse et se fit conduire près de sa mère, la veuve du duc François, pour lui faire partager sa joie. Quelques semaines plus tard, la mère du moine assassin, une simple paysanne bourguignonne, fut amenée de son village natal, fêtée et portée en triomphe dans Paris, comme la femme qui avait porté dans son sein un élu de Dieu.

Au camp royal de Saint-Cloud une scène singulière s'était déroulée. Vingt-quatre heures ne s'étaient pas écoulées depuis que les nobles avaient juré d'obéir à la requête du roi expirant, que le nouveau souverain les surprit dans la chambre mortuaire, s'entretenant à voix basse, échangeant des effusions d'entente loyale, et se promettant l'un l'autre « qu'ils souffriraient plutôt mille morts qu'un huguenot pour roi. »

Peu après, les gentilshommes catholiques qui avaient été les principaux partisans de Henri III se présentèrent en corps. A leur tête était l'équivoque François d'O, un des plus fameux mignons, et devenu le gardien du trésor royal. Dans un langage dont la forme cérémonieuse masquait à peine l'insolence, il déclara sans ambages, qu'à moins que le nouveau roi n'embrassât sur-le-champ la religion catholique, lui et ses amis

refuseraient le serment d'allégeance. Ils s'attendaient manifestement à voir Henri de Navarre repousser cet ultimatum,
refus qui leur permettrait de réaliser immédiatement leur
secret dessein : abandonner la monarchie et retourner à la
quasi-indépendance dont ils jouissaient dans le gouvernement
de leurs provinces. En réalité, la religion du nouveau roi les
laissait cyniquement indifférents. D'autre part, ils étaient
fermement opposés à la résurrection de l'autorité royale, telle
qu'elle leur semblait probable entre les mains robustes du
Béarnais. Sous son manteau usé et son aspect de vigoureux
soldat, dans son langage direct et dru, dans cette tête que les
hasards d'une rude existence faisaient déjà grisonner, ils
reconnaissaient en lui un intrépide capitaine et une fermeté
dangereuse. Ils craignaient que son succès ne mît fin à l'anarchie générale dont ils tiraient leur fortune et leurs profits. Ils
redoutaient également son échec, qui les eût compromis
eux-mêmes irrémédiablement, et qui d'ailleurs paraissait
presque certain : car la Ligue, bien qu'assiégée dans Paris,
tenait toujours un grand nombre de villes importantes. Une
armée espagnole se concentrait en Flandre pour venir au
secours de Mayenne, et derrière cette armée on apercevait,
comme une destinée implacable, le soldat espagnol invaincu,
magnifique dans son armure noire brillante, le prince de
Parme, Alexandre Farnèse, le meilleur général de son temps.

Avant la mort tragique de Henri III, les armées réunies des
rois de France et de Navarre se montaient à 30 ou 40.000 hommes. Quelques jours après le coup de couteau du moine assassin, leur effectif avait fondu à tel point sous les yeux même des
Ligueurs que le siège de Paris fut levé à peine commencé.
Henri IV ne pouvait compter que sur 7.000 hommes, la plupart
gentilshommes protestants du Poitou, de Bourgogne, de Picardie et de Normandie. La plus grande partie de ses compagnons
huguenots des provinces l'avait abandonné, lors de sa marche
vers le Nord en compagnie de Henri III et de l'armée catholique. Des temps héroïques de ses premières campagnes, il ne
lui restait que quelques hommes résolus : d'Aubigné, Duplessis-Mornay, de Rosny. Ces fidèles amis pressaient Henri de
Navarre de rejeter l'insolente sommation de François d'O, en

faisant observer judicieusement que si le roi abandonnait l'un des partis, il n'était nullement sûr de se concilier l'autre, et que la Ligue n'accepterait pas plus Henri IV qu'elle n'avait accepté Henri III. Enfin, s'il se faisait catholique, Henri IV ne recevrait plus l'aide des protestants d'Angleterre et d'Allemagne. Le souverain lui-même, qui avait pâli de colère à la proposition mi-obséquieuse et mi-dédaigneuse de la noblesse, répliqua le 4 août par un discours dont la dignité égalait l'habileté. Il promit de maintenir la religion catholique intacte dans le royaume, et de n'autoriser l'exercice d'aucun autre culte pendant six mois, excepté dans les endroits où il était actuellement pratiqué. Il offrit dans les mêmes délais de se faire inscrire dans la foi catholique par un conseil légitime et librement nommé à cet effet. Pendant cette période, les villes qui avaient été enlevées à la Ligue seraient placées sous l'autorité de gouverneurs catholiques.

Henri IV comptait évidemment sur ce compromis pour surmonter les difficultés que soulevait l'accession d'un huguenot au trône occupé depuis dix siècles par des princes catholiques. Tout en renonçant à ses propres croyances, dans l'observation desquelles il n'avait jamais été très strict, il avait l'intention de maintenir les droits de la minorité protestante, droits que, par la suite, il devait incorporer dans le fameux Édit de Nantes.

Mais ce geste conciliant fut fait en vain. Il confirma les catholiques mécontents dans leurs secrets desseins de sécession, tout en exaspérant les extrémistes huguenots. D'Épernon, qui avait été le bras droit de Henri III, regagna avec humeur son gouvernement d'Angoumois, après avoir cherché querelle au vieux maréchal de Biron qu'il dénonça comme un bandit. Le marquis de Vitry abandonna le camp royal et rejoignit les Ligueurs à Paris. La Trémoille, suivi d'un grand nombre de gentilshommes protestants, se retira en Poitou. Seule, une poignée de seigneurs braves et aventureux demeura aux côtés du roi. Le jeune de Givry, un catholique chevaleresque, fléchit le genou devant le roi de Navarre, et s'écria avec ferveur : « Sire, vous êtes le roi des braves et ne serez abandonné que des poltrons. »

L'incomparable Crillon, le rude soldat qui reconnaissait en Henri IV un homme de sa trempe, mit son épée loyale et son cœur inébranlablement fidèle au service du nouveau souverain. M. d'Harambure, qui avait perdu un œil à la guerre et que le prince surnommait affectueusement « le Borgne », demeura à son poste. La Noue, qui n'avait plus qu'un bras, pouvait encore vaillamment manier l'épée de l'autre. Le vieux maréchal de Biron, vain et jaloux, mais soldat magnifique, commandait l'armée.

Et plus près du roi, de cœur et d'esprit, que tous autres, en dépit de son masque souriant d'irreligion, de son horreur du fanatisme et de sa croyance obstinée en une réconciliation possible des sectes rivales, se tenaient sa vieille garde, sa compagnie d'arquebusiers de Genève chanteurs de psaumes, enfin, ses plus intimes compagnons, l'austère Mornay, le spirituel poète d'Aubigné, depuis longtemps revenu de la politique, mais toujours animé de sa haine passionnée contre l'Église, le sage, l'industrieux et le prudent Rosny, connu dans l'histoire sous le nom de Sully, et destiné à devenir un des créateurs de la France moderne.

Le 8 août, quatre jours après sa déclaration à la noblesse, Henri IV abandonna le siège de Paris qu'il était incapable de poursuivre. Il envoya Mornay pour s'assurer de la personne de son propre oncle, le cardinal de Bourbon, que Mayenne venait de proclamer roi choisi par la Ligue. Et divisant ses forces en trois corps, il dirigea La Noue et le duc de Longueville sur la Picardie, moins pour s'opposer à l'avance des armées espagnoles des Flandres que pour s'emparer de tout ce qu'ils pourraient prendre de villes. Le maréchal d'Aumont, avec une seconde armée, marcha sur la Champagne. Henri IV lui-même, avec le maréchal de Biron, à la tête de 5.000 hommes et chevaux, s'avança en Normandie pour s'assurer de Dieppe et de la route maritime de l'Angleterre. Il atteignit Dieppe au début de septembre et aux compliments et civilités d'usage qui lui étaient adressés par le maire et les bourgeois, il répliqua jovialement : « Mes amis, point de cérémonie. Je ne demande que vos cœurs, bon pain, bon vin, et bons visages d'hôtes. » Là, il apprit que Mayenne s'était mis à sa poursuite avec une

armée de 20.000 hommes, et que déjà les Ligueurs se réjouissaient d'avance de voir le roi hérétique ramené prisonnier
à Paris, pieds et poings liés, derrière le duc vainqueur.

Henri IV se trouvait à l'heure la plus critique de sa carrière.
La France tout entière le séparait de son petit royaume de
Béarn. Les troupes de la Ligue et les armées de l'Espagne,
celle-ci sous le commandement du plus redoutable soldat
d'Europe, marchaient à la fois sur lui. Il était adossé à la mer,
sur laquelle les secours tant attendus d'Élisabeth tardaient
interminablement à faire leur apparition. Les bulles du Pape,
les espions de Philippe II, les moines fanatiques de la Ligue,
les bourreaux de l'Inquisition, et même la méchanceté qui
ne pardonnait pas de la belle duchesse de Montpensier, élevaient une formidable et mortelle barrière entre lui et l'éblouissante perspective du trône de France. Mais avec cette hardiesse, ce sang-froid et cet esprit clair qui allaient faire la joie
de ses amis et le désespoir de ses ennemis, le prince souriant
et indomptable ne se laissa pas effrayer. Sur la dernière lieue
carrée du sol de France qui lui restât, il se prépara calmement
à faire face à Mayenne. Et des tranchées d'Arques, il écrivait
à Corisande, dans les derniers accents d'une passion qui se
refroidissait visiblement avant de s'éteindre tout à fait : « Mon
cœur, c'est miracle que je sois encore vivant, tant j'ai d'ouvrage sur les bras. Je vais bien et mes affaires aussi. » En réalité, elles n'avaient jamais été plus mal, mais avant qu'un
mois se fût écoulé, elles promettaient de s'améliorer.

Avec son remarquable coup d'œil, Henri IV avait décidé
de livrer bataille à l'armée de la Ligue dans la vallée trian-
gulaire formée par les petites rivières d'Eaulne et de Béthune,
et dominée par le château d'Arques, à quelques lieues des
faubourgs de Dieppe. Le côté qui faisait face à l'ennemi était
couvert d'un bois épais, en avant duquel Biron fit creuser
une tranchée profonde, qui n'offrait d'autre passage que la
largeur de cinq cavaliers de front.

Les deux armées étaient singulièrement inégales. Celle de
Mayenne, forte de 25.000 hommes, comprenait des mercenaires choisis de toutes nations. Celle du roi ne dépassait pas
7.000 hommes, dont un tiers environ de catholiques, un deu-

xième tiers de Suisses et le reste de huguenots. Tous ces soldats restaient impayés. Mais Henri IV occupait une position solide qui se prêtait à une résistance désespérée, peut-être même une défense victorieuse.

Les premières escarmouches, qui s'ouvrirent le 16 septembre, furent à l'avantage de Mayenne. Pendant quatre jours, du 16 au 20, les deux partis s'observèrent. Le 20, la bataille apparut imminente et les Ligueurs ne doutaient pas du succès. Un officier du duc, M. de Belin, fait prisonnier et conduit au roi, lui annonça en souriant que dans deux heures, il aurait sur les bras 20.000 hommes de pied et 10.000 chevaux, et que, quant à lui, « il n'apercevait pas dans le camp royal une force capable de leur résister. »

— « C'est que vous ne voyez pas tout, répliqua le roi gravement, car vous ne comptez ni Dieu ni le droit qui sont pour moi. »

Le 21 septembre, à six heures du matin, Mayenne lança une attaque puissante sur le bois qui masquait l'armée royale. Un corps de lansquenets des Ligueurs poussa jusqu'à un poste avancé tenu par Biron. Décontenancés par l'obstacle inattendu, ils firent mine de déserter et de passer du côté ennemi. Les soldats du roi les accueillirent avec joie et leur livrèrent l'étroit passage ménagé dans la ligne de tranchée. Mais peu après, tandis que le gros Mayenne s'approchait du bois à son tour, les traîtres lansquenets se jetèrent brusquement sur leurs nouveaux amis, et le désordre fut si grand que Henri IV lui-même se trouva en grand danger, menacé par l'épée d'un colonel allemand.

La confusion créée au centre par ce grave incident, et une charge soudaine de la cavalerie de Mayenne sur l'aile gauche de l'armée royale, rendaient la situation des plus critiques. Ce fut alors que l'invincible optimisme du Béarnais lui vint en aide, en même temps que le souvenir des multiples affaires dont il s'était tiré opportunément. Jusque-là, il avait gardé en réserve sa vieille garde de huguenots, sous le commandement de Châtillon, le calme et héroïque fils de Coligny. Quelque part dans l'ombre, et ferme comme un roc au milieu du désordre, se tenait la compagnie redoutable, phalange compacte de cinq cents hommes. On pouvait voir les mèches allumées de leurs arquebuses briller comme autant de vers luisants dans la brume. Henri IV se tourna brusquement vers un pasteur suisse, M. Damours, et l'adjura d'entonner un psaume. Alors, dans l'humide matinée d'automne, au-dessus des clameurs de la bataille, parmi le brouillard et la fumée, s'éleva comme un pœan de triomphe, le vieux chant des huguenots, le refrain des héros et des martyrs des premières luttes désespérées des guerres religieuses. Et les paroles exultantes du psalmiste, avec leur redoutable promesse de victoire sur les puissances du mal, résonnèrent comme les accents d'une trompette. Mettant genou en terre dans l'herbe grasse, les 500 arquebusiers de Châtillon visèrent lentement et leurs salves ajustées fauchèrent la cavalerie de la Ligue, comme si le Dieu du psalmiste exauçait immédiatement leur prière. Et brusquement, comme en réplique aux versets sacrés, le soleil déchira la brume, éclairant aux yeux des canonniers anxieux du château d'Arques la mêlée tragique qui mettait aux prises inextricables royalistes et ligueurs. Avec un bruit formidable qui ébranla le terrain, toute l'artillerie tonna du haut des murailles, tirant presque à bout portant dans la masse des catholiques. L'effet fut meurtrier. Le chant des huguenots, l'astre du jour et la canonnade foudroyante avaient décidé du sort de la journée. A midi, la bataille était finie, et Mayenne abandonnait le terrain.

Quelques jours plus tard, après une vaine tentative pour assiéger Henri IV dans Rouen, le duc était repoussé de ses quartiers de Janval, et le 29 septembre, le commandant en chef des armées de la Ligue se repliait vers la Picardie, poursuivi à quelque distance par Biron et le feu de quelques pièces légères traînées par des chevaux de labour, invention d'un marin normand, Brisa, le précurseur de l'artillerie de campagne moderne. La nouvelle du débarquement de 4.000 soldats anglais et écossais, envoyés au secours de Henri IV par Élisabeth, vint achever la déconfiture de Mayenne. La flotte anglaise jeta l'ancre au large du port de Dieppe, et le roi de France fut invité à dîner sur le vaisseau amiral, par le comte d'Essex, chef de l'expédition, entouré de ses capitaines. Au moment où s'échangeaient les toasts, et où les convives levaient leurs verres en l'honneur de la reine d'Angleterre et de son royal allié, les deux champions de la cause protestante en Europe, tous les navires de la flotte tirèrent une salve d'allégresse.

C'était le premier signe de reconnaissance officielle que recevait le nouveau roi de France, en dehors des troupes de sa petite armée, et des murailles des quelques villes qui lui restaient fidèles. Mais la victoire d'Arques allait bientôt lui apporter d'autres témoignages de l'attention sympathique de l'Europe. Les protestants d'Allemagne, et surtout ceux des Pays-Bas, où le calvinisme des premiers huguenots français avait scellé du sang des martyrs les bases solides de la Réforme hollandaise, suivaient les progrès de Henri IV le cœur battant. Et tandis que dans les églises de Londres et de Genève on disait des prières pour lui, une reconnaissance diplomatique bien inattendue vint le réconforter, celle de la république de Venise. Lasse d'obéir à Philippe II, et écœurée par la perte de ses vaisseaux dans le désastre de l'Armada, cette vieille puissance rendit hommage au chef huguenot par une ambassade extraordinaire.

L'arrivée de ces délégués à Tours, où Henri IV leur avait donné rendez-vous, fut accueillie avec incrédulité par les politiques de la Ligue, jaloux et mécontents. A Venise même, où le gouvernement, depuis un siècle, avait été très exactement informé des choses de France par des ambassadeurs adroits et sans scrupules, et dont les archives sont de nos jours une mine précieuse de renseignements pour l'histoire de la monarchie française, Henri IV devint brusquement un héros populaire. Un de ses portraits, reproduit par de nombreux peintres vénitiens, et à chaque coin de rue, l'image railleuse du roi huguenot, avec ses sourcils élevés, ses yeux hardis et souriants, son nez busqué et sa barbe bouclée, vinrent défier la colère des représentants de l'Espagne et ceux de la Ligue. On avait dit aux Parisiens que Henri IV avait été défait à Arques, et chaque jour, ils s'attendaient à le voir ramené prisonnier. Quand ils apprirent la vérité, l'armée victorieuse du monarque n'était plus qu'à quelques journées de marche de la capitale. Dès la fin d'octobre, elle apparaissait devant Paris, renforcée par les troupes du duc de Longueville et du maréchal d'Aumont, outre les contingents anglais.

Dans un premier assaut, elle emporta les fortifications extérieures de la place, dont les défenseurs, parmi lesquels un grand nombre de bourgeois armés, refluèrent en hâte derrière les murs de l'enceinte proprement dite, s'écrasant aux portes de Nesle et de Saint-Germain. L'armée royale occupa les faubourgs sur la rive gauche de la Seine et procéda au pillage méthodique. Avec des cris de vengeance, les soldats envahirent les logements des habitants terrifiés. Certains de ces huguenots n'avaient pas oublié la terrible nuit de la Saint-Barthélemy qu'ils avaient vécue dix-sept années plus tôt. Cependant, sur l'ordre du roi, on épargna la vie des habitants et les trésors des églises.

Dans la soirée du 1er novembre, plusieurs centaines de soldats et de miliciens, qui s'étaient réfugiés dans l'abbaye de Saint-Germain des Prés, tentèrent de s'échapper du cloître pour gagner la ville éloignée d'une centaine de toises. Mais ils furent surpris, taillés en pièces et les troupes royales occupèrent le cloître. Le lendemain matin, un moine conduisit le roi jusqu'au sommet du clocher de l'abbaye, d'où le prince put observer les murs de la cité rebelle, dont les murailles s'élevaient à une portée de mousquet. Mais demeuré seul avec son guide dans le clocher, il se souvint du poignard de l'assassin de Henri III, et il avoua par la suite qu'il ne se risquerait plus en la compagnie d'un religieux sans s'être assuré que celui-ci ne cachait pas d'arme sous sa robe.

Cependant les fortifications de Paris étaient imprenables pour tout adversaire qui ne possédait ni artillerie de siège, ni temps, ni beaucoup de patience. Et Henri IV n'avait rien de tout cela. Le duc de Mayenne, dont l'armée avait pu rentrer dans la ville par la rive droite de la Seine demeurée découverte, refusa prudemment de s'aventurer en dehors des murs, et quoique Henri IV tentât de le défier en rangeant ses troupes en bataille dans le Pré-aux-Clercs toute la matinée du 3, l'adversaire ne bougea pas. En conséquence, et bien qu'à regret, le roi se dirigea sur Tours, où l'attendaient le reste du

Parlement, et avec ces timides conseillers, les ambassadeurs de Venise pleins d'admiration.

L'année suivante, le roi mettait de nouveau le siège devant Paris.

Pendant l'hiver 1588-1589, le Béarnais avait justifié sa vieille réputation d'infatigable marcheur. De Tours, il se mit en route à la fin de novembre pour la conquête du Maine et de la Normandie. En sept semaines, traînant derrière elle un lourd et encombrant matériel d'artillerie, sa petite armée couvrit près de 400 lieues, s'emparant de ville après ville sans combattre. Vers le mois de janvier 1589, il ne restait que la place de Rouen obstinément irréductible dans toute cette riche province normande, si favorable comme base d'une nouvelle expédition contre Paris. Tenant Falaise et Honfleur, solidement établi à Dieppe, Henri était maître de la côte. Dans quelques autres régions de la France, sa situation n'était nullement à dédaigner. Si le bras de l'Espagne se levait contre lui, si le Pape foudroyait de ses bulles le souverain hérétique, si une armés d'espions et d'assassins, suscités par Rome et Madrid, le traquaient incessamment, si la Ligue et la plupart des grands seigneurs du royaume lui demeuraient plus ou moins hostiles, sa cause gagnait pourtant l'appui hésitant d'une partie grandissante de la nation. Bien que le clergé de Paris et la majorité des Ordres monastiques de France fussent inféodés à la Ligue, le clergé des provinces restait en sa faveur. A la fin de 1589, quatre cinquièmes des évêques s'étaient ralliés à Henri IV, inquiets du caractère international et insurrectionnel du mouvement ligueur, et alarmés de voir l'or espagnol couler à flots dans les coffres de ce parti. Et parmi les habitants des villes qui étaient les premiers à ouvrir leurs portes au nouveau roi, le clergé se faisait remarquer par ses démonstrations et la chaleur de son accueil. Bravant les menaces d'excommunication papale, les prêtres marchaient en procession, chantant des hymnes en latin à la louange du Béarnais.

Cependant, cloîtré dans le sombre palais de l'Escurial, l'homme qui se croyait le fléau suscité par Dieu pour châtier l'humanité coupable se relevait peu à peu de ses terribles revers de 1588. Le désastre de l'Armada n'avait fait qu'ajourner ses redoutables desseins contre les protestants, sans abattre l'implacable Philippe d'Espagne. A ses yeux, le fils de Jeanne d'Albret n'était pas seulement le symbole de l'esprit d'insubordination d'un souverain voisin qui persistait dans une orgueilleuse erreur. Il incarnait à la fois l'ennemi héréditaire, et cette hérésie obstinée qui avait embrasé Genève et la France sous le règne de Charles-Quint, et s'était propagée comme un feu souterrain jusqu'aux provinces des Pays-Bas espagnols. C'était aux coffres jalousement gardés du roi Philippe, enrichis de l'or taché de sang arraché aux Indes occidentales et remplis par les lourds impôts extorqués aux bourgeois flamands et hollandais, que recourait la Ligue dans ses pressants besoins. Ebloui par la perspective d'achever la défaite de l'hérésie en France et de démembrer ce royaume, le parcimonieux Philippe avait enfin cédé, et un nouveau courant d'or s'écoulait de Madrid jusqu'au trésor de guerre des Ligueurs. Et se rendant aux instances du duc de Mayenne, Philippe pressa son lieutenant dans les Flandres, le prince de Parme, d'envoyer des renforts. D'une armée déjà gravement menacée du sort des légions romaines qui, treize siècles auparavant, avaient été anéanties dans les marais bataves, une force importante d'infanterie espagnole fut détachée pour venir aider la cause catholique de France.

Au début de 1589, le duc de Mayenne avait reçu ce secours tant attendu, 6.000 fantassins d'élite, armés du nouveau mousquet léger espagnol et environ 1.500 lances wallonnes sous le commandement du jeune comte d'Egmont. Mis ainsi à la tête d'une armée de 25.000 hommes, le général des ligueurs s'empara de Vincennes, de Pontoise et de Poissy, et marcha résolument, en suivant la vallée de l'Eure, au-devant de Henri IV sur les frontières de Normandie.

Les deux armées se rencontrèrent dans la plaine d'Ivry, entre Mantes et Dreux. Le 12 mars 1590, le roi avait rangé froidement ses troupes en bataille. A l'aube, il envoya ses officiers à leurs dévotions. Les capitaines huguenots s'agenouillèrent sur le sol avec leurs hommes. Les catholiques remplirent les églises de Nonancourt. Le lendemain 13, les forces adverses se trouvèrent face à face, à travers un terrain plat couvert de vergers. Quelques reconnaissances préludèrent à l'engagement général. Au cours de l'une d'elles, les coureurs de l'armée royale tuèrent ou blessèrent quelques ennemis, entr'autres un immense colonel suisse, qui avait mis pied à terre sous un arbre, pour repêcher son chapeau que des branches basses avaient enlevé de sa tête. Au matin suivant, 14 mars 1590, commença la plus fameuse des batailles de Henri IV.

Après une nuit pluvieuse, le jour se leva avec un vent froid. Le corpulent duc de Mayenne, qui détestait la vie de campagne, et regrettait déjà l'existence quiète à laquelle il avait renoncé pour la vaine promesse d'un trône, avait dormi fort mal. Henri IV, après deux heures de profond sommeil sur le tas de paille d'une grange, fut éveillé pour apprendre que l'ennemi avait repassé l'Eure. Il se leva en hâte, mais s'étant assuré que le renseignement était faux, il regagna sa couche, se rendormit et s'éveilla très frais, de sa plus joyeuse humeur gasconne. Avant la bataille, il retrouvait toujours la bravoure de son père et le calme de sa mère. La plaisante insolence de son aïeul gascon, l'indomptable Henri d'Albret, qui avait à la fois bravé son beau-frère le roi de France et l'empereur Charles-Quint, animait à présent le fils de Jeanne d'Albret. Son allocution typique avant la bataille est devenue immortelle : « Mes camarades, Dieu est avec nous. Voici ses ennemis et les nôtres, s'écria-t-il en montrant l'armée silencieuse de Mayenne deux fois plus nombreuse. Si vous perdez vos enseignes, cornettes ou guidons, ralliez-vous à mon panache blanc, vous le trouverez toujours au chemin de l'honneur et de la gloire. »

Un incident émouvant précéda la rencontre. Le roi avait réprimandé publiquement Schomberg, colonel des reîtres allemands, pour être venu réclamer l'arriéré de solde de ses troupes à la veille d'un engagement. Henri envoya chercher l'officier, l'embrassa affectueusement et lui demanda pardon des paroles de blâme qui avaient blessé l'orgueil du vétéran. Une larme brilla dans les yeux de l'étranger qui s'écria : « Votre Majesté me coûte la vie avec sa bonté, car à présent je ne puis plus que mourir à son service. » Une heure plus tard, la prophétie était accomplie et la promesse remplie, car le brave colonel fut tué en sauvant le roi d'un coup de lance. Plus d'une fois, au plus épais de la bataille, on aperçut l'énorme panache blanc dont s'ornait le chapeau du roi et dont l'achat figure dans les comptes du trésor de la maison de Navarre. Les reîtres du duc de Mayenne, durement éprouvés par le feu de l'artillerie royale, se mirent si brusquement en retraite sur le gros de la cavalerie des Ligueurs, que celle-ci lâcha pied et se dispersa en grand désordre. A travers une échancrure dans la fumée du combat, Henri IV s'en aperçut et saisit immédiatement l'occasion. Ses compagnons le virent tout à coup éperonner son cheval, et s'élancer dans une brèche de la forêt de lances adverses. La charge victorieuse de l'escadron du roi, à l'exemple de son chef, changea le désordre en panique. Moins d'une heure après le début de la lutte, le front du duc de Mayenne était percé et sa déroute entamée. Le roi lui-même, dit-on, avait tué sept hommes de sa propre main et pris un étendard ennemi. On le vit, à un moment, à la tête d'un peloton de douze cavaliers, poursuivre vivement une centaine de chevau-légers des Ligueurs.

La défaite de ceux-ci était écrasante, et Mayenne dut en faire l'aveu fort piteusement dans sa lettre au roi d'Espagne. « La charge désespérée faite par l'ennemi a si fort surpris mes escadrons, que la plupart ont lâché pied sur l'heure, ne laissant avec moi que six ou sept pelotons de cavaliers, desquels, j'en donne l'assurance à Votre Majesté, pas un qui n'ait été tué, blessé ou fait prisonnier. »

La victoire d'Ivry avait été remportée si rapidement qu'une bonne part des compagnons de Henri IV n'eut pas le temps de s'en rendre compte. M. de Rosny, lui-même blessé de coups d'épée à la tête et à la main, et une balle de pistolet dans la hanche, revint à lui après un long évanouissement et crut la bataille perdue. Après s'être traîné péniblement sous un arbre, il eut la chance de rencontrer un cheval démonté sur lequel il se hissa. Mais tandis qu'il se mettait en route au pas, il tomba sur un groupe de sept cavaliers ennemis, « dont l'un portait la cornette blanche de M. de Mayenne ». Après s'être présentés à lui et lui avoir demandé son nom, ces gentils-hommes le prièrent de leur sauver la vie : « Vous sauver ? s'écria Rosny au comble de la stupéfaction. Vous parlez comme des gens qui ont perdu la bataille. — Hélas, oui, nous l'avons perdue, Monsieur de Rosny, et nous nous estimerons fort heureux d'être vos prisonniers, s'il vous plaît de nous recevoir à rançon. »

Ce fut ainsi que le compagnon de Henri IV, vainqueur sans le savoir, fit prisonniers plusieurs lieutenants de M. de Mayenne, en même temps que l'étendard blanc aux croix noires de la maison de Lorraine.

Dans une lettre triomphante écrite au duc de Longueville au soir du 14 mars, Henri IV a raconté lui-même la bataille.

« Mon cousin, nous avons à louer Dieu : il nous a donné une belle victoire. La bataille s'est donnée, les choses ont été en branle. Dieu a déterminé selon son équité : toute l'armée ennemie en route, l'infanterie tant étrangère que françoise rendue, les reîtres pour la plupart défaits, les Bourguignons bien écartés, la cornette blanche et le canon pris, la poursuite jusqu'aux portes de Mantes. Je puis dire que j'ai été très bien servi, mais surtout évidemment assisté de Dieu, qui a montré à mes ennemis qu'il lui est égal de vaincre en petit ou en grand nombre. Sur les particularités, je vous dépêcherai au premier jour. Votre frère a fait paraître qu'il craignait aussi peu les Espagnols que moi : il a très bien fait. Ils ne s'en retourneront pas tous. Nous avons presque tous les drapeaux et ceux des reîtres. Il est demeuré douze ou quinze cents hommes de cheval. MM. d'Humières et de Mouy sont arrivés à la première volée de canon. Le courrier rapporte que le duc de Mayenne s'est sauvé dedans Mantes. Croyez, mon cousin, que c'est la paix de ce royaume et la ruine de la Ligue, à laquelle il faut convier tous les bons Français à courir sus... »

La défaite essuyée par Mayenne était d'autant plus igno-minieuse que le gros de son infanterie demeurait intact. Sa cavalerie réussit à franchir l'Eure et, suivie à quelque distance par Henri IV lui-même avec un escadron, s'enfuit hon-teusement, partie vers Mantes, partie sur Chartres. Ceux des reîtres allemands qui se laissèrent capturer furent massacrés

en représaille de leur traîtrise à la bataille d'Arques, mais
sur l'ordre du roi, on épargna les Suisses et les Français
ligueurs.

Le roi passa la nuit au château de Rosny, sur les bords de
la Seine. Le propriétaire du château lui-même, après s'être
arrêté pour panser ses blessures au beau château d'Anet, bâti
quarante ans auparavant par Diane de Poitiers, se fit porter
dans une litière jusqu'en sa demeure, le matin suivant. Ce fut
au cours de ce voyage qu'à son grand étonnement il rencontra
le roi à cheval qui chassait joyeusement dans les garennes
et les bois de son serviteur.

Henri IV établit son quartier général à Mantes, et, de cette
ville, comme l'avait fait quelques siècles plus tôt un autre
grand capitaine, Guillaume le Conquérant, il se prépara à la
conquête de Paris.

CHAPITRE XIV

SECOND SIEGE DE PARIS. LA CAMPAGNE DE NORMANDIE

A LORS commença pour la ville de Paris cette étrange époque de sa longue histoire, qui, au dire d'auteurs contemporains, présente ce puissant mélange de violence et raillerie, de joyeuse comédie et de grossièreté à la mode de la Renaissance.

Après la bataille d'Arques, Henri IV avait tenté de prendre la capitale par la force. Après la bataille d'Ivry, il chercha à la réduire par la famine. Même les troupes de la Ligue momentanément mises hors de cause, la petite armée royale, avec ses 12.000 fantassins et ses 2.000 chevaux, était irrémédiablement incapable d'emporter Paris d'assaut.

Le roi chercha donc à la bloquer progressivement en saisissant d'abord à l'est et à l'ouest Lagny, Charenton et Corbeil, par où passaient tous les approvisionnements qui arrivaient journellement de la Bourgogne et de la Beauce dans la capitale. En même temps, il fit occuper les moulins, dont les grandes ailes tournaient au vent sur toutes les collines environnantes, tandis que, du haut de leurs murailles, les assiégés affamés pouvaient contempler amèrement les moissons inaccessibles qui mûrissaient dans les champs.

Après sa défaite d'Ivry, Mayenne avait confié la défense de Paris à un Conseil réduit, composé symboliquement de son beau-frère le duc de Nemours, de son demi-frère le duc d'Aumale, du Légat du Pape et de Mendoza, ambassadeur d'Espagne. Le duc lui-même était parti chercher du secours dans les Flandres espagnoles.

En dépit de sa jeunesse et de son inexpérience, Nemours se montra fort habile à organiser la défense. Il arma plusieurs compagnies de bourgeois, et mit la main sur tout ce qu'il put trouver de provisions de blé et de vins avant l'arrivée des troupes espagnoles.

Henri IV apparut, un matin de mai, sur les hauteurs de Montmartre, établit son quartier général dans l'abbaye et bientôt, dit-on, fut en termes galants avec sa souriante hôtesse. La première attaque qu'il lança, le 12 mai, sur les portes Saint-Martin et Saint-Denis, fut repoussée avec perte. Cet échec le décida à resserrer les mailles du blocus. En proie à la famine et au fanatisme, subissant la tyrannie dictatoriale que les Seize démagogues exerçaient dans tous les quartiers, soulevée par les sermons hystériques des frères prêcheurs qui dénonçaient le Béarnais hérétique du haut de toutes les chaires ou à chaque coin de rue, la cité rebelle vécut plusieurs mois de cauchemar. Une fameuse gravure du temps a reproduit un événement caractéristique du siège, la procession de la Ligue, le 14 mai. On y voit les moines et les religieux de Paris, abandonnant leurs cloîtres et leurs églises pour prendre allègrement les armes et marchant hardiment à la tête des bourgeois dans les rues étroites de la ville.

Au bout de deux mois de siège, 200.000 habitants connurent les pires rigueurs de la famine. Depuis longtemps la population avait dévoré les chats, les chiens et les rats. Elle se trouvait réduite aux plus terribles expédients. Un chroniqueur de l'époque assure que l'on déterra les os des morts dans les cimetières pour en faire de la farine. Selon d'autres, on mangea de la chair humaine. On rapporte qu'une femme, ayant perdu son enfant, mit son corps au saloir, et que, pendant quelques semaines, elle et sa servante vécurent de cette horrible nourriture.

Au mois de juillet, Henri IV eut pitié de tant de misère. Que Paris fût pris ou non, déclara-t-il, il autorisait tous ceux qui le désireraient à quitter librement la ville. Plusieurs milliers d'hommes, de femmes et d'enfants profitèrent de l'offre et les portes s'ouvrirent pour laisser passer cette foule. Quand Élisabeth d'Angleterre apprit la miséricorde ainsi témoignée par le prince huguenot envers ses sujets rebelles, elle eut un geste de mépris et blâma son cousin de cette impardonnable faiblesse. Farouche, la souveraine implacable lui

écrivait : « Si tant d'assiégés n'étaient sortis avec votre permission, la famine les eût nécessairement contraints de céder.
Je m'étonne que vous vous soyez laissé persuader de courir
ce risque, après tant de retards et d'ajournements. Mais vous
tardez trop à agir pour vos intérêts, aimant mieux tout risquer que d'en finir. »

Mais dans la conduite de Henri IV, il y avait autant de
sagesse que de pitié. Ce n'était pas seulement un trône, c'était
une nation qu'il voulait gagner. Une cité prise sur les cadavres
de ses habitants morts de faim n'était que la coquille vide
d'une capitale dans un royaume qui restait à conquérir.
Toutefois, sa générosité à l'égard des Parisiens ne l'empêcha
pas de voir clair dans la manœuvre tentée par les Ligueurs.
Ceux-ci, soit pour gagner du temps jusqu'à l'arrivée des
secours attendus, soit pour apaiser le mécontentement qui
grondait dans la ville affamée, envoyèrent à Henri IV des
émissaires porteurs de propositions de paix. Ces délégués, le
cardinal de Gondi, archevêque de Paris, et Pierre d'Épinac,
archevêque de Lyon, se rendirent, munis de sauf-conduits,
à l'abbaye de Saint-Antoine-des-Champs pour rencontrer le
roi, et lui suggérèrent de négocier avec Mayenne les conditions
d'une pacification du royaume. Mais Henri IV répliqua :
« Si, pour gagner une bataille, je donnerais un doigt de ma
main, j'en donnerais deux pour la paix générale. J'aime ma
ville de Paris, elle est ma fille aînée, et je veux lui montrer
encore plus de miséricorde et de pitié qu'elle n'en demande.
Mais je veux qu'elle le doive à ma clémence, non à celle du
duc de Mayenne ou du roi d'Espagne. Vous voulez retarder
la capitulation et ne rendre Paris qu'après la conclusion de
la paix, laquelle ne peut se faire sans beaucoup de temps et
de discussions. Ma ville de Paris ne peut attendre si longtemps
sans en souffrir gravement. Tant de gens sont déjà morts de
faim que, s'il fallait tarder dix ou douze jours de plus, dix
ou vingt mille mourraient encore, et ce serait grande pitié.
Je suis le vrai père de mon peuple. Je suis comme cette mère
du livre de Salomon. J'aimerais quasi mieux n'avoir point
de Paris que de l'avoir ruiné et dévasté par la mort de tant
de personnes. »

Le roi offrit donc aux prélats un habile compromis. Si, dans le délai d'une semaine, la ville ne recevait aucune réponse de Mayenne, elle se rendrait. Après quelque discussion, les délégués acceptèrent ces conditions. Ils obtinrent, en outre, que le terme de grâce ne commençât qu'au jour où Mayenne recevrait avis de ces propositions, concession qui donnait aux Ligueurs quelques jours de plus. Et ainsi qu'ils l'avaient calculé, avant que fût atteint le jour fixé pour la capitulation, les colonnes de l'armée du duc de Parme paraissaient à une journée de Paris.

Alexandre Farnèse, cependant, ne s'était mis en route que contre son gré. Les prières de Mayenne ayant échoué, il avait fallu l'ordre impérieux donné par le monarque espagnol de son lointain et sombre palais, pour décider le vieux capitaine grave et austère, perclus de rhumatismes et qui commandait du haut d'une litière à ses mercenaires disciplinés. Après avoir traversé les Pays-Bas en ordre parfait, il amenait ses troupes redoutables au secours de Paris. Dès qu'il aperçut les Espagnols, Mayenne repoussa les propositions de trêve, et les deux armées, maintenant réunies, s'avancèrent de Meaux sur la place assiégée. Le 21 août, le siège durait depuis quatre mois, et Henri IV se trouvait en face d'un dilemme embarrassant : ou bien abandonner Paris sur le point de se rendre et se porter en hâte à la rencontre des deux adversaires menaçants, ou bien attendre le choc sous les murs de la cité, en courant, en outre, le risque d'être attaqué dans le dos par les Parisiens.

Un des capitaines, La Noue, l'homme au bras de fer et au cœur de fer, qui, pendant le premier siège, avait plongé héroïquement dans la Seine pour attaquer la porte de Nesle avec une poignée d'hommes, donna pour une fois, au prince, un conseil de discrétion. Mais le maréchal de Biron, vétéran impétueux, fit valoir énergiquement que les principes de la stratégie et de la tactique conseillaient de marcher immédiatement à l'ennemi. Le 29 août, en conséquence, Henri IV leva le siège à regret, et se mit en mouvement. Il se heurta aux troupes de Mayenne et à l'armée espagnole retranchées devant Chelles. Pendant plusieurs jours, il manœuvra vainement pour

amener l'adversaire à lui livrer bataille. Mais quand ce dernier
sortit enfin de ses retranchements, ce fut, contre l'attente
du roi, pour attaquer Lagny par surprise et s'en emparer,
puis pour se rendre maître de Corbeil et de Charenton, les
trois points fortifiés qui commandaient les voies de communication terrestres et fluviales avec Paris. La capitale put ainsi
être réapprovisionnée et Henri IV dut se résoudre à lever
le siège. Cet exploit accompli, le prince de Parme retourna
à sa tâche la plus importante, la répression de la révolte des
Pays-Bas. Ses chariots à bagages remplis des dépouilles de
Corbeil, ses féroces soldats wallons, savoyards, italiens, espagnols, de nouveau courbés sous sa discipline de fer, le chef
infatigable et torturé de douleurs, abandonnant Paris à son
sort, se remit en route dans sa litière pour exécuter ses desseins implacables. Progressant méthodiquement, comme une
forteresse mouvante à l'intérieur des ouvrages avancés consti-
tués par ses chariots, son armée résista à toutes les tentatives faites par Henri IV pour le forcer à livrer bataille, et
atteignit la frontière des Flandres sans avoir une seule fois
accepté le combat. En quittant le sol français, Alexandre
Farnèse détacha trois corps auxiliaires de son armée au service
du duc de Mayenne, puis, momentanément, se désintéressa
des affaires de la Ligue. Le général ennemi ne s'était pas éloigné
de Paris d'une journée de marche, que Lagny et Corbeil
retombaient entre les mains du roi de France et que le blocus
de la capitale reprenait de plus belle. De nouveau, la cité
assiégée était emmurée dans son enceinte comme dans un
tombeau.

La période qui suivit la retraite du duc de Parme
vit un fléchissement graduel du moral dans le camp des
Ligueurs comme dans celui du roi. En dépit de ses efforts,
celui-ci n'espérait plus remporter de brillants succès tels qu'à
Arques et à Ivry. La noblesse française, sensible comme toujours à l'attrait du génie militaire, n'avait pas été très impres-
sionnée en faveur du roi par son duel indécis avec le duc de
Parme. Henri IV remporta cependant quelques succès locaux.
Tandis qu'une partie de son armée, campée à Saint-Denis et
en quelques autres points devant Paris, tentait de réduire la

résistance des habitants par stratagème, le roi enlevait aux Ligueurs les villes de Saint-Quentin, de Senlis et de Chartres.

Pendant le siège de Chartres, les deux premières attaques avaient échoué. Comme le chancelier de Cheverny, l'amant de Madame de Sourdis, auquel était promis le gouvernement de la place, pressait le roi de lancer un troisième assaut, Henri IV lui répliqua brusquement : « Attaquez vous-même. Je n'ai pas l'habitude de faire si bon marché du sang de ma noblesse. » Quelques jours plus tard, la ville capitulait. Une délégation des bourgeois vint aux portes à la rencontre du roi, et leur chef se lança dans une longue harangue, déclarant que la ville était sujette du roi de par le droit divin et le droit romain. « Dites par le droit canon », répliqua malicieusement Henri IV au magistrat interloqué.

Mais ces succès secondaires, remportés au printemps de 1591, ne suffisaient pas à rétablir sa réputation de grand chef militaire aux yeux de sa noblesse. Son parti lui-même s'était divisé en trois camps. Tout d'abord, la vieille garde réduite des huguenots, qui voyait d'un œil jaloux les faveurs que le roi prodiguait aux seigneurs catholiques alliés à sa cause. Ces vétérans d'une lutte de trente années pour la liberté religieuse n'admettaient pas sans répugnance la nécessité d'une telle politique. Ils étaient liés à Henri IV autant par une affection personnelle que par la communauté de religion. Plus d'une fois, le ressentiment de ces compagnons aboutit à une rupture. Mais la vieille amitié reprenait toujours le dessus, comme ce fut le cas touchant de d'Aubigné, et de sa réconciliation avec le roi après une brouille momentanée.

Les politiques formaient un second groupe, le plus puissant et le plus important, dans le parti du roi. On trouvait parmi eux les gentilshommes de la cour de Henri III, qui s'étaient ralliés à la cause de son successeur, soit par respect héréditaire pour la monarchie, soit en considération des biens et des titres reçus, et les conseillers et hommes de loi, qui avaient maintenu à Tours l'influence et les traditions du Parlement en s'y transportant à la suite du feu Roi.

La troisième catégorie, la plus pittoresque, était celle des vieux soldats de carrière, comme Crillon, qui aimaient à se battre pour leur propre compte, autant que pour les terres et les bénéfices qui les récompensaient des risques d'une mort affreuse par suite de blessures ou de la peste, ou de l'emprisonnement et de la torture. Ces hommes aimaient Henri IV comme un chef de leur espèce, gai dans l'adversité, franc de langage, galant avec les femmes, joyeux compagnon de table et de bivouac.

Mais le seul appui de tous ces partisans, quelque dévoués qu'ils fussent, ne suffisait pas à placer sur le trône de France un prince que la majorité des hommes et des bourgeois repoussait toujours comme huguenot hérétique, et dont ne voulaient à aucun prix les Ligueurs rebelles. Toujours encouragés et armés par l'Espagne, ceux-ci étaient, en outre, aidés par l'argent et les excommunications lancées par le pape Grégoire XIV, l'ardent successeur d'Urbain V. Le Parlement de Paris, complètement dominé par l'absolutisme tyrannique des Seize, qui avaient fait mourir par le garrot trois des plus brillants conseillers, aux applaudissements de la populace et avec l'approbation de l'Espagne, menaçait publiquement de sévères pénalités toute personne qui communiquerait avec Henri de Navarre. Les docteurs de la Sorbonne, la plus savante assemblée de France, proclamaient Henri à jamais déchu de la succession au trône, comme hérétique excommunié, même s'il recevait finalement l'absolution du Pape. En outre, ils promettaient la palme du martyre à tous ceux qui tomberaient dans la lutte contre lui. Le Souverain Pontife lançait foudres sur foudres contre le prince et contre la fraction du clergé catholique qui persistait à le soutenir. Toutefois, les Parlements de Tours et de Châlons répliquaient en déclarant les bulles papales non valides et abusives, et en les faisant brûler par la main du bourreau. Et les évêques royalistes, assemblés à Chartres, en septembre 1591, s'élevant contre toute intervention du Souverain Pontife dans les affaires séculières du royaume, proclamaient les droits et libertés de l'Église gallicane dans un manifeste que Henri IV ordonna d'afficher à la porte de toutes les églises.

Tandis que le roi réussissait à tenir la Ligue en échec dans le Nord, ses lieutenants soutenaient vaillamment la lutte contre ses ennemis dans le Sud. Le duc de Savoie, Charles Emmanuel Ier, beau-frère de Philippe d'Espagne, et qui allait rester enfoncé comme une épine au flanc de Henri IV, s'était déclaré protecteur de la Ligue en Dauphiné et en Provence. Mais le capitaine huguenot, M. de Lesdiguières, résista vigoureusement aux soldats du duc, au cours d'une de ces petites guerres épiques dont cette période était si riche. De semblables luttes déchiraient d'autres provinces du royaume. En Languedoc, deux maréchaux, Danville et Joyeuse, frère du jeune et brillant Anne de Joyeuse, se disputaient la suprématie, rivalisant dans leur indépendance presque absolue. En Bretagne, le gouvernement de la province était âprement disputé entre le prince de Dombes, représentant de Henri IV, et le duc de Mercœur, frère cadet de Mayenne et chef de la Ligue dans cette région.

Ce fut au cours de cette querelle que le vaillant La Noue tomba à l'attaque de Lamballe. Avec lui, disparaissait le dernier des grands soldats huguenots de la génération de Coligny. Ancien compagnon de l'amiral, et loyal serviteur de Henri de Navarre, c'était un des rares hommes de son temps dépourvus d'ambition, et rien qu'un soldat combattant pour les austères vérités de la Religion avec un mépris du danger sublime. Il succombait à l'âge de soixante ans, après avoir été engagé presque sans répit dans une guerre civile de trente années, et avoir supporté toute sa vie avec une joyeuse intrépidité les périls et les persécutions réservés aux adeptes de la religion proscrite.

La mort d'un héros non moins grand vint ajouter aux deuils et aux inquiétudes du parti huguenot, celle du noble Châtillon. Fils aîné du grand amiral, il avait hérité de la plupart des grandes vertus de son père. Au courage et à la sublime fortitude de Coligny, il joignait toutes les ressources d'une intelligence puissante. Dans les sombres jours qui suivirent en France la Saint-Barthélemy, il s'était retiré de la scène politique pour s'adonner à sa passion pour la mer. Il était devenu un habile constructeur de navires, un explorateur audacieux, un mathématicien distingué et un savant ingénieur militaire. Dès que Henri de Navarre réapparut comme chef du parti,

Châtillon se jeta avec ardeur dans la lutte pour le trône, et ce fut lui qui, à la bataille d'Arques, avec le terrible sang-froid des huguenots, avait commandé à ses arquebusiers le feu qui sema la destruction dans les rangs des Ligueurs. Il avait été à Ivry, et, durant la plus dure période de la campagne pour Paris, il avait emporté d'assaut la ville de Chartres. Toutefois, l'orgueil de cet homme fort et son affection pour Henri IV avaient souffert des amoureuses folies auxquelles le prince s'adonna après que sa passion pour Corisande se fut éteinte, et de la réapparition dans l'entourage royal de seigneurs tels que M. d'O, la plus fourbe des créatures de Henri III.

A ces déceptions d'ordre politique, étaient venus s'ajouter d'autres chagrins pour briser le cœur de Châtillon. Son fils, presque un enfant, avait été tué aux Pays-Bas, en combattant dans l'armée du prince Maurice de Nassau. Et son plus jeune frère, Dandelot, fait prisonnier pendant le siège de Paris, s'étant laissé gagner par la Ligue, était perdu pour la cause protestante.

Entre des serviteurs dévoués comme La Noue et Châtillon, et leur chef, le roi de Navarre, s'étaient noués, en dépit du masque de frivolité du prince, des liens plus solides que l'association conventionnelle qui le rapprochait de ses courtisans. La perte de ces deux hommes fit verser à leur maître des larmes sincères et émouvantes. Avec cette mort, le rideau tombait sur toute cette héroïque jeunesse, chez laquelle l'impressionnable prince de Navarre avait trouvé des exemples de courage et de force d'âme.

Mais si des dissensions et des intrigues déchiraient le parti du roi, les désaccords n'étaient pas moins graves dans les rangs des Ligueurs. La Ligue apparaissait moins comme une insurrection que comme le prétexte d'une série de luttes plus ou moins vives dans le pays tout entier. Les grands bourgeois des villes saisirent l'occasion pour se rendre indépendants du roi, d'une part, de la grande noblesse et du clergé, de l'autre. Ce dernier, de son côté, cherchait à récupérer les riches domaines et les immenses privilèges dont il s'était vu dépouiller sous les règnes précédents. Les grands seigneurs catholiques eux-mêmes s'établissaient en souverains dans leurs gouvernements et leurs sièges provinciaux. Quant au Pape, il se flattait, grâce à l'appui de la Ligue, de recouvrer son autorité sur l'Église gallicane. Et, en fin de compte, plus patient, plus vigilant, plus puissant et plus implacable que tous ces éléments de désordre, le roi d'Espagne se servait de la Ligue comme d'un instrument pour réaliser ses vastes desseins religieux et politiques : détruire l'hérésie en Europe, et affaiblir sa plus proche et sa plus dangereuse voisine, la France.

Le duc de Mayenne — on doit lui rendre cette justice — s'opposa énergiquement aux projets suspects de ses deux alliés étrangers, l'Espagnol et le Savoyard. A Paris même, quartier général de la Ligue, il se trouva porté rapidement à la tête des catholiques modérés, tant par la force des événements que par le jeu naturel des influences politiques. Les plus enragés ligueurs, subventionnés par l'or espagnol, fanatisés par les excitations des moines et soulevés par une espèce de démagogie républicaine, restaient entièrement sous le contrôle des Seize, lesquels offraient tour à tour le trône au roi d'Espagne, au duc de Mayenne ou à son neveu, maintenu en prison, le jeune fils du duc de Guise assassiné.

Parmi les provocateurs qui incitaient journellement au meurtre dans les rues et les églises de Paris à cette époque, on a observé une curieuse continuité historique dans les noms des plus farouches exaltés. Deux des meneurs de la persécution contre les hérétiques, vrais ou prétendus, portaient les noms infamants de Saint-Yon et de Legoix, dont les ancêtres s'étaient fait remarquer dans les massacres perpétrés par le parti bourguignon, deux cents ans auparavant, pendant la folie du roi Charles VI.

Plus d'une fois, Mayenne avait manifesté son indignation et sa colère contre les excès commis par les Seize, à la manière violente de son père, François de Guise. Parmi les conseillers au Parlement déjà mentionnés, que les Seize avaient fait exécuter sans jugement en place de Grève, était un des présidents, nommé Brisson, magistrat de grand savoir et de haute probité. Ému par cette explosion de fanatisme populaire, révolté de l'offre du trône que les Seize venaient de faire au roi d'Espagne, inquiet de la défiance témoignée par les rebelles au gouverneur de Paris qu'il avait nommé, M. de Belin, le duc de Mayenne entra brusquement dans la capitale, à la tête de 2.000 hommes, tourna les canons de l'Arsenal contre la Bastille, où le chef des exécuteurs, Bussy-Leclerc, s'était réfugié, et, s'étant emparé de la forteresse sous les yeux d'une garnison espagnole immobile, il fit pendre publiquement cinq des Seize.

A dater de cette répression énergique, on assista au déclin de l'influence de l'Espagne dans les affaires de France. Mais dans l'hiver de 1591, une dernière tentative désespérée fut faite pour abattre le Béarnais, et au printemps de l'année suivante, le génie militaire d'Alexandre Farnèse engagea une lutte suprême contre Henri IV. Dès l'automne, celui-ci avait reçu l'aide tant attendue des protestants d'Angleterre et d'Allemagne. Les négociations engagées avec Élisabeth par Duplessis Mornay avaient porté leur fruit, et en exécution du traité signé à Greenwich, le 25 juin 1591, une armée de 5.000 hommes, sous le commandement du comte d'Essex, débarquait quatre mois plus tard sur les côtes de Normandie, et un autre corps de 3.000 hommes en Bretagne. De son côté, le jeune vicomte de Turenne, le futur duc de Bouillon, avait obtenu des princes protestants d'Allemagne un contingent de 4.000 chevaux et 3.000 fantassins, renforcés d'artillerie. Le 11 novembre, Henri IV et le maréchal de Biron prenaient la tête de ces forces combinées, et marchaient sur Rouen, défendue pour le compte de la Ligue par M. de Villars-Brancas.

Cependant, les rigueurs de l'hiver, qui rendaient le siège plus pénible aux assaillants que celui de Paris, avaient affaibli grandement le moral des troupes royalistes, quand une brusque et meurtrière sortie, exécutée par l'énergique M. de Villars, vint lui porter un nouveau coup. Celui-ci, toutefois, se voyait en grand danger de perdre la ville, car le prince de Parme s'en approchait à la tête d'une armée. Toutefois, le duc de Mayenne, fort mécontent de voir ses prétentions au trône mises en péril par les réclamations de Philippe en faveur de sa fille, réussit à persuader le général espagnol de s'arrêter à Caudebec, sur la rive gauche de la Seine, en aval de Rouen.

Le 20 avril 1592, après avoir failli être pris par la cavalerie

wallonne dans une escarmouche près d'Aumale, au cours de
laquelle il reçut une balle d'arquebuse dans la hanche, Henri IV
se décida à lever le siège. Quelques jours plus tard, à son grand
étonnement, il s'apercevait qu'il tenait prisonnier Mayenne
et le prince de Parme dans le triangle du pays de Caux qui
forme comme une île entre la Seine et la mer. A ce moment,
le général espagnol souffrait de la fièvre consécutive à une
blessure de guerre. Tandis qu'il donnait des ordres à son
armée, à Caudebec, une balle d'arquebuse lui avait labouré
le bras depuis le coude jusqu'à la main. Cependant, le visage
stoïque du guerrier ne donna pas le moindre signe de faiblesse.
Il continua à donner tranquillement ses instructions sans que
sa parole s'altérât. Il était déjà atteint gravement par la
maladie, quand un de ses capitaines, Alexandre Sforza, fit
irruption dans sa tente, et lui apprit que le roi de France,
presque sans escorte, était en reconnaissance dans le voisinage,
sur une route étroite, entre deux domaines entourés de murs,
et qu'un hardi coup de main suffirait à le faire prisonnier.
« Malheureusement, répliqua ironiquement le prince de Parme,
il faut des hommes bien vivants pour attaquer le roi de Navarre
et non des cadavres exsangues comme moi. »

Mais une audace incomparable animait le corps moribond
de ce soldat. Si Henri de Navarre, comme le reconnaissait
cet adversaire généreux, « faisait la guerre comme un aigle »
par la rapidité et la soudaineté de ses mouvements, lui-même
possédait la prudence du serpent. De la situation critique
dans laquelle se trouvait son armée, coupée de ses approvisionnements, qu'elle recevait de Rouen par eau, l'habile tacti-
cien se tira par une brillante manœuvre. Sans se soucier des
avertissements de Mayenne, qui lui représentait ce projet
comme irréalisable, le prince fit venir secrètement de Rouen
une flottille de grands bateaux couverts de planches. Dans
la soirée du 20 mai, ces embarcations, profitant de la marée,
descendirent jusqu'à Caudebec, où la Seine est large comme
un bras de mer, sans éveiller l'attention de l'ennemi. Sous le
couvert de la nuit, toute l'armée espagnole prit pied sur ces
bateaux, ainsi que les troupes de Mayenne avec leur matériel.
Et, à la pointe du jour, avant que la flotte hollandaise,

chargée par Henri IV de bloquer le fleuve, fût arrivée de Quille-
bœuf, le prince de Parme atteignait tranquillement la rive
droite de la Seine, sous les yeux des soldats du roi très mortifiés.

Henri IV se refusa à admettre cet échec. Comme un envoyé
d'Alexandre de Parme venait lui demander ironiquement, de
la part de son maître, ce qu'il pensait de cette manœuvre,
le roi lui répliqua avec assurance : « Pour moi, la plus belle
retraite du monde n'est qu'une fuite. » Toutefois, devant ses
capitaines, il ne dissimula pas son admiration sans réserve
pour la stratégie de son adversaire, en déclarant qu'une telle
retraite était plus glorieuse que deux batailles victorieuses.

Quoi qu'il en fût, le brillant exploit du prince de Parme
mettait fin à la campagne de Normandie, la dernière des
longues luttes entreprises par le roi pour la conquête du trône.
Le général espagnol se replia par petites étapes jusqu'en
Champagne, poursuivi par l'armée du roi, qui mit le siège
devant Épernay et s'en empara. Ce fut là qu'un boulet emporta
la tête du brave et vaniteux maréchal de Biron. Son fils, qui
lui succéda dans sa haute dignité, était, lui aussi, destiné à
perdre la tête, mais moins glorieusement. Quelques jours plus
tard, le prince de Parme lui-même succombait, ayant vu
venir la mort avec une tranquille fortitude.

Mais avant que ce grand soldat, acteur de tous les drames
joués sur le théâtre européen pendant une génération, eût
quitté la scène pour toujours, la fortune de son adversaire
avait notablement changé. Fort humilié d'avoir été sauvé,
à Caudebec, par le génie d'un allié, le duc de Mayenne jugea
le moment venu de négocier avec Henri IV. Des pourparlers
furent engagés en son nom par Villeroi, un des plus habiles
diplomates de la Ligue, et par Duplessis-Mornay, au nom du roi.

Les propositions de Mayenne étaient aussi simples que
cyniquement hardies. Laissant au Pape le soin de régler les
conditions auxquelles Henri IV devait abjurer sa religion et
recevoir l'absolution, il offrait la couronne au souverain, et,
en échange, il ne demandait rien moins que le démembrement
de la France. Pour lui-même, il réclamait le poste de lieutenant général du royaume, pratiquement sans titulaire depuis
l'assassinat de son frère, le duc de Guise, et, en outre, le

duché héréditaire de Bourgogne et le Lyonnais, pour son neveu, le jeune duc de Guise, la province de Champagne ; pour son frère, le duc de Mercœur, la Bretagne, et pour son beau-frère d'Aumale, la Picardie. Le Languedoc serait attribué à Joyeuse, qui en disputait la possession à Lesdiguières. Toutes les villes et les places fortes tenues par la Ligue demeureraient entre ses mains pendant six années, à partir de l'abjuration du roi, tous les chefs de la Ligue conservant leurs titres et leurs biens.

M. de Villeroi, tout en les présentant au nom du duc de Mayenne, ne se dissimulait pas l'insolence de ces exorbitantes propositions. Le roi les repoussa sans hésiter, en les dénonçant énergiquement au pays comme une preuve de l'ambition personnelle effrénée qui prenait le masque de la religion catholique. Néanmoins, elles furent accueillies par les prêtres ligueurs avec de féroces cris de joie. Du haut de toutes les chaires se déversa un nouveau flot d'injures sur le prince hérétique, et les moines zélés menacèrent des feux de l'enfer tous ceux qui envisageraient un compromis avec le fils impie d'une mère impure.

Mais déjà le soleil de la Ligue touchait à son déclin. La bourgeoisie, qui avait été la vraie force du mouvement contre Henri III et l'âme de la révolte contre les abus de la monarchie, redoutait plus une populace fanatisée par les prêtres qu'elle ne craignait une nouvelle dynastie. Le meurtre du sage magistrat Brisson avait montré aux marchands et aux hommes de loi parisiens à quelles extrémités pouvait conduire une insurrection populaire. Dès lors, un mouvement d'opinion irrésistible se manifesta en faveur d'une convocation des États Généraux, encouragé à la fois par l'ambassadeur d'Espagne, dans l'intérêt de l'Infante, et accepté par Mayenne avec l'espoir de s'y faire élire au trône. Divers candidats à la Couronne tant disputée furent soutenus l'un après l'autre, ouvertement ou secrètement, tant au dehors que dans la turbulente cité. Mais de tous les prétendants, nul n'apparaissait mieux placé que le détesté mais redoutable Béarnais, avec la légende grandissante qui l'auréolait de bravoure personnelle, de brillants faits d'armes, de jovialité démocratique et d'irrésistible séduction.

CHAPITRE XV

LA RUPTURE AVEC CORISANDE. GABRIELLE D'ESTRÉES

Corisande, l'aimable maîtresse et la compagne fidèle des années de lutte de Henri de Navarre, avait vu, d'un regard clairvoyant, s'éteindre la première passion du prince. Dès l'été de 1589, elle envisageait la séparation comme inévitable. Et bien que, durant cette période, les lettres de son amant lui eussent réitéré les déclarations de fidélité éternelle avec leur exagération caractéristique, la comtesse de Grammont ne se faisait pas d'illusion. Les annotations ironiques qu'elle mit de sa main sur ces messages, la seule trace qui subsiste de leur correspondance intime, nous la montrent acceptant sans récriminer l'inconstance de cet amour. Au cours de l'année 1590, les billets de Henri se font de plus en plus rares, et témoignent d'une irritation à peine voilée. Au mois de juillet, il déclare encore que les beaux yeux de Corisande lui sont plus chers que tout au monde. Mais cette explosion sentimentale est suivie d'un long silence, car une rivale a publiquement remplacé cette maîtresse dans l'affection du roi. Une fois seulement, Henri écrira encore à la délaissée, pour l'assurer d'une fidélité sur laquelle elle ne comptait plus depuis longtemps.

Dans l'intervalle, le cœur impressionnable du Béarnais s'était laissé deux fois conquérir. Un soir de printemps 1590, peu après la bataille d'Ivry, il se trouva dans le voisinage du château-fort de La Roche-Guyon, qui défendait autrefois les frontières de la Normandie et dont les ruines imposantes dominent encore, du haut de leurs blanches falaises crayeuses, le cours sinueux de la Seine. S'avançant à cheval jusqu'aux portes, Henri demanda l'hospitalité pour la nuit. La châtelaine, Antoinette de Pons, marquise de Guercheville, une jeune veuve, dont la beauté avait régné à la cour de Henri III, était une femme aussi séduisante que spirituelle. Sa vue parut si attrayante au prince qu'il lui déclara brusquement sa passion, mais la dame accueillit ces avances d'un air moqueur.

En maîtresse de maison parfaite, elle traita royalement l'importun visiteur, lui fournissant le lit, la table et la lumière, ainsi qu'à son escorte. Mais au soir tombant, la sage marquise commanda son carrosse et se fit conduire sous un autre toit pour y passer la nuit. Dans une lettre qu'il lui adressa, peu après ce coup fort sensible à sa vanité, le prince la suppliait de récompenser son amour en cédant à ses désirs, et lui demandait humblement pardon, la suppliant d'oublier son langage téméraire. Retenu par le siège de Paris et l'attaque qu'il projetait le jour même (28 mai 1590) sur la forteresse de Saint-Denis, il s'impatientait de ne pouvoir suivre lui-même les ardentes impulsions de son cœur. Mais l'orgueilleuse et vertueuse veuve tint cet amoureux à distance, résistant même aux promesses de mariage qu'il lui faisait. Quatre années plus tard, elle prenait un second époux, Charles du Plessis, comte de Liancourt, et lui consacrait entièrement sa foi. Toute sa vie, Henri IV garda son admiration première pour la spirituelle châtelaine de La Roche-Guyon. Plus tard, après son mariage avec Marie de Médicis, il poussa la reine à prendre madame de Liancourt comme dame d'honneur, en la présentant, avec un sourire plein de regret mélancolique, comme une de ces femmes dont la vertu avait résisté à ses plus impétueux assauts.

Ce fut l'année même de sa rupture définitive avec Corisande et de sa passion malheureuse pour la marquise de Guercheville que Henri rencontra pour la première fois Gabrielle d'Estrées.

Le roi avait été introduit auprès d'elle par son jeune et bel écuyer, M. de Bellegarde, qui lui avait imprudemment vanté les charmes de la jeune fille. Elle vivait alors avec sa sœur cadette, Diane, au château de Cœuvres, dans la forêt de Compiègne, sous la garde de sa tante Isabeau de La Bourdaisière, dame de Sourdis. Gabrielle, à dix-huit ans, avait un teint de lys et de roses, de doux yeux bleus au regard timide, voilés

de longs cils noirs, des cheveux sombres, des petites mains
frémissantes. Huit années plus tard, quand sa beauté régnait
souverainement à la cour de Henri IV, ses charmes avaient
sensiblement mûri.

Le poète Guillaume du Sablé louait « ses lèvres de corail,
ses dents d'ivoire, et son beau double menton », attribut qui,
chose assez curieuse, était considéré à cette époque comme
une des sept beautés de la femme. Le fameux tableau de
Clouet au musée de Chantilly, qui représente Gabrielle dans
son bain, lui rend aussi peu justice qu'à tous les autres sujets
féminins traités par ce sévère portraitiste. Même ce témoignage impitoyable révèle cependant une réelle beauté, la
bouche petite, les yeux allongés et le nez aquilin, un front
trop large et trop haut peut-être, des mains d'une rare déli-
catesse, et une peau blanche aussi éblouissante que celle
demeurée légendaire de la fameuse Diane de Poitiers. Outre
ses attraits naturels, Gabrielle était d'esprit aimable et gracieux, mais fort peu instruite, et le seul ouvrage que l'on
trouvât dans sa bibliothèque était son livre d'heures.

Quant au roi, en dépit de ses quarante ans, de sa barbe et
de ses cheveux grisonnants, parce qu'ils avaient senti le vent
de l'adversité, avait-il coutume de dire, et de sa grande expérience des femmes, il se sentait encore ingénu et même timide
en leur présence, quand il en éprouvait une profonde émotion.
A la première vue de Gabrielle, il tomba éperdûment amoureux.

Elle appartenait à une lignée fameuse de dames galantes.
Une de ses grand'tantes du côté maternel, madame de La
Bourdaisière, se vantait d'avoir conquis successivement l'affection du pape Clément III, de l'empereur Charles-Quint et de
François Ier. Née en 1573, Gabrielle était la fille de Jean
Antoine d'Estrées, gouverneur de La Fère et la petite-fille de
l'ancien grand maître de l'artillerie sous François Ier. Sa mère,
la belle Françoise de La Bourdaisière, avait eu son heure de
célébrité. Elle fut l'Astrée dont Ronsard chanta les charmes,
et, mariée à un homme âgé, elle avait quitté le lit conjugal
pour trouver un bonheur bref et farouche auprès du marquis
d'Alègre. Après huit années de retraite dans les montagnes

d'Auvergne, elle fut massacrée avec son amant, en 1592, à
Issoire, au cours d'une émeute populaire. En même temps
que sa sœur cadette, Diane d'Estrées, Gabrielle avait fait son
apparition à la Cour sous le règne de Henri III et attiré l'attention du beau Roger de Bellegarde.

De cette première époque de son histoire, Bassompierre,
écrivant une génération plus tard, a laissé un récit étrangement scandaleux. « Cette femme obtint une plus grande célébrité qu'elle ne méritait, dit-il brutalement. A l'âge de seize
ans, elle fut prostituée à Henri III, par l'intermédiaire du duc
d'Épernon. Henri III la paya 6.000 écus, dont Matigny, qui
avait la garde du trésor royal, conserva 2.000. Le roi se lassa
d'elle promptement, et sa mère la livra à Zamet, et plus tard,
au cardinal de Guise, qui vécut avec elle pendant un an. La
belle Gabrielle passa ensuite au duc de Longueville, puis au
duc de Bellegarde, et à plusieurs autres gentilshommes voisins
de Cœuvres (maison de campagne de son père). Finalement,
le duc de Bellegarde la présenta à Henri IV. »

En dépit des insinuations de Bassompierre, Gabrielle se
refusa d'abord à être la maîtresse du roi. Soit réelle affection
pour Bellegarde, soit manque d'ambition, soit peut-être accès
de vertu bien rare à cette époque, elle ne manifesta aucun
désir de lui céder. Elle ne vit en lui ni le souverain follement
épris, ni le sage et clément père de ses peuples, ni même le
vaillant capitaine, héros des guerres civiles, mais simplement
un homme sentimental, de taille moyenne, au long nez mince,
aux yeux d'un éclat extraordinaire, à la barbe grisonnante
et agressive, un homme aux vêtements usés, parfois tachés
du sang et de la fumée des combats, mais qui n'était ni parfumé, ni frisé, et souvent, on doit le reconnaître, mal lavé.
C'est sous cet aspect peu engageant qu'apparaissait à Gabrielle
le martial Henri de Navarre, le héros d'Arques et d'Ivry, le
don Juan pour l'amour duquel cent dames de la Cour sou-
piraient d'avance. Mais la jeune fille ingénue, comparant
désavantageusement ce prétendant royal à son grand, beau
et élégant cavalier, M. de Bellegarde, repoussa, avec un gentil
dédain, les avances timorées de l'homme mûr.

Peu de temps après sa première rencontre avec Gabrielle,

Henri IV éprouva un violent désir de la revoir, et se glissant entre les deux armées au péril de sa vie, il poussa jusqu'à Cœuvres, déguisé en paysan et portant sur l'épaule une botte de paille. Sa seule récompense fut un éclat de rire de Gabrielle et de sa sœur, que son apparition surprit dans une galerie du château. « Vous êtes si affreusement laid, s'écria franchement la jeune fille, qu'on ne peut vous regarder. »

Cependant, Jean-Antoine d'Estrées, voyant la folle passion du roi pour sa fille, saisit l'occasion de refaire sa carrière, qu'avait compromise la perte de La Fère, due à sa négligence. Pour atteindre ce but, il déploya une remarquable adresse. Il défendit au roi de fréquenter sa fille. Et il confia la garde de Gabrielle à sa sœur, madame de Sourdis, dont le mari était en disgrâce pour avoir rendu Chartres, et dont l'amant, le chancelier de Cheverny, n'aimait pas le roi. Cependant, le roi leva les scrupules du père et de la tante, en leur faisant les promesses qu'ils escomptaient, et peu après l'échec de sa deuxième visite à Cœuvres, Henri persuadait à Jean d'Estrées de conduire sa fille à Mantes où se trouvait alors la Cour. Le triste mais loyal M. de Bellegarde s'effaça discrètement. Et le roi trouva un époux convenable pour Gabrielle en la personne de M. de Liancourt. Ce mari ne se résigna pas pourtant à laisser sa femme le jour du mariage. Et toute la Cour se divertit du chagrin de l'épousée, momentanément abandonnée par son amant, à la merci d'un étranger peu séduisant. L'événement inspira même au spirituel abbé du Perron quelques vers libertins.

Quelques mois après son mariage, Gabrielle quitta son mari pour toujours. Au mois de février 1591, les deux maisons d'Estrées et de Sourdis accompagnèrent Henri IV au nouveau siège de Chartres, et pendant ces opérations, Gabrielle devint la maîtresse du roi. Les officiers de l'armée assiégeante quittaient les tranchées à la nuit tombante pour venir danser au château et dans les tavernes voisines. Et quand la place succomba, l'oncle de Gabrielle en reçut le gouvernement à titre de récompense. Quelques mois plus tard, Jean d'Estrées, père de la nouvelle favorite, était nommé à son tour gouverneur de Noyon, que le roi avait investie pour plaire à la belle.

Cependant, le comte d'Essex et sir Roger Williams s'impatientaient de voir ajourner l'attaque de Rouen, un des buts principaux de l'expédition de Normandie. En dépit de leur irritation, ce fut seulement quelques mois après la chute de Noyon que Henri IV se décida à s'éloigner de Gabrielle, pour marcher sur la capitale normande tenue par la Ligue. A la fin d'octobre, trouvant le prince toujours attardé à Noyon, trois mois après le débarquement des troupes anglaises à Dieppe, l'ambassadeur Undon en manifestait son mécontentement à la reine Élisabeth : « Le roi a décidé de séjourner dans cette place à cause de son grand amour pour la fille du gouverneur laquelle est toute-puissante sur lui. » Quand, enfin, il eut entamé le siège de Rouen, Henri, au grand désespoir de ses alliés britanniques, quitta plus d'une fois l'armée pour venir chasser avec Gabrielle ou lui rendre visite à Dieppe. Et « la sainte de cette cité, à laquelle Henri disait ses prières et faisait ses dévotions », au dire d'un autre observateur, n'était autre que la belle 1avorite.

A en croire Bassompierre, les premières relations de Henri et de Gabrielle ne furent point de nature à avoir des suites. Et quand son médecin d'Alibours l'informa que la jeune femme était enceinte, le roi manifesta un étonnement ingénu. « Que dites-vous là, compère ? s'écria-t-il avec humeur. Comment peut-elle être grosse ? Je sais bien que je n'ai rien fait pour cela. » Quelques jours plus tard, l'indiscret médecin mourait, et les ennemis de Gabrielle l'accusèrent de l'avoir empoisonné.

Si la maîtresse royale avait séduit l'armée devant Chartres par sa beauté, elle captiva entièrement le prince par une tendresse dévouée qui s'accrut avec les années. Ses premiers scrupules à l'égard d'une liaison où elle ne mit tout d'abord aucune passion s'étaient bientôt évanouis, et elle s'abandonna entièrement à sa destinée. Comme il était sans doute inévitable, elle renoua occasionnellement avec Bellegarde et donna à Henri de sérieux motifs de jalousie, puisqu'à deux reprises, il surprit les deux amants. Elle n'en donna pas moins un bonheur presque singulier et conjugal au souverain impulsif et sentimental. La sœur du prince, Catherine de Navarre, qui avait hérité les vertus austères de Jeanne d'Albret, avait

pour elle une franche affection et fut la marraine du premier
enfant né de ces amours royales. D'ailleurs, la folle passion
de Henri IV ne cessait de grandir. A la naissance de son fils
César, bien que l'enfant fût légalement un Liancourt, et puta-
tivement un Bellegarde, on pouvait du moins le suspecter,
la joie du souverain ne connut plus de bornes. Cédant aux
instances de Gabrielle, il se déclara le père de l'enfant et le
créa duc de Vendôme.

Gabrielle était capable d'un dévouement loyal et profond.
Au cours d'une maladie de Henri IV, à Saint-Denis, en octobre
1592, elle fut dévorée d'inquiétudes et lui écrivit d'une plume
tremblante : « Je meurs de frayeur. Rassurez-moi, je vous en
conjure, en me disant comment se porte le plus brave de tous
les hommes au monde. Je crains que son mal ne soit très grave.
Bien que j'aie envoyé deux fois prendre de vos nouvelles
aujourd'hui, je ne pourrais dormir sans vous envoyer mille
tendres bonsoirs, car je ne suis pas douée d'inconstance. »
Et la femme au cœur tendre ajoutait : « Je suis la princesse
Constance, sensible à tout ce qui vous touche, indifférente
à tout ce qui n'est pas vous. » Constante, elle ne l'était guère
cependant, sauf dans son amour pour Bellegarde. Quand le
roi découvrit pour la première fois cette infidélité, un jour
où Bellegarde s'échappa par une fenêtre voisine de la chambre
de Gabrielle, il écrivit tristement à sa maîtresse, en lui manifestant ses trop légitimes soupçons : « Si j'avais su ce que j'ai
appris depuis mon retour à Saint-Denis, je ne vous aurais pas
vue et j'aurais tout rompu. J'aurais brûlé ma main et coupé
ma langue plutôt qu'admettre pareille chose de vous. »

Dans la même lettre, le roi assurait qu'aucune autre maîtresse ne l'avait rendu ainsi jaloux. Et on peut le croire. Les
fréquentes infidélités de sa femme, la reine Margot, qu'il avait
épousée et quittée dans des conditions si singulières, l'avaient
laissé indifférent, ou du moins presque froid. Les reproches
amers de Henri III n'avaient pas réussi à éveiller sa jalousie
à l'égard de la belle Charlotte de Sauve, quand elle distribuait
impartialement ses faveurs entre lui, le duc d'Alençon et le
duc de Guise.

Toutefois, il sut maîtriser son nouveau sentiment de jalousie,

Plus affamé d'amour que de possession exclusive, très désireux de perpétuer sa race et anxieux, dans son âge mûr, comme son grand-père Henri d'Albret, de voir naître des fils de son sang, il prodigua à la jeune mère de sa progéniture toutes les marques d'une passion ardente et protectrice, qui éleva Gabrielle presque au trône, et ne s'éteignit qu'à la mort de la favorite.

CHAPITRE XVI

LES ÉTATS-GÉNÉRAUX DE PARIS.
LA CONVERSION DU ROI ET LA TRÊVE
GÉNÉRALE

Avec la mort du prince de Parme, en décembre 1592, l'Espagne voyait s'évanouir tout espoir d'une nouvelle intervention militaire en France. Un mois plus tard, les États-Généraux convoqués par le duc de Mayenne s'assemblèrent à Paris, pour la première fois depuis l'assassinat du duc de Guise. Les députés se réunirent dans la grande salle du Louvre. Le Clergé et le Tiers-État comptaient de nombreux représentants, la noblesse beaucoup moins, maints gentilshommes étant déjà ralliés au roi, d'autres préféraient attendre prudemment les événements dans leurs terres.

Dès l'ouverture, deux partis se manifestèrent dans l'Assemblée, celui de Mayenne et celui de l'Espagne, ouvertement appuyé et secrètement intimidé par le Légat du Pape et le duc de Féria, envoyé de Philippe II. La faction d'Espagne parut prédominer et proposa tout d'abord l'élection de l'Infante Isabelle comme reine de France. Puis, devant l'inévitable résistance qu'une si flagrante abdication de la volonté nationale soulevait chez les députés, elle suggéra le choix d'un prince de sang français, en désignant tour à tour le jeune duc de Guise, neveu de Mayenne, et le cardinal de Bourbon, le neveu du vieux cardinal, qui avant de mourir en prison, avait été proclamé roi de France par Mayenne lui-même, au lieu du proscrit Henri de Navarre. A l'un ou l'autre de ces candidats, en cas de succès, on proposait la main d'Isabelle, qui régnerait conjointement avec lui. On offrait au duc de Mayenne, en échange de son consentement, la lieutenance générale du royaume, la province de Bourgogne et une large somme d'argent.

Les prétentions personnelles de l'Infante furent soutenues avec vigueur, et les prêtres de Paris prêchèrent en chœur des sermons en sa faveur. Mais le reste du Parlement, s'élevant enfin de sa longue léthargie au sens de la responsabilité nationale et sous le coup de l'indignation provoquée par les insolentes propositions de Féria, rendit un arrêt déclarant solennellement que le trône de France ne devrait passer à aucun prince étranger.

Pendant ce temps, les catholiques royalistes avaient proposé aux Ligueurs de négocier. On avait choisi Suresnes pour l'entrevue. Quand les délégués de la Ligue s'y rendirent, ils furent poursuivis par les cris des Parisiens qui réclamaient la paix à n'importe quel prix.

L'archevêque de Bourges et le huguenot de Thou représentaient le roi à cette conférence. Mettant à profit la violence des récentes bulles d'excommunication du Pape, ils s'efforcèrent de convaincre les Ligueurs du danger auxquels les desseins de l'Espagne et du pontife exposaient le pays. Et tandis qu'on faisait valoir cet argument aux délégués, les partisans catholiques du roi le pressaient inlassablement d'abjurer la religion protestante. Et celui qui parlait le plus haut en faveur d'une conversion publique était ce sombre et intrigant François d'O, l'ancien mignon de Henri III, et qui, devenu surintendant des finances, continuait à pressurer le trésor royal. Ces conseillers l'emportèrent enfin, et Henri IV se décida à faire « le saut périlleux », comme il écrivait plaisamment à Gabrielle.

Cette conversion à la foi catholique allait remplir de tristesse le cœur des protestants dans toute l'Europe, provoquer la colère d'Élisabeth et valoir au prince les reproches les plus amers et les plus ironiques, enfin éloigner de lui les plus héroïques soutiens de la cause des huguenots, comme d'Aubigné et Mornay. Le roi ne se résigna donc pas à un acte aussi grave sans de sérieux débats, ni sans mûres réflexions, mais mû par des considérations d'ordre politique et des sentiments personnels qu'on peut ramener à quatre.

Le protestantisme n'étant professé que par une minorité ne deviendrait jamais la religion nationale de la France.

Tant que les catholiques auraient la majorité, seul un roi catholique serait reconnu par tout le pays.

La conversion du roi lui permettrait d'assurer aux deux religions la liberté du culte, et de garantir aux églises réformées en particulier la protection précédemment accordée par les divers édits de tolérance, promulgués puis répudiés par ses prédécesseurs.

Enfin, à moins qu'il n'écartât définitivement les craintes que les plus modérés ligueurs manifestaient sincèrement à l'égard d'un souverain huguenot, les États Généraux éliraient pour roi un membre de sa propre maison, le jeune cardinal de Bourbon.

Ce fut ce dernier argument, mis en avant par les perfides insinuations de M. d'O, qui finalement persuada Henri IV. Après qu'il eut annoncé publiquement en Conseil, le 19 mai, son intention de changer de religion, le roi eut un long et pénible entretien avec Duplessis-Mornay, et pour se défendre contre les reproches du vieux huguenot, il mit devant lui son âme à nu. « Je me trouvais au bord du précipice, lui confia-t-il. J'avais contre moi mes propres catholiques et ceux de la foi réformée étaient prêts à m'abandonner. Je n'avais pas d'autre issue. Et peut-être après tout, la rivalité entre les deux religions n'est-elle due qu'à l'animosité réciproque de ceux qui les prêchent. Je tenterai quelque jour de l'apaiser, de ma propre autorité. »

Sitôt en vue la fin de la longue lutte, les événements se précipitèrent. Brusquement, Mayenne vit sa popularité dans Paris s'évanouir. Le récent arrêt du Parlement rejetant la candidature au trône des princes étrangers, avait anéanti ses prétentions, Mayenne et Guise, princes de la maison de Lorraine, étant légalement des étrangers eux-mêmes. L'opinion publique s'était détournée de la faction ligueuse pour soutenir le Parlement et aspirer à la paix. Le 22 juin, les Espagnols firent un effort désespéré pour corrompre les représentants des États Généraux par une large distribution d'or. Mais le destin de la France n'était plus entre leurs mains. Depuis des semaines, les hostilités avaient été suspendues entre les troupes royales et la garnison de Paris. Une trêve de dix jours accordée par Henri, lors des conférences de Suresnes, fut prolongée pour trois mois. Les portes de Paris restaient ouvertes depuis l'aube jusqu'à la tombée de la nuit. Nobles et bourgeois, depuis si longtemps emmurés dans la capitale assiégée, se rendaient en foule à Saint-Denis, quartier général du roi, pour contempler avec curiosité et même avec admiration le prince hérétique proscrit et excommunié, que ni l'armée espagnole ni les foudres du Pape n'avaient réussi à abattre. Ils trouvèrent Henri tout prêt à pardonner, accueillant d'un sourire ou d'une plaisanterie ces Parisiens rebelles qui l'avaient tenu à distance pendant quatre ans, entouré de théologiens des deux religions, et répliquant avec malice aux reproches ou aux admonitions que lui adressaient tant les cardinaux catholiques que les pasteurs protestants.

Depuis l'annonce publique de sa conversion, les négociations se poursuivaient journellement avec les prélats en vue de cette cérémonie. Henri n'était pas un docile néophyte. Il ne manquait aucune occasion de mettre les défenseurs des deux croyances en face des particularités fondamentales de leur religion et de l'insignifiance des différends qui les séparaient. Et quoique n'ayant rien lui-même d'un casuiste, il obligea les redoutables doctrinaires de Genève, entr'autres le farouche et irréconciliable Mornay, à reconnaître la sagesse politique de son choix. Un jour, ayant écouté, tour à tour, le sermon d'un évêque catholique et la harangue d'un ministre huguenot, il entendit celui-ci admettre à regret qu'un homme pouvait sauver son âme dans la religion catholique. « Comment, s'écria le roi. Vous reconnaissez qu'on peut être sauvé dans la foi de ces messieurs ? » et le calviniste répliquant qu'il n'en doutait pas, pourvu que l'intéressé vécût honnêtement, Henri conclut sur un ton grave, accompagné d'un clignement malicieux : « La prudence me commande donc d'adopter leur religion et non la vôtre, car ce faisant, je suis sauvé à leurs yeux comme aux vôtres, mais en choisissant votre croyance, je ne suis sauvé que pour vous et non pour eux. La sagesse veut que je m'assure doublement. »

Et comme le pasteur La Faye le suppliait « de ne pas donner à ses coreligionnaires la honte de le voir arraché de force à l'Église protestante », le roi répliqua avec colère : « Si je suivais votre avis, en peu de temps, il ne resterait plus en France ni roi ni royaume. Je veux apporter la paix à tous mes sujets et le repos à mon âme. Discutez entre vous les mesures nécessaires à votre sécurité, et je suis tout prêt à vous satisfaire. »

Le 21 juillet, les évêques de l'Église gallicane convoqués à Saint-Denis décidèrent qu'ils avaient le pouvoir de donner au roi l'absolution immédiate, quitte à demander plus tard la confirmation au Pape. Le 23, après une conférence qui dura cinq heures, Henri déclara brusquement aux prélats qu'il se jugeait suffisamment instruit de la foi catholique. Se levant du siège qu'il occupait dans l'Assemblée, il leur dit, sur un ton de ferveur assez rare chez lui : « Aujourd'hui, je remets mon âme à votre garde. Prenez-en bien soin, je vous prie, car je n'abandonnerai jamais jusqu'à mort ceux dans la compagnie desquels je veux entrer aujourd'hui, et de cela je fais le serment entre vos mains. » Le même jour, il écrivait à Gabrielle la fameuse lettre qui lui annonçait que le samedi suivant, il ferait « le saut périlleux ».

Le jour fixé pour l'abjuration s'ouvrit sous d'heureux auspices. Avant de se lever, le roi fit asseoir à son chevet le pasteur La Faye, et s'entretint quelque temps avec lui, lui parlant à voix basse, le tenant affectueusement par l'épaule, puis il l'embrassa tristement. Quittant le palais de l'abbé qui lui servait de logement, il se dirigea vers l'église de Saint-Denis. La journée était d'une chaleur étouffante. Les rues étroites, jonchées de fleurs à profusion, bourdonnaient des murmures d'une grande foule de gens venus de Paris et de tous les environs pour jouir du spectacle. Précédé de sa garde, et escorté des princes et des seigneurs de la Cour, le roi s'avança lentement au son joyeux des tambours et des trompettes. Il portait un pourpoint de satin blanc brodé d'or, un haut-de-chausses de même étoffe, des bas et des souliers blancs, un manteau et un chapeau noir garni, dont la plume, également noire, signifiait que les temps héroïques du panache blanc étaient révolus.

Il fut accueilli dans l'église par l'archevêque de Bourges, entouré des autres prélats, et à la question : « Que demandez-vous ? », il répondit à haute voix : « Je demande à être reçu au giron de l'Église catholique, apostolique et romaine. » Puis il se mit à genoux, récita la formule d'abjuration et reçut l'absolution. Au pied de l'autel, il renouvela son serment, et après s'être confessé, il entendit la première messe à laquelle il eût assisté depuis sa fuite de la cour de Henri III. La cérémonie terminée, le roi retourna à l'abbaye avec la même pompe, et, ayant fait ouvrir les portes, il prit son repas sous les yeux de la foule, qui se pressait au dehors pour le voir et l'acclamer.

Le soir, tout le pays entre Paris et Pontoise fut illuminé de feux de joie, et dans la capitale même, où les États Généraux siégeaient toujours en leur solennelle impuissance, où les représentants de l'Espagne, sous l'objurgation des délégués de l'Espagne, mettaient en garde les chefs de la Ligue découragés contre la menace du triomphe de Henri IV, la nouvelle fut accueillie avec des réjouissance presque publiques. Les termes de l'acte d'abjuration avaient été soigneusement discutés durant la semaine des négociations précédentes. Sous son principal article, le roi jurait « de vivre et de mourir dans la religion catholique, apostolique et romaine, de la protéger et défendre envers et contre tous, au péril de son sang et de sa vie, renonçant à toutes hérésies contraires à icelle. »

D'autres clauses plus humiliantes avaient été insérées dans l'original de l'acte, relatives à l'attitude future du prince envers les hérétiques. Elles furent effacées sur sa demande. Ce fut cependant ce document complet que les malins évêques firent porter à Rome par le duc de Nevers, pour persuader le Pape du caractère draconien qu'avait revêtu l'abjuration. Bien qu'elle irritât et décourageât les protestants du royaume et d'Europe en général sans désarmer les plus enragés des Ligueurs, la conversion de Henri IV fut néanmoins approuvée par le plus grand nombre de ses conseillers, comme un acte de sagesse politique.

La cause royaliste en était arrivée au tournant critique. Le petit groupe des courtisans qui avait partagé et dilapidé la fortune de Henri III déplorait la mauvaise chance qui leur avait donné un roi de fer succédant à un roi doré. Au lieu des faveurs que celui-ci accumulait sur eux, celui-là les accablait de guerres, de sièges et de batailles. Ils se refusaient à supporter plus longtemps ces intolérables fatigues « et à demeurer prisonniers dans leurs armures comme des tortues, avec du fer sur la poitrine et du fer sur les épaules ».

Un roi élevé à la manière huguenote, nuit et jour en selle, vivant du pillage des villes ou du maigre bien des paysans, se chauffant au feu de leurs maisons incendiées, et couchant dans les écuries avec ses chevaux ou dormant dans les étables, celui-là n'était pas un roi selon leur cœur. Certes, ces hommes de guerre délicats ne faisaient pas fi d'une courte campagne, pourvu qu'elle fût suivie d'une longue période de repos et d'oisiveté, avec tous les passe-temps à la mode, mais le prince qu'ils servaient, sans autre répit que des trêves d'armes, ne recherchait d'autre plaisir que les arquebusades, les périls et les dangers du combat. Tel fut, au dire d'un chroniqueur contemporain, le thème des conversations entrelardées libéralement de calembours, plaisanteries et épigrammes, que le roi, excédé, put entendre de son antichambre pendant les mois qui précédèrent son abjuration.

Même le farouche Mornay, nonobstant le ressentiment violent que lui causait secrètement la conversion du roi, dut reconnaître que sans cet acte la cause de Henri IV était perdue. Et le belliqueux mais sage Maximilien de Béthune, baron de Rosny, bien que bon huguenot, écrivait complaisamment à son maître qu'un « catholicisme bien accepté et convenablement reçu lui rendrait de considérables services. » Ce même compagnon dévoué avait d'ailleurs fait remarquer au roi, dans un amusant bavardage rabelaisien, la tâche presque désespérée qu'il lui eût fallu entreprendre pour réduire le royaume entier à l'obéissance par la force des armes. « Il vous faudra, dit-il à Henri, passer par un milliasse de difficultés, fatigues, peines, ennuis, périls et travaux, avoir continuellement le cul sur la selle, la cuirasse sur le dos, le casque en la tête, le pistolet au poing et l'épée en main, mais qui plus est, dire adieu au repos, plaisirs, passe temps, amours, maîtresses, jeux, chiens, oiseaux et bâtiments. De vous conseiller d'aller à la messe, Sire, c'est chose que vous ne devez pas, ce me semble, attendre de moi qui suis de la Religion, mais pourtant vous dirai-je que c'est le plus prompt et le plus facile moyen pour faire aller en fumée tous les plus malins projets. »

A ces conseils d'opportunité politique vinrent se joindre, dans les mois qui précédèrent « le saut périlleux », les prières de la tendre Gabrielle. Sully fait allusion « aux supplications avec larmes » dont usa la royale maîtresse pour persuader son amant de franchir ce pas difficile. Et en fait, la perspective d'une telle mesure avait plongé Henri dans un tourment d'ordre plus sentimental que spirituel. Médiocrement ému par les discussions théologiques, il éprouvait, par contre, un déchirement profond à abandonner la religion dans laquelle il avait été élevé, et un parti où il avait trouvé, dans l'adversité, l'appui de tant de cœurs loyaux. Par une lettre que lui adressa un mois avant l'abjuration Gabriel Damours, le pasteur à la tête blanche qui avait entonné la prière des huguenots à la bataille d'Arques, on peut se faire une idée de la perplexité du prince et du combat que se livraient en lui les deux influences rivales entre lesquelles balançait sa décision. « Si vous aviez seulement écouté votre ministre Gabriel Damours, Sire, écrivait le vieillard, comme vous écoutiez Gabrielle, votre amante, je verrais toujours en vous un roi généreux triomphant de ses ennemis. Mais on dit que vous êtes prêt à faire comme Salomon quand il tourna à l'idolâtrie. Ce fut une femme qui l'y conduisit. »

Très certainement, Gabrielle joua un rôle important dans la conversion de Henri IV. Le souverain vivait toujours sous le charme de cette jeune femme de vingt-deux ans, à la beauté enchanteresse en ses grâces délicates. Au début de leur liaison publique, les pasteurs l'avaient dénoncée à haute voix comme une Jézabel, en blâmant hardiment l'adultère royal. Cependant, les huguenots les plus avisés avaient vu dans cette favorite un précieux allié politique, et il n'avait guère fallu de persuasion aux plus vieux conseillers du roi, au moins, pour faire de la jeune et belle maîtresse le plus chaud avocat de la cause des protestants à la Cour. Mais des années vécues dans une atmosphère de flatterie et d'intrigue ne pouvaient manquer de laisser leur marque sur le souple caractère de

Gabrielle. Et après la naissance de son premier enfant, César de Vendôme, elle prêta une oreille de plus en plus complaisante à la voix de l'ambition qui lui faisait entrevoir l'éblouissante promesse d'un mariage royal. Les ministres protestants, insinuait cette voix malicieuse, étaient impuissants, même s'ils l'avaient voulu, à annuler son premier mariage avec M. de Liancourt. Le Pape seul pourrait dissoudre une telle union, et de la sympathie de l'Église catholique comme de la plus grande liberté qu'elle en escomptait, dépendait son bonheur à venir et le sort de ses enfants. « Dès lors, écrivait d'Aubigné, à toutes les heures possibles de jour et de nuit, elle employa sa grande beauté à presser le roi de se convertir. »

Six jours après l'abjuration publique de Henri IV, une trêve générale de trois mois fut signée à La Villette, à mi-chemin entre Paris et Saint-Denis. La conversion du roi, jointe à la lassitude générale que la nation ressentait de la guerre, avait achevé la désintégration de la Ligue. Même avant que fût signé officiellement le traité, le quartier royal de Saint-Denis était devenu le rendez-vous à la mode des nobles et des marchands de Paris. Les veuves et les filles des ligueurs, dont beaucoup étaient secrètement amoureuses de jeunes seigneurs de l'entourage du roi, poussaient activement au schisme dans les rangs de la Ligue, et même les grandes dames de la maison de Lorraine n'échappaient pas à la contagion de romanesque qui sévissait parmi les ennemis de la veille. La belle mademoiselle de Guise, sœur du jeune duc dont le Parlement avait si énergiquement rejeté les prétentions au trône, conçut une violente passion pour M. de Bellegarde et il semble que le bel écuyer l'ait payée de retour, à la grande satisfaction du roi, son rival dans l'amour de Gabrielle. Et durant les mois pendant lesquels la Cour se tint aux portes de la capitale, avant l'entrée finale de Henri IV comme souverain reconnu, nombre d'intrigues se nouèrent entre les jeunes officiers de l'armée royale et les dames de Paris délivrées, à leur grande joie, de la mortelle monotonie du siège, de l'ennuyeuse politique de partis, et de l'atmosphère énervante de l'intrigue et du fanatisme religieux.

Le brusque soulagement qui suivit la trêve agit comme un

charme sur les esprits inquiets des députés aux États Généraux. Préoccupés de leurs châteaux délabrés, de leurs fermes
abandonnées et des besoins de la prochaine récolte, des gentilshommes des provinces éloignées réclamèrent des sauf-conduits et l'autorisation de s'en retourner. Le 8 août, le duc de
Mayenne, bien à regret, ajourna l'assemblée, après avoir engagé
les représentants à respecter leur serment d'allégeance à la
Ligue, et à se réunir de nouveau à la fin d'octobre. Cette
comédie terminée, les députés rentrèrent chez eux. Leur départ
fut le signal d'une dispersion générale des Ligueurs. A Paris,
les dernières convulsions se prolongèrent près d'une année,
sous le dur et ironique regard du duc de Feria et de Mendoza,
les ambassadeurs d'Espagne. Mais dans les provinces, les partisans de la Ligue rendirent leurs places l'une après l'autre.
Au cours de l'hiver 1593-94, Meaux, Cambrai, Fécamp, Aix-
en-Provence, Péronne, Montdidier, Orléans, Bourges et Lyon
ouvrirent leurs portes au roi, ou cédèrent après une courte
résistance. La ville de Meaux fut remise aux royalistes par
ce baron de Vitry, qui avait pris la tête du mouvement des
gentilshommes catholiques de Henri III, quand ils se séparèrent
de son successeur hérétique. Le gouverneur annonça publiquement sa soumission au prince converti, qui, par la suite,
l'en récompensa généreusement, et cette défection fut suivie
d'un grand nombre d'autres. Le vaillant huguenot Lesdiguières porta audacieusement la guerre sur le territoire du
duc de Savoie, allié de l'Espagne, et le conseiller, M. de Villeroi,
un des anciens piliers de la Ligue, qui allait devenir un habile
et loyal serviteur de Henri IV, ne tarda pas à se réconcilier
avec le roi, tout en pressant instamment le duc de Mayenne
de faire la paix de son côté.

Cependant, les portes de Reims, la ville traditionnelle du
sacre des rois de France, demeuraient obstinément closes.
Bien que les habitants fussent favorables à la cause du roi, le
gouverneur, M. de Saint-Paul, zélé ligueur, refusait de se
rendre. Henri IV, pour son couronnement, fut contraint de
chercher ailleurs. Ses hommes de loi, s'appuyant sur un pré-
cédant historique, fixèrent leur choix sur Chartres. Pour
remplacer la Sainte Ampoule d'huile dont saint Rémi s'était

servi pour le·baptême de Clovis, l'ingénieux clergé trouva un autre vase sacré que les moines de Noirmoutiers, à Tours, gardaient en grande vénération. La cérémonie se déroula le 27 février 1594, dans l'incomparable cathédrale de Chartres, en présence de l'évêque assisté de cinq autres prélats, du prince de Conti, de Montpensier, du comte de Soissons, des ducs de Luxembourg, de Retz et de Ventadour.

Cependant, l'autorité du roi de France avait été reconnue même à Paris, bien que secrètement. Dans les premiers jours de janvier, l'ancien Parlement de la Ligue, profitant de l'indépendance qu'il avait recouvrée, rendait un arrêt privé déclarant que la Couronne appartenait légitimement à Henri de Bourbon, roi de Navarre, qu'il avait plu à Dieu de faire rentrer dans le sein de l'Église catholique, et que le souverain avait demandé l'absolution du pape Clément VIII, laquelle, uniquement retardée par l'intervention d'un prince étranger, ne pouvait et ne devait être refusée ; et pour ces causes, ordonnait au duc de Mayenne, lieutenant général du royaume, de traiter dans le délai d'un mois pour une paix ferme et stable et à toute personne, de quelque qualité qu'elle fût, de reconnaître Henri pour roi.

Moins de trois mois après, Paris était enfin aux mains de Henri IV. Le gouverneur, M. de Belin, n'avait été retenu d'ouvrir ses portes aux troupes royalistes que par la crainte de Mayenne et ses 1.200 partisans armés, d'une part, de la garnison d'Espagnols, Wallons et Italiens, forte de 5.000 hommes, d'autre part. Le 15 janvier, le duc de Mayenne destitua ce gouverneur peu sûr et le remplaça par M. de Brissac, qui s'était distingué dans la journée des Barricades comme rebelle à l'autorité royale, et qui paraissait le dernier des gentilshommes capables de déserter la Ligue.

En fait, M. de Brissac fut le premier. Tandis que Mayenne adressait à Philippe II un pressant appel au secours, si Sa Majesté catholique voulait empêcher le triomphe du roi de Navarre, le gouverneur traitait secrètement avec Henri IV pour la remise de la ville. La corporation des marchands, le prévôt Lhuillier à sa tête, avait déjà entamé des négociations de son côté. Le 22 mars, profitant de l'absence du duc de

Mayenne, parti pour Soissons où une armée espagnole se rassemblait sous le comte de Mansfeld, M. de Brissac laissa les troupes royales prendre possession de la capitale. Sous un prétexte ou sous un autre, il éloigna les régiments étrangers qui gardaient la porte Saint-Denis, la porte Saint-Honoré, et la Porte Neuve, près des Tuileries, par laquelle Henri III s'était enfui six ans auparavant, et il mit à leur place des hommes à lui, qui étaient dans le secret. Le 22, à quatre heures du matin, les troupes royales parurent devant la Porte Neuve, M. de Saint-Luc à leur tête, marchant à pied et le pistolet à la main. Salués par le déloyal gouverneur, M. de Brissac, et par le prévôt Lhuillier, l'avant-garde pénétra dans la ville et suivit les murs à l'ouest jusqu'à la porte Saint-Honoré dont elle s'empara rapidement. La seule résistance qu'elle rencontra fut celle d'une compagnie de mercenaires allemands au service des ligueurs, auquel on ordonna de mettre bas les armes. Sur leur refus, le maréchal de Matignon les chargea à la tête de ses Suisses. Une vingtaine des récalcitrants furent tués, et autant jetés dans la Seine. Aucun autre incident violent ne marqua l'occupation de Paris.

Peu de temps après, le roi fit son entrée dans sa capitale. Il était à pied, revêtu de son armure complète, escorté des archers de sa garde et accompagné de quatre cents gentilshommes. Il suivit la rive droite de la Seine jusqu'au pont Saint-Michel, où il fut salué par M. de Brissac. Henri embrassa chaleureusement le gouverneur et lui passa l'écharpe blanche à ses propres couleurs. Le prévôt des marchands, Lhuillier, présenta alors au roi les clefs de la ville, non sans avoir qualifié sévèrement, dans un aparté que surprit l'oreille du roi, le désintéressement fort sujet à caution de M. de Brissac. Comme le digne gouverneur, au moment de la remise des clefs, disait au prince avec quelque emphase : « Il faut rendre à César ce qui est à César », le prévôt lança cette pointe à mi-voix : « Rendre et non pas vendre. » Sans se laisser émouvoir, Brissac poussa un grand cri d'enthousiasme de : « Vive le roi ! » L'acclamation, répétée par la foule qui remplissait les rues en dépit de l'heure matinale, avertit bientôt tout Paris que le souverain était dans les murs. Sous les yeux d'un immense concours de peuple, Henri IV se rendit à Notre-Dame, s'agenouilla devant l'autel et remercia Dieu d'avoir permis que la ville lui fût remise presque sans effusion de sang. En dépit de la colère intérieure qu'ils éprouvaient du triomphe d'un adversaire qu'ils avaient journellement dénoncé pendant des années, les prêtres de la cathédrale, dissimulant leur ressentiment, saluèrent le roi avec respect.

Déjà, il avait fait savoir qu'il pardonnerait complètement toutes les offenses commises sous la domination de la Ligue, sauf celles des assassins de son prédécesseur Henri III. Quand il quitta la vieille cathédrale, la foule avait grossi considérablement et les acclamations redoublèrent, tandis que les cloches de toutes les églises lançaient leurs volées d'allégresse. Les grandes feuilles imprimées qui promettaient l'amnistie circulaient de main en main. Et bien que, dans certains quartiers, quelques meneurs isolés eussent tenté de soulever la population, les Parisiens, en général, semblaient mus par des sentiments complexes de soulagement, de fierté, de curiosité et d'enthousiasme.

Ce fut à travers une foule compacte que Henri marcha jusqu'au Louvre, sans autre escorte armée que les archers de sa garde. Il s'avançait lentement, son chapeau à la main, ses yeux se levant curieusement vers les fenêtres garnies de femmes qui agitaient leurs mouchoirs et pleuraient d'attendrissement. Au cours de cette marche triomphale, quelques incidents valurent la popularité des impressionnables Parisiens à l'homme d'ordre et au prince pacifique qu'on leur avait représenté comme un impitoyable capitaine d'aventuriers gascons. Un soldat de sa suite, se sentant grand'faim, quitta les rangs, entra dans la boutique d'un boulanger, et en ressortit tenant deux pains sous son bras, poursuivi par le commerçant indigné. Le roi avait vu le larcin. Il ordonna sévèrement au délinquant de restituer les pains, et menaça de la peine de mort quiconque se rendrait coupable d'atteinte à la loi civile. Un peu plus loin, le jeune La Noue, le fils du héros du premier siège, se vit entouré brusquement, malgré ses protestations, par les sergents d'un huissier qui l'arrêtèrent pour une dette contractée par son père et demeurée impayée depuis

longtemps. Henri intervint encore judicieusement, à la grande
satisfaction des habitants, mais à l'étonnement des gentilshommes de sa suite. Il prit ouvertement la défense du créan-
cier, en disant à La Noue fort déconfit : « Vous devez payer
vos dettes comme je paie les miennes. » Cependant, il prit à
part le débiteur embarrassé et lui donna quelques bijoux de
sa propre bourse pour régler le compte.

Un peu étourdi par les acclamations montant de sa capitale
qui l'avait honni, détesté et proscrit pendant six ans, et dans
laquelle il n'avait pas mis les pieds depuis son évasion de la
cour de Henri III, Henri entra au Louvre. En pénétrant dans
ce bâtiment sombre et bas, la vieille enceinte carrée de Philippe le Bel, les souvenirs de sa jeunesse surgirent de sa mémoire. Il revit, dans un éclair, les scènes tragiques dans lesquelles il avait figuré, acteur ou spectateur, son mariage, le
massacre de la Saint-Barthélemy, les humiliations qu'il avait
subies, sa captivité et sa fuite. Le sinistre palais, à moitié
désert, n'avait guère changé. Il semblait au roi n'avoir jamais
quitté ces murs dont les profondeurs ténébreuses évoquaient
le redoutable fantôme de Catherine, ces appartements où
flottait encore le parfum de Marguerite de Valois. Mais dans
la longue galerie du palais, une table était dressée, couverte
de viandes, chargée de fruits et de vins. Et sa vue fit briller
les yeux du monarque, un moment assombris par les visions
du passé. Il s'assit de très bonne humeur, et ordonna d'ouvrir
les portes à la foule qui s'y pressait. « Il y a tant d'années,
s'écria-t-il joyeusement, qu'ils n'ont pas vu le roi à table. »

La garnison wallonne et espagnole, qui occupait le quartier
Saint-Antoine, avait assisté passivement à la prise de possession de la cité par l'ennemi de Philippe II. Don Diègue d'Ybarra
poussa cependant une reconnaissance sur le Louvre, mais,
tombé soudainement sur un détachement de soldats qui portaient la cocarde blanche, il battit prudemment en retraite.
A midi, le gouverneur, M. de Brissac, vint trouver le duc de
Feria de la part du roi, et lui remit un sauf-conduit, en le
priant de quitter la ville sans délai. A trois heures, les troupes
étrangères sortirent de Paris par la porte Saint-Denis, pour
aller se joindre à celles de Mayenne et du comte de Manfeld

à Soissons. Henri assista d'une fenêtre à leur départ. Feria et ses capitaines, raides dans leurs armures, le saluèrent gravement en passant, mais sans faire incliner les étendards. Dissimulant sa joie à grand'peine, le roi leur fit de la main un signal d'adieu, en ajoutant ironiquement : « Messieurs, recommandez-moi à votre maître, mais n'y revenez plus. »

La libération de la cité fut suivie d'un nouveau triomphe pour le prince. Peu après, dans l'après-midi, une députation du clergé vint le saluer, composée de tous les ordres religieux de Paris, à l'exception des Jésuites et des Franciscains. Les membres du Conseil de Ville demandèrent audience à leur tour, et se présentèrent humblement, le chapeau à la main, pour solliciter leur pardon.

Le roi se montra plein de clémence. A peine si son attitude à l'égard de ses plus notoires ennemis se teinta de quelque ironie malicieuse. Le plus grand nombre de ceux qui avaient trempé leurs mains dans le sang des huguenots, vingt ans auparavant, reçurent leur entier pardon. Toutefois, cent quarante des assassins les plus notoires, inféodés à la Ligue, furent bannis de la capitale, ou autorisés à se retirer, munis d'un sauf-conduit. Parmi eux, on comptait le sanguinaire Boucher, d'autres prêtres fanatiques, l'irréductible ligueur Rose, évêque de Senlis, et les onze survivants des Seize. Pas un ligueur ne fut condamné à mort, ni même à l'emprisonnement. Ainsi, par sa générosité naturelle aussi bien que par une habile politique, le roi de France marqua son entrée dans sa capitale par un des actes de clémence les plus larges et les plus remarquables qu'ait mentionnés cette rude époque. Et comme, autour de lui, des huguenots implacables blâmaient cette amnistie sans réserve, Henri leur répliqua sévèrement : « Si vous qui parlez ainsi, répétiez chaque jour, de tout cœur, le *Pater Noster*, vous ne tiendriez pas tels propos. Je confesse que ma victoire me vient de Dieu qui me couvre de sa main, tout indigne que j'en suis, et de même il m'a pardonné, de même je veux pardonner à autrui, oubliant les fautes de mon peuple, en me montrant plus clément et miséricordieux que je le fus jamais. Si quelques-uns d'entre eux ont été oubliés, laissez-les reconnaître leurs fautes et ne m'en parlez plus. »

Le soir même de son triomphe, le roi envoya un de ses officiers chez ses vieilles ennemies, les duchesses de Montpensier et de Nemours, les deux furies jumelles de la Ligue. Et le lendemain, il se retrouvait à une table, jouant aux cartes et soupant avec la malicieuse duchesse de Montpensier elle-même. Elle ne semblait pas lui en vouloir de son étonnant changement de fortune, et bien que cette femme haineuse eût armé le bras de l'assassin de Henri III, bien que M. de Rosny avertît tout bas le prince de se méfier du poison, le roi accepta gaiement des fruits de la belle main endiamantée, et assura son hôtesse qu'il lui gardait toute sa confiance.

Seul le légat du Pape, auquel Henri avait dépêché le cardinal du Perron, chargé d'un message de conciliation, répliqua froidement en demandant un délai de quelques jours pour mettre ses affaires en ordre avant de quitter Paris. L'autre représentant du Pape, le cardinal de Pellevé, était à ce moment à la mort, et sa fin fut hâtée par le triomphe du souverain.

Gabrielle d'Estrées elle-même, récemment créée marquise de Monceaux, fit son entrée dans Paris, peu de jours après son amant, escortée d'une compagnie d'archers, et reçue avec des honneurs royaux. Et tandis que Henri contemplait toujours un peu intimidé les splendeurs rigides du palais dans lequel il avait connu l'amertume de la défaite, la favorite s'installait dans l'hôtel du Bouchage, demeure richement garnie et voisine du Louvre, pour y jouir paisiblement de son triomphe.

CHAPITRE XVII

LE ROI ET LES PARISIENS
L'AMANT SENTIMENTAL

Pendant des années, l'imagination des Parisiens avait
travaillé sur la légende du roi de Navarre. Les pamphlétaires et caricaturistes de la Ligue l'avaient tour à tour flétri
et ridiculisé. Du haut d'une centaine de chaires, le clergé avait
déversé sur sa tête de nombreuses injures et des anathèmes, à
cause de son origine et de son hérésie. Les nobles avaient rallié
son inélégance gasconne, les capitaines, sa connaissance rudi-
mentaire de la guerre. Tout en se moquant de sa pauvreté,
les marchands étaient alarmés de la rapacité de ses compagnons faméliques. De l'homme lui-même, les Parisiens d'âge
mûr, évoquant dans leur mémoire l'image du jeune prince
de Navarre quand il épousait, vingt ans auparavant, Marguerite de Valois, ne se faisaient qu'un portrait assez vague.

Il était maintenant âgé de quarante et un ans. Sous son
chapeau à plumes, on apercevait les boucles grises de ses
cheveux. Sa vie de plein air et ses rudes campagnes avaient
foncé la couleur tannée de ses joues, héritée de son grand-père,
Henri d'Albret. Sa barbe, prématurément grise, mais fournie
et frisée, débordait son menton dans un mouvement presque
insolent. Sous les larges sourcils plissés, ses yeux brillaient
d'un éclat singulier. Son nez s'était visiblement allongé depuis
son enfance. Tout son langage révélait un extraordinaire
mélange de jeunesse spirituelle et de sage maturité, d'insouciante gaieté et de sobre réflexion. Pour ses intimes comme
pour le monde, ses manières étaient ouvertes, sans aucune
réserve. Sa bonne humeur habituelle, et dépourvue de prétentions, lui inspirait des mots vifs et spirituels. Mais sous l'apparente légèreté de son discours, sous le masque de bonhomie

qu'il portait avec aisance et sans affectation, se dissimulait un tempérament plein de fermeté. La lutte, les réflexions et les déceptions avaient marqué profondément en lui. La direction d'un grand parti politique et religieux pendant des années lui avait semblé un apprentissage des plus rudes.

La légende du joyeux Henri de Navarre est aussi indestructible que celle du taciturne Guillaume d'Orange. Personne cependant, à cette époque de brillantes contradictions, n'aurait pu, à l'occasion, se montrer plus grave et silencieux que l'un, ou d'une gaieté plus insouciante que l'autre. Les jugements que Henri IV lui-même a portés sur les hommes et la politique de son temps, en un langage sobre et robuste, entièrement dépourvu de la casuistique espagnole et de la rhétorique italienne à la mode, témoignent d'une intelligence claire et hardie. Les décisions qu'il prit durant sa longue lutte pour les droits des huguenots, et plus tard, dans sa marche vers le trône, révèlent autant de rare courage que de sagacité et de générosité. Il pardonna à ses ennemis librement, accumulant sur eux des faveurs dont la nécessité comme la signification politique n'apparut que longtemps après, mais qui lui valurent naturellement le ressentiment de fidèles partisans se jugeant mal récompensés de leur dévouement. Si, dans ses rapports avec ses familiers, il se conduisait avec une liberté et une simplicité étonnantes, leur permettant même de grandes libertés avec la dignité royale, il se révélait à l'égard des femmes d'une humilité charmante, et pour un homme si susceptible, d'une absence complète de vanité. Il avait ri d'aussi bon cœur que Gabrielle elle-même, quand elle s'était gaussée de son grossier déguisement de paysan. Par contre, s'il surprenait quelques propos de courtisans raillant ses habitudes démocratiques ou ses manières sans façon, il se sentait frappé au cœur, moins par orgueil offensé que par cette marque de secrète déloyauté. Dans la fameuse conspiration de Biron, qui devait assombrir ses dernières années, ce fut par dessus tout la perte d'un grand capitaine, lui-même fils d'un loyal et grand soldat, qu'il ressentit le plus profondément, et non l'irritante blessure causée par une trahison qui visait au renversement du trône. Mais ce qui fut le plus dur à vaincre, dans l'opinion des étrangers et des critiques comme dans le jugement de la postérité, ce fut la légende de son incurable passion pour les femmes et pour la chasse. Une fois seulement, il essaya de retoucher l'image qu'on se faisait communément de lui à cet égard, par un trait qui cadrait assez bien avec le portrait historique du souverain jovial, indulgent et paternel. Ouvrant un jour son cœur à l'ambassadeur d'Angleterre, il lui confiait : « Certains me reprochent d'être trop chasseur, d'autres, de trop faire l'amour. Mais je me lève à l'heure où ces gens-là s'endorment. » Et bien qu'il aimât les simples plaisirs de la table comme tous les soldats affamés de son temps, il ne les goûtait ni en épicurien, ni en glouton. En contraste frappant avec son vieil ennemi Mayenne, devenu obèse à trop manger et trop dormir, Henri prétendait qu'il passait moins de temps dans son lit que le duc à sa table et qu'il usait moins de draps que de souliers.

Le roi se sentait d'ailleurs d'un tempérament trop actif pour rester longtemps assis ou couché. Comme on louait un jour devant lui les talents militaires de Mayenne : « Je conviens que c'est un grand chef, dit-il, mais je suis toujours six heures en avance sur lui. Je me lève à quatre heures et lui à dix. » Et une autre fois : « Gros mangeurs et dormeurs lourds ne sont jamais capables de grandes choses. Un esprit enfoui dans une masse de chair par le sommeil et une douce existence ne peut avoir d'impulsions nobles ni généreuses. Si j'aime la table et la bonne chère, c'est parce qu'elles vivifient l'esprit. »

En matière de goinfrerie, du moins, Henri IV n'avait rien de rabelaisien. Un personnage fameux pour sa gourmandise postulait un jour un poste élevé dans les services de bouche royaux. Le prince lui demanda s'il mangeait vraiment comme six hommes, ainsi qu'on le prétendait. « Oui, Sire, répliqua complaisamment le candidat. — Et vous travaillez en proportion ? interrogea le roi. — Je travaille autant que quiconque de ma force et de mon âge, Sire. — Ventre Saint Gris, poursuivit le prince, si j'avais six hommes comme vous dans mon royaume, je les ferais tous pendre. Ils auraient tôt fait de réduire le pays à la famine. »

Au reproche d'avarice que certains courtisans faisaient parfois au roi habillé de simple drap gris, en lui rappelant avec regret la magnifique extravagance de Henri III et de ses mignons, Henri avait une réponse infaillible : « On m'accuse de ladrerie. Je fais pourtant trois choses fort éloignées de ce vice : Je fais la guerre, je fais l'amour, et je bâtis des palais. » Mais quand Mayenne lui réclama le paiement des sommes énormes promises en échange de sa soumission, Henri, dont le trésor était vide à ce moment, répliqua en souriant malicieusement : « Je ne puis vous payer, Monsieur. Je vous offrirais plus aisément une nouvelle bataille d'Ivry que je ne vous donnerais d'argent. »

Loin d'encourager les nobles qui singeaient le luxe ruineux déployé par leurs prédécesseurs à la cour de Henri III, il tournait en ridicule les seigneurs « qui portaient leurs moulins et leurs bois de haute futaie sur le dos ». Il leur recommandait de retourner à la vie simple de gentilshommes campagnards, de restaurer leurs fermes, de réparer leurs granges et de relever l'agriculture de la ruine où l'avait fait tomber la guerre civile. Il blâmait également l'étalage des bijoux sur les vêtements et il prohiba, par un édit, le port des passementeries d'or et d'argent. Mais avec sa malice caractéristique, il fit, en cette matière une exception digne des Romains, en exemptant de ces restrictions « les filles de joie et les tire-laine, gens si peu intéressants qu'ils ne méritent pas l'honneur d'une réglementation. »

Jamais souverain ne fut plus franchement caricaturé par les pamphlétaires, les satiriques et les comédiens de son temps. Mais Henri IV en riait de tout son cœur, même des plaisanteries les plus mordantes à ses dépens. Durant les dernières années de son règne, une troupe d'acteurs ambulants fut jetée en prison pour avoir joué en sa présence et celle de la reine une farce qui dépassait les bornes de la satire. Mais le roi intervint pour les faire relâcher. « Ils m'ont fait rire aux larmes, dit-il, tellement qu'il m'est impossible de m'en fâcher. »

Un autre jour, il remit à sa place l'ambassadeur d'Espagne qui lui exprimait dédaigneusement sa surprise de la bruyante familiarité que les gentilshommes français manifestaient à l'égard de la personne royale et du sans-gêne avec lequel ils l'approchaient. « Si vous les aviez vus un jour de bataille, répliqua le prince gaiement, ils me serreraient encore de beaucoup plus près. » Lui-même tout l'opposé d'un snob, il détestait le snobisme chez les autres. Un riche négociant, qui était son ami de longue date, ayant acheté un titre de noblesse, s'aperçut que le roi se refroidissait visiblement à son égard, et comme il en exprimait son étonnement : « Autrefois, lui dit le prince, je vous regardais comme le premier de mes marchands. Maintenant vous n'êtes plus que le dernier de mes gentilshommes. »

Un jour, il aperçut le fils d'un de ses serviteurs, M. de La Varenne, en compagnie d'un gentilhomme plus âgé, et s'enquit de la personnalité de ce dernier. « C'est un seigneur que j'ai donné à mon fils, répliqua orgueilleusement le serviteur. — Vous vous trompez, coupa le roi, vous voulez dire que vous avez donné votre fils à ce seigneur. »

L'histoire amoureuse de sa vie est celle d'un amant romanesque et sentimental plutôt que d'un don Juan cynique et impitoyable. La tranquille sérénité de son idylle avec Corisande, l'affection maternelle qu'il inspira à la belle Gabrielle de vingt ans plus jeune que lui, les pathétiques désillusions que lui causa sa dernière grande passion, nous montrent un homme ingénu, aux impulsions chaleureuses et généreuses. Aussi prompt à aimer qu'à être aimé, il chercha en vain, toute son existence, la rare compagne qui aurait réuni le courage et l'esprit de Corisande à la beauté de Gabrielle et peut-être à la tendresse passionnée de cette humble fille de Nérac dont on disait qu'elle s'était noyée par amour pour lui.

CHAPITRE XVIII

LA SOUMISSION DE LA LIGUE
HENRI IV A PARIS

LA phase de la vie de Henri IV qui s'ouvrit par son entrée à Paris marqua le point culminant d'une grande époque. Le XVIe siècle, avec le drame qu'avait vécu le roi de Navarre pendant son dernier quart, tirait à sa fin. Élisabeth d'Angleterre, âgée de soixante et un ans, atteignait à l'apogée de sa puissance. L'exécution de sa dangereuse cousine, Marie Stuart, reine d'Écosse, et la défaite de l'Armada, avaient consolidé son trône. Ses capitaines et ses aventuriers enrichissaient depuis des années son trésor avec les dépouilles des Indes espagnoles. Et deux ans après que son allié Henri de Navarre eût été couronné roi de France, le génial et bouillant jeune comte d'Essex encourait les tendres reproches de la souveraine pour la brillante valeur qu'il avait déployée dans l'expédition de Cadix. Cependant, la lutte engagée par le roi de France contre le prince de Parme, et terminée par la mort de ce grand capitaine, avait permis aux protestants des Pays-Bas, sous la conduite de Maurice de Nassau, de remporter de nouveaux succès dans leurs efforts pour secouer le joug de l'Espagne.

L'accumulation de ces défaites allait consommer le désespoir de Philippe II. Et comme le rideau tombait sur le grand siècle, le plus redouté et le plus détesté des hommes de son temps gisait sur son horrible lit de souffrances et de mort, rongé comme Hérode par les vers du tombeau qui s'attachaient à lui alors qu'il vivait encore. La sinistre chambre de l'Escurial, dans laquelle, depuis un demi-siècle, il avait travaillé si tard toutes les nuits, couvrant de ses patients et terribles projets des feuillets innombrables, se peuplait d'ombres fantastiques.

Ses plans gigantesques de domination du monde, une éternelle théocratie bâtie avec l'or des Incas et cimentée par le sang des hérétiques, s'écroulaient comme des châteaux en Espagne. Et les oreilles du monarque bourdonnaient aux échos moqueurs des voix familières qui l'avaient secrètement conseillé.

De la sombre retraite dont il ne sortait que rarement, Philippe avait néanmoins poursuivi des tentatives fébriles pour s'opposer au triomphe final de Henri IV. En dépit des efforts déployés par les cardinaux d'Ossat et du Perron, envoyés diplomatiques du roi de France à Rome, le Pape ajournait son absolution. Et Philippe II le menaçant d'envahir le Milanais et de couper Rome des approvisionnements en blé provenant de Naples, le Pontife tergiversait. Une année après son entrée à Paris, Henri IV se décida à déclarer la guerre à l'Espagne, non seulement en son propre nom, comme autrefois, mais au nom de la France.

Dans l'intervalle, ville après ville, province après province du royaume firent leur soumission au nouveau monarque. La reddition des ligueurs est un des plus singuliers chapitres de l'histoire de France. L'obéissance de ces rebelles ne fut pas obtenue par les armes, mais achetée à prix d'argent. Les cités qu'ils possédaient n'ouvrirent leurs portes au roi qu'après des négociations longues et ardues, fixant le prix à payer aux défenseurs, tant en bénéfices et domaines qu'en revenus. D'après les comptes établis dans la suite par Sully, Groulart et Dupuy, il en coûta 32 millions de livres au Trésor. Le jeune duc de Guise, Charles de Lorraine, ne reçut pas moins de 3.766.000 livres par traité secret. Son oncle, le duc de Mercœur, obtint pour lui et ses partisans une somme de 4.295.000 livres, pour prix de la soumission de la Bretagne. Le redoutable Villars-Blancas exigea 3.477.000 livres, après une longue discussion, pour céder Rouen, Le Hâvre et les autres places de la Normandie. Le gouverneur de Paris, M. de Brissac, demanda 1.695.000 livres pour ouvrir les portes de la capitale. Le duc de Joyeuse, qui tenait Toulouse la rendit contre 1.470.000 livres. M. de Balagny, qui tenait Cambrai, sur la frontière des Flandres espagnoles, en fit remise contre un million de livres. Pareillement, Amiens, Abbeville et Péronne ne passèrent entre les mains du roi que moyennant 1.261.000 livres.

Les négociations pour la soumission de Rouen, entamées avant l'entrée du roi dans sa capitale, furent poursuivies ultérieurement avec de meilleures chances de succès. Les conditions posées par M. de Villars-Blancas étaient exorbitantes. Il demandait à conserver le gouvernement de la ville, indépendamment du duc de Montpensier nommé gouverneur de Normandie, il réclamait le titre d'amiral de France, déjà octroyé à Biron, le versement comptant de 1.200.000 livres pour payer ses dettes, plus une pension annuelle de 60.000 livres, le maintien à leurs postes de tous les officiers ligueurs de la région, l'interdiction du culte réformé dans un rayon de six lieues autour de Rouen, enfin l'attribution de Fécamp à son domaine propre.

M. de Rosny, qui négociait pour le compte du roi, finit par accepter à regret ces conditions, à l'exception de celles qui avaient trait à l'indépendance du gouvernement de Rouen, au titre d'amiral et à la ville de Fécamp, clauses contraires à l'intérêt ou de nature à blesser la vanité des loyaux partisans du roi, parmi lesquels Biron et Montpensier étaient les plus puissants et les plus susceptibles.

La cession de Fécamp présentait des difficultés particulières. La ville était aux mains d'un vaillant capitaine huguenot, Bois-Rosé, qui s'en était emparé avec une poignée d'hommes par un des exploits les plus éblouissants de ce temps.

La forteresse qui commandait la ville se dressait sur une falaise à pic fort élevée, dont la mer venait battre le pied. Toute l'année, la base était à dix pieds sous l'eau, sauf à l'époque des plus basses eaux qui découvrait pour quelques heures une étroite plate-forme rocheuse. La veille au soir d'une de ces marées, choisie à dessein par Bois-Rosé, deux des soldats du fort que celui-ci avait gagnés firent descendre d'une embrasure une grosse corde garnie de montants en bois formant échelons. A la faveur de l'obscurité, le hardi capitaine débarqua au pied de la falaise avec cinquante hommes armés de poignards. L'eau commençait déjà à gagner sur l'étroite plate-forme. On entama en silence la périlleuse ascension, un vieux sergent le premier et Bois-Rosé le dernier. Celui-ci avait déjà de l'eau jusqu'au cou quand vint son tour d'escalade. Malheureusement, arrivé à mi-hauteur, le chef de file, impressionné par la nuit profonde et le grondement furieux des vagues qui se brisaient contre la falaise, déclara que la tête lui tournait et qu'il ne pouvait plus avancer. Toute la cordée ainsi immobilisée, la situation devenait critique. Cependant, le propos du sergent, passé de bouche en bouche, parvint à l'oreille de Bois-Rosé. L'intrépide capitaine n'hésita pas. Mettant son poignard entre ses dents, il passa successivement par dessus les épaules de tous ses compagnons suspendus dans le vide, et, atteignant le sergent hésitant, il le contraignit à poursuivre l'escalade, en le menaçant de sa lame. Enfin, on atteignit le haut du rempart sans bruit ni alarme, et surprenant les défenseurs qui ne se gardaient pas de ce côté, la petite troupe s'empara de la forteresse.

Ce fut le souvenir de cet héroïque fait d'armes qui empêcha M. de Rosny de repousser la demande de M. de Villars sans consulter son maître. Mais Henri, bien que n'oubliant pas la magnifique bravoure du capitaine huguenot, blâma le négociateur dans une lettre qui témoignait qu'en achetant la soumission des Ligueurs avec de l'argent et non avec des vies humaines, sa politique faisait preuve d'une profonde sagesse et d'une généreuse prudence. « Mon ami, écrivait-il, vous êtes une bête d'apporter tant de difficultés et de ménage en une affaire de laquelle la conclusion m'est de si grande importance. Ne vous souvient-il plus des conseils que vous m'avez tant de fois donnés, m'alléguant pour exemple celui d'un certain duc de Milan au roi Louis XI, au temps de la guerre nommée du *Bien public*, qui était de séparer par intérêts particuliers tous ceux qui étaient lignés contre lui, sous des prétextes généraux, qui est ce que je veux essayer de faire maintenant. Aimant beaucoup mieux qu'il m'en coûte deux fois autant en traitant séparément avec chaque particulier, que de parvenir à mêmes effets par le moyen d'une traite générale, faite avec un seul chef, qui pût, par ce moyen, entretenir toujours un parti formé dans mon État : partant, ne vous amusez plus à faire tant le respectueux pour ceux dont il est question, lesquels nous contenterons d'ailleurs, ni le bon ménager en vous arrêtant à de l'argent, car nous paierons tout des mêmes choses que l'on nous livrera, lesquelles s'il les fallait prendre par la force, nous coûteraient deux fois autant. »

Bien convaincu que la paix à n'importe quel prix était préférable aux désastres de la guerre civile, Henri trouva moyen de satisfaire les deux partis. M. de Villars fut reconnu indépendant du gouverneur de la Normandie, mais poussé secrètement à renoncer à ce privilège, ce qui ménageait l'orgueil de M. de Montpensier. En échange du titre d'amiral, M. de Biron fut créé maréchal de France, avec un don de 140.000 livres. Quant à l'intrépide Bois-Rosé, il reçut en échange de Fécamp le commandement d'une compagnie et une somme de 20.000 écus.

La sagesse de cette politique de conciliation fut illustrée peu de temps après, lors du long et coûteux siège de Laon, où le roi perdit un des plus braves soldats et un des plus brillants ornements de la Cour, le jeune et audacieux M. de Givry. Durant l'espèce de trêve qui avait précédé la chute de Paris et vu des négociations amoureuses s'engager entre les jeunes officiers de l'armée et les dames de la ville assiégée, M. de Givry s'était distingué par ses succès féminins. C'était le plus jeune et le plus gai de tous les seigneurs qui avaient partagé la fortune de Henri depuis Arques, enflammés à la fois par la perspective d'un royaume à conquérir et par l'admiration qu'ils lisaient dans les doux yeux des femmes. Après le beau M. de Bellegarde, Givry était le plus séduisant capitaine de l'entourage royal, et sa gaieté inaltérable faisait de lui un compagnon favori du souverain. Ces deux gentilshommes étaient tombés tous deux amoureux de la belle mademoiselle de Guise, sœur du jeune duc. Mais les préférences de la jeune femme allèrent au plus âgé de ces cavaliers, Bellegarde, lequel avait déjà captivé le cœur de la mère, aussi bien que celui de Gabrielle d'Estrées. Et M. de Givry, mortifié, dans son désir d'oublier son chagrin, se fit tuer dans les tranchées devant Laon.

Quand la ville capitula enfin, après que Biron eut détruit,

par un brillant exploit, le convoi espagnol envoyé au secours des assiégés, les autres villes de Picardie se soumirent à leur tour. Cependant, des membres de la famille de Lorraine s'étaient ralliés à la cause du roi. Depuis l'entrée dans Paris de Henri IV, toutes les femmes de cette maison avaient travaillé à cette réconcialition, ainsi que le duc de Feria s'en plaignait amèrement à Philippe II. Abandonnant son oncle le duc de Mayenne, le jeune duc de Guise fit une paix séparée avec Henri IV et lui rendit la ville de Reims, après avoir tué de sa propre main l'ancien gouverneur, M. de Saint-Paul, sur la place du marché, devant la cathédrale. D'autres villes de Champagne, et plus tard le gouvernement de la Provence, furent remises entre les mains du roi. Par la suite, le jeune duc de Guise devint un ami du prince, aussi loyal que son père en avait été le rival et l'ennemi. Aucune soumission n'apparaissait plus significative. Une année auparavant, Guise s'était évadé de prison pour disputer à son oncle Mayenne la direction de la Ligue. Quand le jeune homme se présenta au Louvre, dans une attitude assez embarrassée, son orgueil était tout prêt à s'offenser du moindre symptôme de rancœur ou de condescendance que lui aurait témoigné Henri IV. Mais le roi l'embrassa cordialement, lui souhaita la bienvenue à la Cour, et lui dit qu'il espérait lui offrir plus d'agrément que le duc n'en avait trouvé dans le parti adverse. Ces paroles amicales touchèrent au cœur l'ancien rebelle, et comme il s'empêtrait dans un discours qui menaçait de tourner en longue harangue, Henri l'interrompit d'un geste aimable. « Mon cousin, dit-il, vous n'êtes pas meilleur orateur que moi, je sais ce que vous m'allez dire et cela peut se dire d'un mot. Nous sommes tous sujets à des péchés de jeunesse. J'oublierai tout, mais n'y revenons plus. Reconnaissez-moi pour ce que je suis et je serai pour vous un père, car il n'est personne à ma Cour que je ne regarde d'un meilleur œil que vous. »

De tous les anciens chefs de la Ligue, seul le gros Mayenne s'obstinait dans une vaine résistance, recherchant et repoussant tour à tour l'appui de l'Espagne, se querellant avec les représentants de cette puissance, offrant de se battre en duel avec le duc de Feria, qui l'exaspérait par son dédain et s'emportant contre la déloyauté de ses partisans. Un conflit assez ridicule se livrait dans l'esprit de ce corpulent gentilhomme, entre son orgueil qui lui interdisait de renoncer au titre flatteur de lieutenant général du royaume, et l'indolence de sa nature douillette, lasse des fatigues et périls de la guerre et qui aspirait au repos physique. La dernière rencontre du prince avec Henri IV sur le champ de bataille de Fontaine-Française allait décider de la lutte entre ces deux adversaires .

Dans l'intervalle, le duc d'Elbœuf rendit le Poitou. A son tour, la ville d'Honfleur qui, seule de toute la Normandie, était restée fidèle à la Ligue depuis la soumission de Villars, capitula enfin après une résistance acharnée. Dans la lointaine Bretagne, le maréchal d'Aumont, à la tête des troupes royales, entama une lutte assez molle contre les Ligueurs du duc de Mercœur, à laquelle vint se joindre plus énergiquement Elisabeth d'Angleterre. La reine n'avait pas vu sans inquiétude s'élever à Crozon un port espagnol qui pouvait rendre Philippe d'Espagne maître de Brest, et capable d'anéantir le commerce important que ce port entretenait avec l'Angleterre. Un corps de 2.000 soldats anglais, sous le commandement de Sir John Norris, appuyé d'un contingent de troupes françaises, vint mettre le siège devant la forteresse et l'emporta le 15 novembre 1594.

Vers la même époque, la lutte pour la possession définitive du Languedoc se poursuivait entre Danville, le duc de Montmorency qui, depuis Catherine de Médicis, gouvernait cette province en maître presque indépendant, et Henri de Joyeuse, frère d'un des mignons de Henri III. Après avoir été un austère capucin, vivant dans une retraite ascétique et connu de ses compagnons sous le nom de frère Ange, ce singulier personnage, mué en Ligueur fanatique et devenu Grand Inquisiteur de Toulouse, s'était montré à l'égard des hérétiques un féroce pourvoyeur de bûchers. En Provence, deux rivaux se disputaient pareillement l'autorité, le belliqueux Lesdiguières, héros de la guerre contre le duc de Savoie, et le duc d'Épernon, ancien mignon de Henri III, qui avait abandonné le camp de Saint-Cloud après l'assassinat de son protecteur.

Au cours de cette année de négociations et de réconciliation, les capricieux Parisiens se familiarisèrent avec la personne de leur nouveau souverain. Henri IV cependant ne devint jamais l'idole de la foule, comme l'avait été son rival, Henri de Guise. Il était deux fois plus âgé que le glorieux Balafré, le héros des moines en robe de bure, des miliciens bourgeois, des vagabonds et des meneurs de la turbulente cité qui avaient dressé des barricades contre Henri III. Bien qu'en certaines occasions, les acclamations lui parussent sincères et qu'il se sentît le cœur touché de leur loyauté, la raison du prince lui disait qu'à Paris du moins, il n'était pas encore un roi aimé de son peuple. Comme un courtisan lui faisait remarquer combien les habitants se réjouissaient de sa vue, Henri secoua la tête et répondit ironiquement : « S'ils voyaient passer à ma place mes plus grands ennemis, ils crieraient encore plus fort. » Une autre fois, comme on répétait en sa présence un bruit malicieux qui courait sur lui, il répliqua amèrement : « Le peuple, et par dessus tout celui des Parisiens, est un animal que l'on mène aisément par le nez. »

Mais en général, sa bonne humeur était à l'épreuve de telles provocations. Il plaisantait familièrement avec les grands personnages de la Cour, avec les officiers de sa garde et même les graves conseillers du Parlement. Ce fut de l'un d'eux qu'il dit à l'occasion d'une cérémonie : « Voilà M. de Pontcarré sans sa robe rouge, mais il n'a pas oublié son nez rouge. » Il supportait patiemment les reproches et même s'en amusait, tout comme il riait des traits les plus mordants. Un de ses gardes ayant nommé un jour Gabrielle « la putain du roi », Henri surprit le propos et ne s'en fâcha pas. Il s'asseyait incognito à la table des tavernes, se mêlant aux clients vulgaires et prenant part aux bruyantes et souvent scandaleuses conversations qui s'y tenaient sur les intrigues de la Cour, l'iniquité des taxes, et les derniers adultères du roi. Tous les matins, il jouait à la paume sur le terrain de « la Sphère », où tout le monde pouvait entrer aussi librement que madame Gabrielle et ses dames d'honneur pour contempler le royal joueur en chemise déchirée et haut-de-chausses râpé. On le vit plus d'une fois emprunter de l'argent à sa maîtresse pour payer quand il perdait, ou se réjouir bruyamment quand il gagnait.

Un jour, à la porte de la cathédrale d'Amiens, une de ses sujettes lui joua un tour plaisant : « Une vieille femme de quatre-vingts ans m'a pris hier par le cou et m'a baisé, écrivait-il à Gabrielle. Ce n'était pas pour rire. Demain, vous essuierez ma bouche. »

Sa détresse financière était pitoyable à cette époque. La soumission des chefs ligueurs avait vidé le trésor royal. Le Parlement ne votait des taxes qu'en rechignant, et le produit n'en atteignait le trésor que réduit par d'innombrables dilapidations. Les chevaux des écuries royales étaient efflanqués et faméliques et sa propre table si maigrement pourvue qu'il dut plus d'une fois, demander l'hospitalité à ses gentilshommes. Sa garde-robe se composait d'une douzaine de chemises, dont plus d'une déchirée, et de cinq mouchoirs.

Ce fut en vain qu'il demanda 800.000 écus pour le siège d'Arras aux huit membres de son Conseil de finances. Et comme ils refusaient obstinément, le pauvre souverain écrivait à M. de Rosny : « Je suis tout proche de l'ennemi et n'ai quasi pas un cheval sur lequel je puisse combattre, mes chemises sont trop déchirées, mes pourpoints troués au coude, ma marmite est souvent renversée et depuis deux jours, je dîne chez les uns et chez les autres, mes pourvoyeurs disant n'avoir plus moyen de rien fournir pour ma table, d'autant qu'il y a plus de six mois qu'ils n'ont reçu d'argent. »

Un jour que le Parlement chicanait plus sévèrement que d'habitude pour lui accorder certaines taxes dont le besoin se faisait pressant, le roi se mit brusquement en colère. « Traitez-moi au moins comme un moine, s'écria-t-il, que je sois nourri et habillé. Je ne mange pas toujours mon saoûl, et quant à mes vêtements, voyez vous-même, Monsieur le Président, comme je suis accoutré. »

Un attentat contre la personne du monarque vint aggraver la dépression passagère à laquelle il s'était laissé aller. Un soir de décembre 1594, un groupe de cavaliers, revenant d'une expédition envoyée au secours d'Amiens, entra dans Paris par la porte Saint-Honoré et fit halte rue du Coq, devant le logis de Gabrielle d'Estrées. Le roi, botté et éperonné, qui se trouvait parmi ces gens, mit pied à terre et pénétra dans la maison, suivi de ses compagnons et aussi, suivant les simples coutumes du temps, d'un bon nombre de curieux. Parmi eux, se trouvait un jeune homme modestement vêtu de noir, qui se poussa à travers la foule jusqu'aux côtés du roi. Au moment où l'un des courtisans, M. de Montigny, fléchissait le genou devant le prince, et où celui-ci se penchait pour le relever, on entendit soudain « comme un bruit de soufflet sur une joue » et le roi s'écria avec colère que Mathurine la folle l'avait frappé. Le coup cependant ne provenait pas de la pauvre femme insensée dont les radotages divertissaient la Cour. Le roi, ayant porté la main à sa joue, l'avait retirée couverte de sang.

Voyant un inconnu près du roi et un couteau à ses pieds, M. de Montigny empoigna violemment l'assaillant qui fut aussitôt emmené. Henri s'aperçut alors qu'il avait la lèvre supérieure traversée et une dent brisée. Mais aucun coup n'avait atteint au corps. Quand l'intraitable d'Aubigné apprit cette blessure à la bouche, il s'écria solennellement : « Sire, jusqu'ici vous n'avez renié Dieu que des lèvres et il vous a frappé aux lèvres, quand vous le renierez du cœur, il vous frappera au cœur. » A quoi Gabrielle rétorqua dédaigneusement : « Belles paroles, mais déplacées. » Cependant, le roi s'était senti blessé dans son orgueil plus qu'en sa personne, et la nuit suivante, on le vit s'agiter fiévreusement dans son lit, étreint d'une angoisse qu'on ne pouvait mettre sur le compte d'une douleur physique insignifiante.

Le soi-disant assassin, Jean Châtel, âgé de dix-neuf ans, et fils d'un drapier de Paris, était un dégénéré, atteint de folie mystique et ancien élève du collège des Jésuites de Clermont. Il resta muet sous la torture, mais dans sa prison, il se vanta à un officier déguisé en prêtre qu'un moine cordelier, nommé Jean Garin, lui avait promis l'absolution de ses péchés s'il s'engageait à assassiner le roi. Il avoua, en outre, que les pères jésuites l'avaient laissé méditer dans une cellule peinte de mystérieuses et terrifiantes images. Cependant, on ne put le contraindre à les impliquer dans son crime. Quand le roi apprit que Jean Châtel était le disciple du fameux ordre, il s'écria

avec une ironie amère, et faisant allusion à sa blessure :
« Il fallait donc qu'ils fussent convaincus par ma bouche ?
Mais laissez aller ce garçon. »

Sincère ou non, ce geste miséricordieux ne fut pas obéi.
Le Parlement, devenu loyalement attaché au roi, désirait
depuis longtemps un prétexte pour expulser les Jésuites. Le
jour même où Jean Châtel était exécuté, les prêtres du collège
de Clermont et tous les membres de la Société de Jésus, ayant
à leur tête le père Guéret, furent bannis du royaume de France
comme « corrupteurs de la jeunesse, perturbateurs de la paix,
ennemis du roi et de l'État. » Et Jean Guignard, leur biblio-
thécaire, fut pendu en place de Grève. On avait trouvé dans
son pupitre des écrits à la louange de « l'acte héroïque et
inspiré », commis par Jacques Clément, le meurtrier de
Henri III.

CHAPITRE XIX

LA FIN DE LA LIGUE
L'ABSOLUTION DU PAPE

Au commencement de l'année 1595, le roi Henri IV déclara la guerre à l'Espagne. Deux mois plus tard, parvint la réponse de Philippe II, assurant qu'il n'était pas en guerre avec la France, en dépit de ces provocations. Il recommandait à ses sujets de ne pas s'en prendre aux catholiques de France, mais « de chasser et d'exterminer le prince de Béarn, et les huguenots avec tous leurs partisans. » Ce fut sur cette injonction que le comte de Mandfeld envahit la Picardie à la tête de l'armée espagnole des Flandres. De son côté, le connétable de Castille, quittant le Milanais avec une autre armée, traversait la Franche-Comté et se joignait aux forces du duc de Mayenne en Bourgogne.

Henri IV, qui ne disposait que de 1.500 hommes, s'avança assez imprudemment à sa rencontre à Fontaine-Française, et tête nue, l'épée à la main, suivi seulement par une centaine de gentilshommes, il se trouva engagé avec le gros de l'ennemi. Celui-ci avait une telle supériorité que le roi et ses compagnons se virent bien près d'être écrasés. « Jusqu'ici, j'avais toujours combattu pour vaincre, disait le roi plus tard, mais cette fois, j'ai combattu pour ma vie. » Le maréchal de Biron, qui chevauchait à sa droite et à découvert comme son maître, fut gravement blessé à la tête. Bon nombre d'autres restèrent sur le terrain. Les débris de l'escadron royal se rallièrent autour du prince, qui appelait chacun par son nom d'une voix qui dominait avec peine le bruit du combat.

Le gros des troupes françaises arriva à temps pour le tirer de cette situation périlleuse et lui assurer la victoire. Pendant la nuit, le connétable de Castille replia derrière la Saône ses colonnes en désordre, et peu après évacua la Bourgogne qu'il laissa aux mains du roi.

Ce fut après cette journée qu'il écrivit gaiement au fidèle Harambure, surnommé le Borgne : « Harambure, pendez-vous de ne vous être point trouvé près de moi en un combat que nous avons eu contre les ennemis, où nous avons fait rage... »

Il mandait en même temps à sa sœur Catherine de Navarre : « Ma chère sœur, tant plus je vais en avant, tant plus j'admire la grâce que Dieu me fit au combat de lundi dernier, où je pensais n'avoir défait que douze cents chevaux, mais il en faut compter deux mille. Le connétable de Castille y était en personne avec le duc de Mayenne, qui m'y virent et m'y connurent toujours fort bien : ce que je sais de leurs trompettes et prisonniers. Ils m'ont envoyé demander tout plein de leurs capitaines italiens et espagnols, lesquels n'étaient point prisonniers : faut qu'ils soient des morts qu'on a enterrés : car je commandai le lendemain qu'ils le fussent. Beaucoup de mes jeunes gentilshommes, me voyant partout avec eux, ont fait feu en cette rencontre et montré de la valeur et du courage... Ceux qui ne s'y sont pas trouvés y doivent avoir du regret, car j'y ai eu affaire de tous mes bons amis et vous ai vue bien près d'être mon héritière... »

Cette défaite achevait la déconfiture de Mayenne. Dégoûté de la pusillanimité montrée par le connétable de Castille, il songea à faire le voyage de Madrid pour défendre lui-même sa réputation militaire contre les imputations malveillantes du général espagnol, et adresser un suprême appel à l'aide de Philippe II. Mais avant qu'il pût réaliser cette intention, Henri IV, qui était secrètement tenu au courant des plus intimes pensées de cet adversaire, lui adressa un message amical par son conseiller, M. de Lignerac, offrant au duc un sauf-conduit pour se rendre à Châlons, et laissant entendre qu'une demande de trêve serait favorablement accueillie. Les expériences similaires tentées par le souverain auprès des autres chefs de la Ligue n'avaient pas été heureuses : aussi le propre Conseil du roi s'opposait-il énergiquement à tout geste conciliant à l'égard de Mayenne. Cependant, Henri tint bon, en répliquant avec autant de sagesse que de générosité, « qu'il était toujours dangereux de pousser au désespoir un homme brave, et surtout un homme de la qualité du duc de

Mayenne. » Il accorda donc une amnistie au grand chef ligueur, dès que celui-ci en eut fait la demande, en offrant en échange de remettre la place de Dijon.

Cependant, les hostilités contre l'Espagne se poursuivaient avec un moindre bonheur pour les troupes royalistes. Tandis que le roi était retenu en Bourgogne, le général espagnol, comte de Fuentès, attaqua brusquement Doullens et s'en empara, puis il alla mettre le siège devant Cambrai, forteresse tenue par l'ancien aventurier, M. de Balagny. Le maréchal de Biron et le duc de Nevers se hâtèrent de courir à la défense du royaume envahi, mais l'armée espagnole leur barra la route et leur infligea une défaite. Et le brave M. de Villars, l'ancien gouverneur de Rouen, fait prisonnier devant Doullens, fut massacré froidement en présence de ses troupes. Cette désastreuse campagne de Picardie coûta au roi de France 3.000 hommes, plus qu'il n'en avait perdu à Coutras, à Arques et à Ivry tout ensemble.

Par bonheur, dans tout le reste du royaume, la cause du souverain triomphait, et la victoire diplomatique remportée à Rome vint mettre le comble à ses succès. Ses deux délégués, d'Ossat et du Perron, qui allaient se voir récompensés par le chapeau de cardinal, avaient vaincu enfin les derniers scrupules du Pape, et la crainte qu'il éprouvait des représailles de Philippe II. Clément VIII, depuis quelque temps, voyait d'un œil favorable les progrès de Henri IV. Il ne se sentait pas plus d'inclination pour les fanatiques ligueurs que pour l'arrogance de l'Espagnol. De son côté, la République de Venise manifestait depuis longtemps sa sympathie pour les efforts du roi de Navarre. Le grand-duc de Toscane témoignait pareillement d'une semblable amitié à l'égard de Henri, et ses ambassadeurs à Rome, de concert avec les envoyés vénitiens, agirent sur le Souverain Pontife pour qu'il restât neutre dans la guerre entre la France et l'Espagne, et pour qu'il accordât au roi l'absolution que celui-ci demandait avec tant d'insistance.

Dans la dernière phase de cette lutte diplomatique, Clément VIII déploya une remarquable habileté. Il annonça à l'ambassadeur d'Espagne qu'il avait l'intention de consulter le Collège des cardinaux sur la grave question de l'absolution du roi de France. Assuré que, même s'ils étaient tout bas en faveur de cette mesure, les prélats n'oseraient s'opposer publiquement à la politique espagnole, l'ambassadeur ne s'émut pas. C'est alors que le Pontife intervint. Avant de réunir le Consistoire, il conféra séparément avec chacun des membres, et quand le Collège s'assembla, il déclara que ces entretiens particuliers l'avaient convaincu qu'une majorité des deux tiers penchait pour l'admission de Henri IV dans le sein de l'Église catholique. Seul le cardinal italien Colonna osa s'élever contre cette procédure arbitraire. Clément VIII maintint fermement sa décision sans discussion, et le Consistoire s'inclina.

Le 16 septembre 1595, les deux représentants français, laissant leurs vêtements d'apparat pour la simple robe de prêtre, s'agenouillèrent devant le trône pontifical, et firent la pénitence publique requise de leur maître, acceptant en son nom les sévères conditions politiques et spirituelles auxquelles était subordonnée l'absolution. La nouvelle de cette cérémonie romaine, affichée sur l'ordre de Henri IV à la porte de toutes les églises de France, fit tomber les dernières résistances de la Ligue. Une semaine plus tard, la trêve générale, déjà observée officieusement en fait, était proclamée.

Ainsi se terminait l'insurrection de la Ligue, dont la phase violente durait sans interruption depuis huit ans. Le traité de paix fut signé avec Mayenne, le 24 janvier 1596, à Folembray, le rendez-vous de chasse bâti par François Ier dans la forêt de Coucy. Ce fut dans cette paisible retraite, où Henri IV passa deux mois d'hiver après les graves défaites de Picardie, que MM. de Mayenne, de Joyeuse et quelques autres chefs ligueurs firent officiellement leur soumission. Sur les instances de Mayenne, une clause lui garantissait, ainsi qu'à tous les membres de la maison de Lorraine, l'immunité contre toute procédure relative à l'assassinat de Henri III. Le duc recevait en outre, comme villes de sûreté, Châlons, Soissons et Seurre pour une durée de six années, pendant lesquelles le culte de la religion réformée restait interdit dans ces places. De son côté, le roi s'engageait à payer l'énorme somme de 3.380.000 livres, partie en échange du gouvernement de la Bourgogne

remise entre ses mains, partie pour acquitter les lourdes dettes
que le duc avait contractées au cours de la guerre civile. Un
traité séparé avec le duc de Joyeuse, qui ne contenait pas
moins de 110 articles, permettait à l'ancien moine d'échanger
définitivement sa ceinture de corde contre le bâton de maréchal de France, et contre le gouvernement du Languedoc.
Désormais, il ne restait plus que deux grands chefs ligueurs
irréductibles, le duc d'Aumale, et, en Bretagne, le duc de Mercœur, demi-frère de Mayenne. Les stipulations signées avec
ce dernier promettaient des avantages similaires aux deux
récalcitrants dans le cas où ils feraient la paix dans un délai
de six semaines.

De Mayenne, qui avait été le plus acharné de ses adversaires,
Henri IV se contenta de tirer une spirituelle vengeance. Peu
après que ses deux conseillers, Lignerac et Villeroy, eurent
signé, en son nom, le traité de Folembray, le duc en personne
vint rendre visite au château de Monceaux, dont le roi avait
fait cadeau à Gabrielle. Les deux anciens ennemis se rencontrèrent dans une avenue du parc. Mayenne, le visage tout
rouge et se mouvant avec peine en raison de son extrême corpulence, mit un genou en terre comme pour embrasser les
pieds de Sa Majesté. Henri s'avança vivement, le visage
radieux, aida le duc à se relever, et l'embrassa cordialement
en s'écriant gaiement : « Est-ce bien vous, mon cousin, ou
un songe que je vois ? »

Puis, le prenant par la main, il se mit à le promener à fort
grands pas dans le parc, lui montrant ses allées et les beautés
et accommodements du château. M. de Mayenne qui, outre son
obésité, souffrait ce jour-là d'une sciatique, suivait le prince
fort pesamment et à grand'peine. Ce que voyant, le roi murmura à l'oreille d'un de ses confidents, M. de Rosny : « Si je
promène encore longtemps cette lourde carcasse, me voilà
vengé sans grand'peine de tous les maux qu'il m'a faits, car
c'est un homme mort. »

Quand, enfin, le duc confessa qu'il n'en pouvait plus, le roi
lui dit en riant, et en le frappant sur l'épaule : « Touchez là,
mon cousin, car, par Dieu, voilà tout le mal et le déplaisir
que vous recevrez de moi. » Et comme Mayenne, vaincu par

l'émotion, se lançait dans une longue déclaration de fidélité, Henri l'arrêta net, en le priant de venir se rafraîchir au château. Là, Gabrielle, secrètement d'accord avec le roi, l'attendait pour lui faire les honneurs de sa maison, et lui fit servir entr'autres délices quelques flacons de vin rosé d'Arbois, dont le gourmand Mayenne apprécia fort le bouquet et la fraîcheur.

La même année, les bons offices de madame de Guise aboutirent à la réconciliation du duc de Nemours, qui restitua au roi de nombreuses villes du Lyonnais.

Une autre soumission d'importance, consécutive à celle du duc de Joyeuse, vint affermir l'autorité du roi dans le Midi de la France. Les habitants de Marseille, sous la conduite d'un homme nommé Libertat, s'étaient soulevés contre les deux gouverneurs, Charles de Cazaux et Louis d'Aix, au moment où ce dernier se disposait à livrer la ville aux Espagnols. Après avoir massacré le premier et chassé le second, ils se déclarèrent en faveur du nouveau souverain.

Malheureusement, la campagne contre l'Espagne dans le Nord-Est fut marquée par d'inquiétants revers, et en Bretagne, le duc de Mercœur entretint encore quelques mois le foyer d'insurrection de la Ligue.

CHAPITRE XX

L'ASSEMBLÉE DE ROUEN
LA PAIX AVEC L'ESPAGNE

En dépit du chagrin que leur causait l'abjuration du roi de France, les alliés protestants de Henri IV en Europe avaient accueilli avec joie son triomphe sur la Ligue. Les félicitations d'Élisabeth d'Angleterre furent aussi chaleureuses que son attitude avait été froide à l'égard du changement de religion du prince. Elle lui avait écrit de sa main lettre sur lettre, dans un français plus vigoureux que classique, pour lui reprocher sa rétractation. Elle lui demandait, avec une ironie sardonique, s'il imaginait que « Celui qui l'avait gardé et protégé de Sa main, l'abandonnerait dans le besoin », et elle l'avertissait qu'il était dangereux de faire le mal dans la croyance que le bien pourrait en sortir. Mais en dépit de son inquiétude réelle ou simulée, Élisabeth continuait à traiter Henri comme son allié. Dans la guerre avec l'Espagne, ils avaient fait cause commune, et on a vu qu'elle avait envoyé un corps britannique pour aider à chasser de Bretagne une garnison espagnole.

D'autre part, les relations du roi de France avec les protestants des Pays-Bas restaient toujours aussi étroites, et les archives de La Haye attestent la continuité de cette coopération dans la lutte contre Philippe II. Nous avons déjà mentionné que la république de Venise avait reconnu le nouveau roi et l'amitié que lui témoignait le grand-duc de Toscane.

Par la suite, l'absolution qu'il obtint du Pape lui valut des offres d'alliance de toutes les principautés italiennes qui n'étaient pas directement sous la domination de l'Espagne. Quant aux Cantons suisses protestants, ils restaient les plus anciens alliés de Henri, et, outre l'amitié de Genève, il pouvait compter désormais sur la neutralité bienveillante des Cantons catholiques.

Enfin, reprenant la politique inaugurée par François Ier, Henri IV avait signé un traité d'alliance avec Mahomet III, sultan de Constantinople, et le pressait instamment, sans succès d'ailleurs, d'envoyer une flotte ottomane pour attaquer les côtes d'Espagne. Cependant, la guerre en Picardie se poursuivait dans des conditions fâcheuses pour la France. L'ambassadeur du roi à Londres se plaignait auprès d'Élisabeth de ce que le retrait des troupes anglaises de Bretagne eût permis aux Espagnols de s'emparer de Cambrai. A son tour, la place de Calais se trouvait exposée à semblable danger. Et malgré les efforts désespérés tentés par Henri pour secourir la garnison assiégée, laquelle, coupée des Français du côté de la terre, ne pouvait être secourue que par mer, en dépit de ses appels réitérés à l'aide d'Élisabeth, le port fameux tomba de nouveau entre des mains étrangères. Quelque temps après la capitulation de la ville, le château tenait encore, et la reine offrait de venir à son secours, mais à condition que la forteresse lui fût cédée. « Il n'est pas juste, disait-elle à l'ambassadeur à Londres, Harlay de Sancy, puisque cette place est si menaçante pour l'Angleterre, bien que de minime importance stratégique pour la France, que les Anglais dépensent leur sang et leur or à la reconquérir pour le compte d'un allié qui n'a pas fait lui-même tous ses efforts pour la garder. »

A cette mise en demeure, Henri répliqua avec quelque humeur de son camp de Boulogne, « que s'il devait être dépouillé, il préférait l'être par un ennemi et à la pointe de l'épée plutôt que de la main d'un ami. » Il s'ensuivit un échange de mutuelles récriminations, et le comte d'Essex, qui avait rassemblé à Douvres des renforts à destination de la France, attendit en vain de la reine l'ordre d'embarquer. Le 26 août 1597, la citadelle de Calais tombait, et toute sa garnison était impitoyablement passée au fil de l'épée. En conséquence, les places de Ham et de Guînes se rendirent sans combattre, bien qu'un mois plus tard Henri ripostât en s'emparant de La Fère sur les Espagnols.

Cependant, la présence de ses ennemis à Calais, « ce pistolet

pointé au cœur de l'Angleterre », émut plus Élisabeth que les
sollicitations de son vieil allié. L'attitude de ses ministres
Cecil et lord Cobham, à l'égard de Sancy et du duc de Bouillon,
les délégués français, marqua un changement notable, et un
mois après la chute de la place, une nouvelle alliance offensive
et défensive était signée entre la France et l'Angleterre contre
l'Espagne. Élisabeth promit de fournir immédiatement 4.000
hommes, à condition que ces troupes ne s'éloignassent pas
à plus de cinquante milles du port de Boulogne, et les deux
partis se mirent d'accord pour ne pas accepter de paix séparée.
La même année, un traité analogue fut signé à La Haye par
le duc de Bouillon au nom du roi de France avec les États
Généraux de Hollande, qui s'engageaient pareillement à fournir
4.000 hommes. Les protestants d'Allemagne, sollicités à leur
tour, promirent leur appui sympathique, mais ne signèrent
aucun engagement.

Ces diverses négociations étaient à peine conclues, que des
pourparlers en vue de la paix s'ouvraient entre Henri IV et
le roi d'Espagne, sur l'initiative du Pape, et par l'intermédiaire du légat en France, le cardinal de Médicis, frère du
grand-duc de Toscane.

Après la chute de Calais et la prise de La Fère, les hostilités
avaient cessé pratiquement sur toutes les frontières. Des
fièvres contractées dans les marais voisins de La Fère exerçaient leurs ravages parmi les troupes royales, et les germes
rapportés à Paris par les malades évacués y causèrent une
épidémie si grave que l'on crut voir renaître la peste noire.
En cette année 1596, la capitale présentait un spectacle
étrange. Les rues étaient si encombrées de mendiants affamés
que l'on s'y frayait difficilement passage. L'Hôtel-Dieu était
rempli de mourants épuisés par la famine et la maladie.

Cependant, par un singulier contraste, les riches demeures
étaient journellement le théâtre de prodigalités sans pareilles.
Par les fenêtres ouvertes des maisons bâties dans le Vieux
Marais, qui jadis entourait l'ancien palais des Tournelles, on
entendait la musique des luths, le rire des femmes, les accords
joyeux de la danse. Si abondants étaient les mets servis aux
banquets des riches habitants que les restes en étaient jetés

dédaigneusement aux pages et aux serviteurs qui attendaient dans les cours. Au dire de L'Estoile, tous les convives étaient couverts de bijoux, jusqu'aux talons. De toutes ces fêtes brillantes, données par les nobles et les riches marchands parisiens, dans cette époque de réaction frénétique que connut la cité au sortir des sombres jours et des privations de la Ligue, aucune n'était plus magnifique que celles de Sébastien Zamet.

Ce curieux personnage, qui allait jouer un rôle étrange dans l'histoire du règne, était le fils d'un savetier de Lucques. La nature l'avait prédestiné au rôle de chacal royal. Il avait été le maître de la garde-robe, l'espion et l'intime confident de Henri III. Grâce à son génie pour les opérations financières, il était devenu le trésorier de ce prince, puis le bâilleur des fonds secrets de la Ligue et le conseiller fort écouté du duc de Mayenne. Peu de temps après l'entrée du roi dans Paris, les embarras financiers chroniques de Henri le contraignirent à se tourner vers Zamet, et cet homme habile, se dépouillant de son aspect d'usurier avare et rusé, affecta une jovialité et une largesse qui conquirent en partie, sinon entièrement, l'affection du prince. Dépensant son énorme fortune avec une prodigalité qui lui valait l'admiration et l'envie, Zamet devint rapidement un familier et une figure respectée à la Cour. Patronnant intelligemment et généreusement les arts, sa belle maison italienne et ses jardins voisins de l'Arsenal devinrent le théâtre non seulement des rencontres amoureuses du roi avec Gabrielle ou d'autres favorites passagères, mais aussi le rendez-vous élégant et le lieu de distraction de tous les personnages à la mode.

Cependant, les finances du royaume étaient dans un état déplorable. Outre les 32 millions de livres payés aux chefs de la Ligue pour acheter leur soumission, Henri devait plus de 67 millions à ses alliés. La mort de M. d'O, ce gentilhomme vénal et incapable auquel Henri III avait confié la garde du Trésor, permettait à Henri IV de réorganiser les finances. Pour le remplacer, son premier choix se porta sur Harlay de Sancy, conseiller au Parlement, que nous avons déjà vu ambassadeur à la Cour d'Angleterre. Mais Sancy, bien qu'honnête, manquait de l'autorité nécessaire pour faire face à une situation si désespérée. Finalement, le roi, se rendant aux conseils de Gabrielle, confia la fonction à son lieutenant, M. de Rosny, bien que ce jeune gentilhomme sage et modeste, qui s'était distingué comme soldat et comme diplomate, n'eût jusqu'alors montré aucune aptitude pour une aussi lourde tâche. Malgré l'opposition et le ressentiment manifestés par les autres conseillers financiers du roi, Rosny prit la direction des finances en octobre 1596. Ses premiers efforts furent si bien couronnés de succès, que, quand Henri IV se rendit à Rouen pour assister à l'assemblée des notables convoqués dans cette ville, le nouveau surintendant lui amena 500.000 écus d'or, chargés sur dix-sept charrettes, résultat de son premier appel aux fonds des fermiers généraux dans les provinces.

Composée de neuf évêques, dix-neuf grands seigneurs, et trente-deux délégués du Tiers-État, l'Assemblée de Rouen était la première représentation nationale que Henri IV rencontrât depuis son accession au trône. Les députés se réunirent dans la grande salle de l'abbaye de Saint-Ouen, où le souverain fit son apparition sous le dais royal, accompagné des ducs de Nemours et de Montpensier, du jeune connétable de Montmorency, des ducs de Retz et d'Épernon, du maréchal de Matignon, des quatre secrétaires d'État ayant à leur tête M. de Villeroi, l'ancien Ligueur, du légat du Pape, des cardinaux de Gondi et de Givry, et des présidents de Parlement de Paris, Bordeaux et Toulouse. Les notables accueillirent le souverain avec quelque froideur, et ne dissimulèrent pas leur inquiétude au sujet des incursions que le nouveau surintendant des finances avait faites dans les coffres de maints fonctionnaires enrichis par la collection des taxes et dans ceux de beaucoup d'autres qui détenaient illégalement les terres, les monopoles et les privilèges arrachés à la Couronne durant les désordres des règnes précédents. Ils redoutaient, en outre, un appel à de nouveaux sacrifices en vue de poursuivre la guerre contre l'Espagne.

Le discours de Henri IV à cette assemblée, qui marquait sa méfiance et sa réserve, fut un étonnant mélange de sagesse politique, d'audace et de bonhomie brusquée. « Si je voulais acquérir le titre d'orateur, déclara-t-il, j'aurais appris quelque belle et longue harangue et vous la prononceriez avec assez de gravité. Mais, Messieurs, mon désir me pousse à deux plus glorieux titres, qui sont de m'appeler libérateur et restaurateur de cet État. Pour à quoi parvenir je vous ai assemblés. Vous savez à vos dépens, comme moi aux miens, que lorsque Dieu m'a appelé à cette couronne, j'ai trouvé la France non seulement quasi ruinée, mais presque toute perdue pour les Français. Par la grâce de Dieu, par les prières et les bons conseils de mes serviteurs, qui ne font profession des armes, par l'épée de ma brave et généreuse noblesse, et foi de gentilhomme, par mes propres peines et labeurs, je l'ai sauvée de la perte. Sauvons-la à cette heure de la ruine. Je ne vous ai point appelés comme faisaient mes prédécesseurs, pour vous faire approuver leurs volontés. Je vous ai assemblés pour recevoir vos conseils, pour les croire, pour les suivre, bref pour me mettre en tutelle entre vos mains, envie qui ne prend guère aux rois, aux barbes grises et aux victorieux. »

Ce langage de soldat et d'homme d'État, où le calcul s'alliait à la générosité, selon la caractéristique de Henri IV, séduisit le plus grand nombre des notables, et déconcerta les mécontents qu'il ne gagna pas. Il révélait aux nobles hésitants, aux politiciens du Tiers État chargés de réclamations, qu'au lieu des princes faibles et pervers qui avaient mené la dynastie des Valois à une misérable fin, un prince d'une nouvelle race et d'un nouveau caractère, homme d'État autant que guerrier, occupait le trône de France. Gabrielle d'Estrées, qui avait assisté à la scène, dissimulée derrière une tapisserie, trouva admirable l'attitude de son amant. Toutefois, elle lui marqua son étonnement qu'il parût vouloir se mettre en tutelle. « Il est vrai, répliqua le roi en riant, mais, Ventre Saint-Gris ! je l'entends avec l'épée au côté. »

Pendant l'hiver de 1596, tandis que les nobles discutaient toujours âprement sur le projet de restauration des finances, qui avait été arrêté entre le roi et M. de Rosny, tandis que les grands chefs huguenots, La Trémoille, Mornay et d'Aubigné, après de tumultueuses assemblées de protestants à Saumur et Londres, poursuivaient leurs demandes instantes pour la reconnaissance de leurs droits et pour obtenir des offices.

Henri IV retourna à Paris. Il était alors dans tout le feu de
sa passion pour Gabrielle. Il avait créé sa maîtresse duchesse
de Beaufort, et fait duc de Vendôme le fils César qu'elle lui
avait donné. En dépit des doléances des marchands et des
lamentations du pauvre peuple, cet hiver fut l'un des plus gais
que l'on eût vus à Paris depuis le temps de la Ligue. Jamais
le carnaval n'avait porté de plus étranges masques. Le roi
et Gabrielle avec lui entrèrent pleinement dans le mouvement.
Au commencement du carême, Henri soupa chez le banquier
Zamet et y passa la nuit. Le lendemain, il visita la célèbre
foire Saint-Germain et y marchanda aux boutiquiers un anneau
pour Gabrielle. Le premier dimanche de carême, il organisa
un cortège de sorciers masqués, et accoutré d'un costume des
plus joyeux, il rendit une visite solennelle aux anciennes corpo-
rations de la cité. Gabrielle l'accompagnait partout et tous
deux étaient masqués. Mais à chaque instant, la favorite ôtait
son masque et embrassait publiquement son amant, avec des
mots passionnés et de grandes démonstrations de tendresse.
Partout, le roi et sa belle compagne étaient accueillis par des
« ballets, pantomimes, mascarades et musique de toutes sortes »,
toutes choses, selon le chroniqueur L'Estoile, « propres à inciter
au plaisir ».

Mais le 12 mars 1597, veille de la mi-carême, un grave événement vint jeter l'alarme dans la ville en fête. Les Espagnols
avaient surpris Amiens et s'étaient rendus maîtres de la capitale de la Picardie, laquelle avait orgueilleusement refusé, peu
auparavant, l'aide d'une garnison offerte par le roi. Apportée
en pleine nuit par un courrier hors d'haleine, le nouvelle de
ce désastre, après avoir réveillé le roi, se répandit rapidement
à travers le Louvre et dans tout Paris. La panique se répandit
parmi la population, que les agents secrets du roi d'Espagne
travaillaient toujours activement, et Henri IV lui-même parut
un moment accablé. Son premier mouvement fut pour blâmer
l'orgueil obstiné des bourgeois d'Amiens, mais après un moment de réflexion, il retrouva tout son courage. « C'est assez
faire le roi de France, s'écria-t-il en une phrase qui résume
toute sa carrière, il est temps de faire le roi de Navarre. »
Et se tournant vers Gabrielle tout en larmes : « Ma mie, dit-il,

il faut que je vous quitte et que je monte à cheval. Nous avons une nouvelle guerre sur les bras. »

La prise d'Amiens avait réveillé les espoirs de ces incorrigibles Ligueurs parisiens, chez lesquels vivait toujours l'esprit de révolte. Et quand Henri quitta la capitale pour marcher sur la Picardie, la prudente Gabrielle suivit l'armée royale dans son carrosse, en déclarant qu'elle ne se sentait pas en sécurité dans Paris. Le siège d'Amiens fut le dernier épisode de la longue guerre contre l'Espagne. Le roi avait réuni difficilement une armée, non sans qu'il eût menacé de la Bastille quelques conseillers au Parlement récalcitrants, qui lui refusaient les moyens de lever les taxes dont il avait besoin pour se procurer de l'argent. Pendant six mois, son adversaire, Porto Carrerro, une étrange figure de nain au visage d'enfant, mais non dépourvu de talents militaires, défendit vigoureusement la cité jusqu'à ce qu'il fût abattu par une balle d'arquebuse. Dans l'intervalle, Henri IV avait réussi à empêcher une seconde armée espagnole, commandée par l'archiduc Albert d'Autriche, de joindre ses forces à celles des assiégés. Et trois semaines après la mort du minuscule gouverneur, son successeur se rendit. La capitulation fut signée le 19 septembre 1597.

Ce succès était dû en partie au meilleur capitaine de Henri IV, le maréchal de Biron. Ce jeune gentilhomme avait hérité des talents militaires de son père, et malheureusement aussi de toute sa vanité. Il était aussi brave que versé dans l'art de la guerre, et aussi orgueilleux que brave. Lors du retour triomphal du roi à Paris, après la capitulation d'Amiens, comme le prévôt des marchands venait le féliciter de son succès, le monarque répliqua en désignant la martiale figure de son lieutenant : « Voici le maréchal de Biron, que je suis bien aise de présenter à mes amis et à mes ennemis. »

Dès la chute d'Amiens, les négociations pour la paix s'ouvrirent entre la France et l'Espagne. Philippe II, dont l'ambition morbide avait dévasté l'Europe pendant près d'un demi-siècle, était alors âgé de soixante-et-onze ans et son horrible fin approchait. Pour laisser à son fils de dix-neuf ans un héritage qui fût débarrassé de toute préoccupation d'ordre militaire, il se vit obligé de renoncer à sa longue lutte contre le fils de Jeanne d'Albret. Il se décida à libérer son héritier des difficultés croissantes de la guerre de répression de Hollande, en mariant sa fille à l'archiduc Albert et en abandonnant à ce couple la souveraineté des Pays-Bas et de la Franche-Comté. Par ce moyen, le prince moribond transférait à d'autres épaules la charge et la responsabilité d'une guerre ruineuse contre les Hollandais rebelles, et s'épargnait à lui-même l'humiliation de faire la paix avec eux.

La fin de la résistance que rencontrait le roi de France en Bretagne, une des sphères d'influence espagnole subsistant en France, vint modifier l'attitude de Philippe à l'égard de Henri IV. Après la prise de Dinan, enlevé par le maréchal de Brissac, le duc de Mercœur fit à Henri IV sa soumission longtemps retardée, et lui promit sa fille unique pour César de Vendôme, le premier fils de Gabrielle d'Estrées. Il ne restait plus d'autre ennemi que le beau-frère de Philippe, Emmanuel de Savoie, qui poursuivait une campagne active de sièges et d'escarmouches contre le capitaine huguenot Lesdiguières, sur les frontières de la Bourgogne et de la Franche-Comté. C'était le seul allié qui restât à Philippe et qu'il eût à soutenir dans les pourparlers qui s'ouvrirent pour la paix, en 1598, à Vervins.

Les instructions données par Henri IV à ses représentants Bellièvre et Sillery étaient claires et formelles. Ils devaient chercher à obtenir confirmation des promesses faites au nom de Philippe II par le général de l'ordre des Franciscains, dans des conversations secrètes préliminaires, promesses en vertu desquelles l'Espagne rendrait toutes les places fortes conquises sur la France depuis la paix de Cateau-Cambrésis, en 1559, ce qui impliquait la restitution de Calais, Ardres, Doullens, La Capelle, Le Câtelet et quelques autres moins importantes.

Cependant, le roi ne jugea pas nécessaire de consulter ses alliés avant d'entrer en négociation avec l'Espagne. Et aux reproches de déloyauté qu'Élisabeth ne manqua pas de lui faire, tant dans des lettres pleines de colère que dans des propos sarcastiques tenus à l'ambassadeur de France, il répliqua, avec quelque amertume qu'il suspectait la reine de souhaiter la prolongation indéfinie d'une guerre entre les deux plus grandes puissances continentales de l'Europe, lutte qui débarrassait l'Angleterre de toute menace, et la laissait entièrement libre d'accroître rapidement sa prospérité. Néanmoins, il fit des efforts sincères, bien que tardifs, pour comprendre les Anglais et les Hollandais dans le traité de paix. « Mes députés ont commencé de traiter les affaires fort avant à Vervins, écrivait-il au duc de Luxembourg ; mais parce que les députés du roi d'Espagne n'ont apporté un pouvoir de leur maître pour traiter avec la reine d'Angleterre, comme je m'attendais qu'ils feraient et m'en avaient donné espérance, je ne veux pas donner occasion à la dite reine de se plaindre de ma foi, même à présent qu'elle m'envoie ses députés exprès pour se joindre avec moi au dit traité. »

Et le représentant du roi à Vervins écrivait au secrétaire d'État, Villeroi : « Quant à ces négociations, nous devons les terminer honorablement, mais si nous attendons les conseils de la reine d'Angleterre et des États de Hollande, nous aurons encore dix ans de guerre et nous n'aurons jamais la paix. »

Longtemps retardés par les vents contraires, les délégués anglais, Cecil et Herbert, débarquèrent enfin sur le sol français. Les ambassadeurs hollandais, Barneveld et Nassau, arrivèrent encore plus tard. Quand ils se rencontrèrent avec le roi, à Angers, à la fin de mars 1598, les pourparlers étaient en cours depuis deux mois et le traité déjà conclu. Sur quoi, les représentants anglais se retirèrent avec colère, et ne ménagèrent pas le roi, en prenant congé. Mais pour sensible qu'il fût à ces reproches, Henri garda la conviction qu'il avait fidèlement servi la cause de la France.

Signé le 2 mars 1598, le traité de Vervins restituait aux deux puissances les territoires qu'elles avaient respectivement perdus depuis la paix de 1559. La France recouvrait Calais, Ardres, Doullens, et la ville bretonne de Blavet, tandis que Cambrai était rendu à l'Espagne. D'autre part, le traité s'en remettait à l'arbitrage du Pape pour la possession depuis longtemps disputée du marquisat de Saluces, dont le duc de Savoie s'était emparé sur les rois de France, depuis 1588.

En février 1600, le duc auquel, dans l'intervalle, Lesdiguières avait enlevé le fort Barreaux, signa à son tour un traité avec Henri IV, promettant de rendre Saluces à la France. Mais toute une année s'écoula, et il fallut entreprendre une nouvelle campagne pour que le Savoyard tînt enfin sa parole.

Ce fut seulement quand ce dernier ennemi eut fait sa soumission que Henri IV, près de douze ans après la mort de son prédécesseur, put se considérer comme enfin maître de son royaume.

LIVRE III : HENRI LE GRAND

CHAPITRE XXI

TRIOMPHES ET DÉCEPTIONS
L'ÉDIT DE NANTES

L A période épique est désormais close. Le guerrier s'est
mué en monarque. Le chef d'une faction héroïque et
d'une cause perdue est devenu le maître d'un grand peuple.
Prématurément vieilli, d'apparence sinon d'esprit, la barbe
et les cheveux gris, mais étonnamment jeune d'allure et de
caractère, Henri de Navarre est maintenant Henri de France,
le premier et de beaucoup le plus grand de tous les rois de
la maison de Bourbon. Son ancienne gaieté d'esprit persiste,
mais tempérée à présent par la sagesse de l'homme mûr. Il est
plus que jamais tolérant, sinon ignorant, même des traîtrises
qui s'arment contre sa personne et non contre son pays.
« Beaucoup m'ont trahi, dira-t-il tristement, mais pas un ne
m'a déçu. » Il subit sans amertume des reproches graves pour
son inlassable magnanimité à l'égard de ses pires ennemis.
Critiqué par ses alliés au dehors, renié par ses anciens coreligionnaires au dedans, déçu et abandonné par des amis aimés
et des compagnons de sa jeunesse, trahi par ses maîtresses,
en butte aux conspirations tramées par ses meilleurs capitaines en qui il avait le plus confiance, le prince sage, souriant,
clairvoyant, indulgent et incroyablement romanesque, poursuit sans défaillance ses rêves de splendeur.

Héros lui-même autant que victime de la lutte pour la
liberté religieuse, il croit passionnément à l'avènement d'une
ère de tolérance, de pardon et de liberté. Détestant la guerre
aussi fortement et impétueusement qu'il l'a faite, il lutte sans
honte de toutes ses forces pour la paix intérieure et extérieure.
N'ayant connu toute sa vie qu'une nation divisée, constamment en proie à un oppresseur ou à un autre, il rêve d'une

France unifiée et indépendante. Après des années passées en
selle, des années tumultueuses où il a vécu sans répit comme
un fugitif et un proscrit, allant d'un refuge précaire à un autre
avec sa petite troupe de gentilshommes faméliques aux habits
râpés, chevauchant à travers un pays dévasté et ruiné par
la guerre, il entrevoit, avec des yeux ardents, une ère nouvelle
de paix, de contentement et de prospérité. La fièvre de la
Renaissance brûle toujours dans l'esprit des hommes, et, dans
ses propres veines, Henri IV sent battre les pulsations d'une
énergie créatrice. La reconstruction de la France, l'établissement des libertés religieuses et civiles, la restauration des
finances, la construction de ponts, de routes et de canaux,
le développement de l'agriculture, longtemps négligée durant
la guerre civile, l'extension pacifique du commerce, la résurrection des lettres et des sciences, tels sont les buts immédiats
que poursuit le roi de France avec une ardeur impatiente,
et toute la passion d'un cœur aussi assoiffé de popularité
qu'avide d'amour. Et plus tard, avant que le rideau tombe,
son esprit fécond est hanté d'un grand rêve, la vision d'une
confédération des États de l'Europe, une Union chrétienne
basée non sur la doctrine d'une Église, mais sur la tolérance
universelle et un mutuel amour de la paix.

Durant sa longue lutte pour la cause de la foi protestante,
et plus tard pour le trône, son caractère avait subi une transformation frappante. L'adolescent plein de vivacité de la Cour
de Catherine, le jeune époux gauche et humilié de Marguerite
de Valois, l'héroïque et rêveur amant de Corisande, était
devenu un homme endurci par la ruse et la bataille, possédé
d'une sage et redoutable patience, audacieux mais prudent,
habile à lire dans le cœur humain. Fénelon, dans ses *Dialogues
des Morts*, place dans sa bouche cet aveu à son ancien adversaire Mayenne : « Tout ce que je suis, je le dois à mes propres
infortunes. Ma nature m'inclinait vers la mollesse et la vie
aisée. Mais, sensible à la critique des hommes, je m'aperçus
du tort que mes défauts pourraient me causer. Je fus donc
amené à les corriger, et à me discipliner dans la contrainte, à
suivre de bons conseils, à profiter de mes propres erreurs et

mettre la main à toutes sortes d'entreprises. C'est ainsi qu'on instruit et qu'on façonne les hommes. »

Et dans une occasion plus réelle, Henri put se vanter, non sans raison, « qu'il n'avait jamais manqué de courage pour s'élever au-dessus de ses infortunes. » Les coups du sort trouvèrent en lui une stoïque victime. La haine et l'injustice, les désillusions et la calomnie, loin d'inspirer l'amertume à son esprit, le disposaient à l'indulgence : « Si l'on répliquait à la médisance en coupant la langue à tous ceux qui disent du mal d'autrui, observait-il un jour, tant de gens deviendraient muets que l'on aurait grand'peine à trouver des serviteurs. » Et si quelqu'un cherchait à soulever son animosité contre les hommes qui avaient été ses ennemis dans sa lutte contre la Ligue, il répliquait généreusement : « Il ne faut plus leur en faire reproche. La Ligue fut le malheur du temps. Ces hommes croyaient bien faire et, comme tant d'autres, ils se trompaient. »

Et quand, par un des actes les plus criticables de son règne, il rétablit dans son royaume l'ordre des Jésuites qui avait été l'âme de la Ligue, à une délégation de la Société qui le remerciait avec une effusion trop marquée de ce geste miséricordieux, il répliquait avec quelque aigreur : « J'ai appartenu à deux religions et tout ce que j'ai fait quand j'étais huguenot, on a dit que je le faisais dans l'intérêt de la religion réformée. Maintenant que je suis catholique, tout ce que je fais pour les catholiques, on m'accuse de le faire parce que je suis un jésuite. Mais je passe sur de telles considérations et je ne m'arrête qu'au bien, parce que c'est le bien. Allez et faites de même. »

La générosité du roi de France envers les Jésuites, qui souleva contre lui la plus sévère réprobation des protestants, fut plus que compensée dans la balance politique par la promulgation de l'Édit de Nantes. Cette mesure fameuse menaça un moment de ressusciter les colères et les dangers de la Ligue, mais se révéla par la suite la plus grande réalisation politique de Henri IV. Depuis qu'au lit de mort de son prédécesseur, il avait fait ses premières avances aux catholiques, les églises réformées n'avaient pas cessé de protester contre les dangers dont elles étaient menacées, et bien que deux années plus tard il eût révoqué les édits de répression de Rouen et de Nemours et remis en vigueur l'Édit de tolérance, signé à Poitiers en 1577, l'application de ce dernier était restée si longtemps en suspens et la préférence du roi si marquée en faveur de ses partisans catholiques dans la répartition des emplois, que l'inquiétude et l'anxiété redoublèrent chez les huguenots. Successivement, les assemblées des églises réformées à Sainte-Foy en 1594, à Saumur en 1595, à Loudun en 1596, réitèrent leurs demandes tendant à un second et solennel enregistrement de l'Édit de Poitiers par les Parlements de Paris et des grandes villes de province. Elles insistaient en outre pour que, par une extension en leur faveur des mesures envisagées, non seulement les protestants fussent autorisés à pratiquer librement leur culte dans tout le royaume et admis aux emplois de l'État sur un pied d'égalité avec les catholiques, mais aussi pour que, en échange de l'interdiction de la religion réformée dans les villes rendues par la Ligue, la célébration de la messe fût prohibée dans un pareil nombre de places protestantes.

Le mécontentement des huguenots ne se borna pas à ces réclamations. Depuis quelques années, leurs nouveaux chefs s'étaient ostensiblement tenus éloignés de la Cour. L'austère et fougueux Duplessis-Mornay, enfermé dans sa puissante forteresse de Saumur, gouvernait la région avec une petite garnison protestante. D'autres, comme Bouillon et La Trémoille, plus ambitieux et moins noblement désintéressés, intriguaient ouvertement contre le roi, tout en restant à l'écart. En 1595, ces gentilshommes abandonnèrent brusquement l'armée royale qui assiégeait La Fère, et l'année suivante, dans une conjoncture encore plus grave, ils refusèrent presque insolemment d'aider Henri IV à reprendre Amiens sur les Espagnols. A la suite de cette manifestation d'hostilité, le roi donna libre cours à sa colère. Confiant à M. de Rosny, protestant lui-même, l'anxiété que lui causait la malice de chefs comme Bouillon et La Trémoille du côté huguenot, de d'Épernon du côté catholique, il fit le serment de les mettre tous un jour à la raison, jurant qu'alors il se vengerait sévèrement, en leur faisant payer tous les mauvais tours qu'ils lui avaient joués.

Si les prétentions ambitieuses des chefs protestants étaient aussi arrogantes et exorbitantes au point de vue politique que celles des catholiques extrémistes, la situation des Églises réformées justifiait leur grave mécontentement. Comme l'écrivait amèrement l'auteur anonyme d'un pamphlet intitulé : « Complaintes des Églises réformées de France sur les violences qui leur sont faites », depuis huit ans que leur ancien chef était monté sur le trône, leur condition ne s'était pas améliorée. En échange de leur soumission au roi, les plus éminents Ligueurs avaient reçu le gouvernement de riches provinces, et se trouvaient libres de poursuivre sans être inquiétés leur vieille rancune contre les huguenots. Les Parlements de province se montraient uniformément hostiles à la religion protestante et les huguenots qui plaidaient devant eux étaient souvent qualifiés par leurs adversaires de chiens et d'hérétiques sans encourir la moindre observation des magistrats. Une série de méfaits individuels s'était allongée depuis la fin des guerres civiles, et les assemblées religieuses demandaient la réparation des torts causés à leurs membres. On avait vu des enfants de familles protestantes, arrachés à leurs parents, des funérailles interdites, des tombes profanées, des écoles arbitrairement fermées. Toutefois, le principal grief était la préférence constante donnée aux catholiques dans la répartition des hautes charges de l'État, à l'exclusion des protestants même qui avaient suivi la cause du roi avec une loyauté exemplaire. Pour justifiés que fussent de tels affronts au point de vue politique, l'orgueil huguenot n'en ressentait pas moins profondément cette humiliation, que rendait plus amère l'apostasie de certains chefs éminents de l'Église réformée, comme l'historien Cayet et le fameux conseiller et ambassadeur Harlay de Sancy.

Mais la paix signée avec l'Espagne avait enfin rendu possible la pacification générale du royaume, et Henri IV était résolu désormais à la réaliser par une mesure hardie et généreuse. Signé par le roi, le 13 avril 1598, pendant son expédition en Bretagne pour soumettre le duc de Mercœur, l'Édit de Nantes se référait à l'ancien Édit de Poitiers que le roi de Navarre avait signé vingt ans auparavant au nom des huguenots, après la paix de Bergerac.

Certains articles accordaient aux protestants de nouvelles satisfactions : liberté de conscience dans tout le royaume, à l'exclusion de toute contrainte, exercice public du culte réformé dans une ville par bailliage, et dans toutes les maisons des seigneurs protestants exerçant le droit de justice, dont le nombre se montait à 3.500, aussi bien que dans toutes les autres demeures de gentilshommes, pourvu que le nombre des assistants ne fût pas supérieur à trente.

Les droits civiques des réformés étaient pareillement reconnus et des tribunaux mixtes institués pour juger les contestations entre membres des religions rivales. Enfin, concession la plus importante au point de vue stratégique, sinon morale, un grand nombre de villes et de forteresses étaient données aux protestants. Près d'une centaine de places fortifiées, parmi lesquelles La Rochelle, Montauban et Montpellier, outre celle de Mornay à Saumur, passaient ainsi en leur pouvoir, et les garnisons devaient en être entretenues aux frais du roi.

Faire accepter par le Parlement une charte qui donnait à une minorité religieuse une semi-indépendance militaire et créait, en fait, un État dans l'État, n'apparaissait pas une tâche aisée. Bien que l'Édit reconnût le catholicisme comme la religion d'État en France, il ruinait à jamais tous les espoirs catholiques de conquête religieuse par décret ou par la force des armes. Près d'une année après la signature de l'acte, le Parlement de Paris refusait toujours obstinément de l'enregistrer. Il feignait d'ignorer ou écartait courtoisement les multiples demandes adressées par le roi à cet effet. Finalement, en février 1599, Henri convoqua les magistrats dans son cabinet du Louvre et s'adressa à eux sans cérémonie, « non avec la cape et l'épée comme ses prédécesseurs, leur expliqua-t-il, mais vêtu du pourpoint d'un simple citoyen, comme le père de famille s'adressant familièrement à ses enfants. »

Il commença par quelques réminiscences personnelles des temps troublés que certains personnages turbulents menaçaient de ressusciter. Il rappela cette nuit du Louvre qui avait longtemps hanté sa mémoire, dans laquelle, peu après la Saint-Barthélemy, quatre jeunes gens, dont il était lui-même, jouant aux dés dans une chambre du palais, avaient vu des gouttes de sang apparaître sur la table. « Nous les essuyâmes deux fois et elles revenaient pour la troisième. Je dis que je ne jouais plus, que c'était un mauvais augure contre ceux qui l'avaient répandu. Devinez-vous ce que signifiait ce présage ? » Et alors, changeant de ton, Henri fit entendre aux conseillers fort embarrassés qu'il était pleinement au courant de toutes les intrigues fomentées dans le Parlement. Il n'ignorait pas que des prêtres fanatiques, suscités et subventionnés par ses ennemis, excitaient la populace contre l'Édit royal. Il conclut enfin brusquement : « Je couperai court à la racine de toutes les factions, et quant aux prêcheurs de sédition, je les raccourcirai de la tête. Je suis passé par dessus des murailles de villes, je puis aussi aisément franchir des barricades. Ne me jetez pas à la face la religion catholique. Je l'aime plus que vous ne l'aimez et je suis plus catholique que vous. Je suis le fils aîné de l'Église. Ce que pas un de vous n'est ni ne sera. » Et il ajouta sarcastiquement : « Vous vous trompez si vous vous croyez bien avec le Pape. Je suis plus près de lui que vous. Si je m'y mettais, je vous ferais tous déclarer par lui hérétiques pour refus d'obéir à ma volonté. »

Huit jours après, le Parlement enregistrait l'Édit de Nantes. Quelques mois plus tard, avec la même fermeté sous une apparence de bonhomie joviale, Henri imposait sa volonté au Parlement de Bordeaux, et même à celui de Toulouse, la ville implacable ennemie des huguenots. Les députés de Bordeaux trouvèrent le roi en train de jouer avec ses enfants dans la grande salle du château de Saint-Germain, et lisant la surprise sur le visage des graves conseillers, le prince leur dit : « Ne vous étonnez point, Messieurs, de me voir folâtrer avec mes enfants. Maintenant que j'ai fait le fou avec eux, je veux faire le sage avec vous. »

Après avoir subi pendant une heure le savant réquisitoire du président du Parlement de Bordeaux contre les dispositions de l'Édit, Henri répliqua qu'il avait entendu les mêmes arguments dans la bouche de feu le cardinal de Lorraine. Il connaissait de longue date, comme roi de Navarre, les causes de la maladie qui avait tant affaibli le royaume, mais jusqu'à présent il n'avait pas eu de remède à sa disposition. Maintenant qu'il était le roi de France, il possédait ce remède. Il avait fait un Édit, il désirait le maintenir, et quoi qu'il pût arriver, sa volonté serait obéie.

A une délégation du clergé qui lui présentait des remontrances, le roi répliqua : « Mes prédécesseurs vous faisaient entendre leurs paroles avec un grand déploiement de pompe. Moi, en dépit de mon pourpoint gris, je vous donnerai des faits. Je suis gris au dehors, mais l'intérieur est tout or. »

Il usa d'un langage encore plus sévère à l'égard des fanatiques toulousains, en les accusant clairement d'être toujours Espagnols de cœur. Il repoussa avec indignation leur demande tendant à expulser les huguenots de toutes les charges publiques, car il se refusait à croire que ceux qui avaient exposé leur vie et risqué leurs biens pour la défense et le salut du royaume dussent être considérés comme indignes de cet emploi, tandis que ceux qui avaient travaillé de cœur et d'âme à la ruine de l'État seraient regardés comme de bons Français. Devant un tel déploiement d'énergie et de résolution, qualités que les conseillers n'étaient plus accoutumés à trouver chez un souverain français, le Parlement de Toulouse, et après lui ceux d'Aix et de Rennes, se soumirent à la volonté du roi. Au cours des années 1599 et 1600, les derniers actes d'enregistrement furent votés par les cours provinciales et l'Édit de Nantes devint une loi pour tout le royaume.

C'est sur cette note de tolérance et de réconciliation en France que prend fin l'étonnant xvie siècle. Il avait vu la Renaissance fleurir sur les ruines des sombres âges et la semence des libertés humaines germer d'un sol ensanglanté. Il avait vu se créer la gigantesque machine de l'Inquisition et se dissocier l'empire de Charles-Quint, s'évanouir tous les rêves du sinistre reclus de l'Escurial, et les soldats de la reine vierge Élisabeth détruire un autre empire espagnol dans le Nouveau Monde. Le rideau tombait sur un théâtre rempli

de magnifiques et éblouissantes figures : Rabelais, le géant
comique, les poètes Ronsard, du Bellay, d'Aubigné, Raleigh
et l'immortel Shakespeare, l'étonnant Sidney, poète et soldat,
le brave et galant Bussy d'Amboise, les graves hommes de
science Galilée, Bernard Palissy, Ambroise Paré, l'alchimiste
Cosme de Ruggieri, le grand peintre Léonard de Vinci,
François Clouet. Le rideau tombait aussi sur un étincelant
cortège de femmes, parmi lesquelles les deux rivales, Diane
de Poitiers et Catherine de Médicis, la mystique et à demi
oubliée Marguerite de Navarre et sa petite-nièce Marguerite
de Valois. Enfin, parmi la foule des hommes de guerre, on
pouvait noter l'immortel Crillon, La Noue, Givry, les Guise,
le père et le fils, et enfin les héros de la réforme militante,
Coligny et Guillaume le Taciturne.

De ce monde d'actions et d'idées, tumultueux et passionné,
Henri IV demeurait le notable survivant, presque seul sur
la scène avec Élisabeth mourante et Shakespeare fulgurant.

CHAPITRE XXII

LES RÊVES DE GABRIELLE D'ESTRÉES ET SA MORT SOUDAINE

Depuis son entrée dans Paris, Gabrielle d'Estrées régnait dans la capitale comme une souveraine sans couronne. Elle se montrait au bras de son amant, lui donnant à baiser tantôt sa main, tantôt ses lèvres aux mascarades, bals, fêtes et soupers dont les gentilshommes, et les marchands qui les singeaient, se délectaient bruyamment dans cette nouvelle ère de paix. Elle accompagnait le roi à la chasse, montant à cheval en homme, ses formes gracieuses étroitement gaînées de vert. Durant les mois qui suivirent la paix de Vervins, elle put jouir de l'épanouissement de sa beauté et de tout l'éclat de son triomphe. Elle se voyait courtiser par les ambassadeurs, aduler par les conseillers du roi, et les chefs des deux partis religieux sollicitaient secrètement ses faveurs.

Gabrielle avait permis à Henri de réaliser deux de ses plus chers et secrets désirs. Elle l'avait rendu père et lui avait donné la consolation de l'amour. Sa première indifférence à l'égard du prince, attitude qui témoignait de son peu d'ambition, avait fait place à une paisible et tendre affection pour son royal amant. Quoique de vingt ans son aîné, Henri était toujours jeune, ardent, d'une étonnante vitalité, l'homme le plus infatigable de corps et d'esprit de toute sa génération. A l'égard des infidélités ouvertes de Gabrielle, il se montrait singulièrement tolérant, beaucoup plus que les ennemis de la favorite eux-mêmes et les chroniqueurs malicieux de la Cour. Et à l'exception de quelques caprices passagers pour mademoiselle de Haraucourt, madame des Fossés et mademoiselle Havard de Senantes, une gracieuse fille d'honneur de

Gabrielle, Henri lui-même se montrait étonnamment fidèle à son absorbante maîtresse.

Entourée de tous les égards réservés à une personne royale, assidûment flattée par les grandes dames de la Cour, traitée avec déférence même par les arrogantes princesses de la maison de Lorraine, mesdames de Nemours et de Montpensier, adorée d'un roi devenu le premier souverain de l'Europe, comblée par lui de joyaux et de présents dignes d'une reine, comment cette docile jeune femme n'aurait-elle pas prêté l'oreille aux conseils qui l'assaillaient ? Les instances pressantes de sa tante intrigante, madame de Sourdis, et les invites que lui murmuraient les protestants commençaient à répondre au secret appel de son cœur. Ambitieuse pour l'avenir de ses enfants, elle se prêta sans beaucoup de peine aux desseins de sa famille, et s'abandonna aux éblouissantes visions du trône que les siens évoquaient devant ses regards ingénus. A mesure que son rang s'était élevé, elle logeait dans des maisons de plus en plus princières. En 1598, elle habitait l'hôtel de Schomberg, voisin du Louvre, et elle avait son entrée particulière dans le palais. Le roi lui donna même au Louvre l'appartement des reines. Cependant, elle n'y passa la nuit qu'une seule fois, et par la suite, manifesta un violent dégoût pour la sombre demeure, encore hantée par les fantômes des Valois, et abandonnée par le roi lui-même, sauf dans les occasions solennelles. Elle se voyait si près de la couronne que sa robe de noces, toute de pourpre royale, était commandée.

Aux yeux de Henri IV, le problème de la succession au trône était devenu de première importance. De sa solution, outre le prix qu'y attachait l'orgueil royal, dépendait la sécurité du pays, la réalisation de tous ses rêves dynastiques, l'aboutissement de sa longue lutte pour la paix et l'unité nationale. Il entrevoyait une France nouvelle, au visage souriant, éclairée par l'esprit de tolérance et de réconciliation, émergeant des ruines de la Ligue et contemplant l'écrasement de l'empire espagnol. Mais, faute d'héritiers légitimes, il apercevait son œuvre anéantie, l'unité menacée, le royaume replongé à nouveau dans de longues et sanglantes intrigues. Marguerite de Valois, sa première femme, la dernière de cette lignée fatale, vivait depuis des années seule dans son château d'Usson, et ne lui rappelait son existence que de loin en loin, par des lettres d'une rare humilité, bien éloignées de cet esprit moqueur par lequel elle avait séduit ou intimidé les amants de sa jeunesse aventureuse. Ce n'était pas cette épouse à demi oubliée, frappée de stérilité comme tous les enfants de Catherine de Médicis, qui pouvait donner des héritiers au trône de France.

Au surplus, le roi éprouvait quelques appréhensions au sujet de sa santé jusqu'à présent robuste. A la fin de 1598, tandis qu'il se trouvait à Monceaux, maison de campagne de Gabrielle, une grave maladie l'avait mis aux portes du tombeau. Les fatigues de la rude existence qu'il avait menée dans sa jeunesse commençaient à se faire sentir. Ses vaillantes prouesses en amour, les blessures reçues sur les champs de bataille, avaient affaibli sinon ruiné sa constitution. Après sa récente maladie, ses médecins l'avertirent que s'il voulait assurer un héritier au trône, il n'eût pas à prolonger trop longtemps la recherche d'une reine.

En mai 1598, il ouvrit son cœur à Sully. Il voyait, dit-il à son conseiller attentif, ses rêves magnifiques de restauration de la monarchie menacés de ruine, faute de dynastie. Comme Henri VIII d'Angleterre, il avait cherché dans toutes les cours d'Europe une femme douée de ces vertus dont la combinaison était si rare : « beauté en la personne, pudicité en la vie, complaisance en l'humeur, mobilité en l'esprit, éminence en extraction, fécondité en génération. » Un des desseins de Philippe d'Espagne en mourant avait été de marier l'une de ses filles à son jeune rival, pour atténuer l'humiliation d'une paix signée avec la France. Mais l'infante était laide et vieille, et sans doute incapable d'avoir des enfants, toutes considérations politiques mises à part à l'égard d'une telle alliance. « L'on m'a parlé aussi de certaines princesses d'Allemagne, poursuivit le roi, mais les femmes de ce pays ne me reviennent nullement. Et si j'en épousais une, je croirais toujours avoir une barrique de vin dans mon lit. » Les agents du duc de Toscane, Gondi et Zamet, lui avaient fréquemment conseillé un mariage avec la nièce de leur maître, Marie de Médicis, en lui faisant un portrait flatteur de cette dame, rose, blonde et souriante. Mais Henri faisait observer à Sully que cette famille était d'origine récente, et qu'au surplus cette princesse était de même sang que la reine mère Catherine de Médicis, qui avait fait tant de mal à la France.

De toutes les femmes et princesses de nobles maisons de France, continuait Henri dans son soliloque, les deux filles du duc de Mayenne lui semblaient trop jeunes et Catherine de Rohan était huguenote. La fille du duc de Guise lui plaisait assez, nonobstant les petits bruits qui couraient sur sa réputation, « car pour son goût, il aimerait mieux une femme qui fît un peu l'amour qu'une qui eût mauvaise tête. » Mais il appréhendait la trop grande passion qu'elle témoignait pour les intérêts de ses frères et de toute sa famille.

Et comme Sully s'enfermait dans un silence inquiétant, le roi, un peu impatienté, aiguilla la conversation vers le sujet qui lui tenait au cœur. Il invita son confident à reconnaître que toutes les qualités qu'il avait énumérées se trouvaient réunies dans la belle personne de Gabrielle, sa chère maîtresse. Mais Sully, dont les relations avec la duchesse de Beaufort étaient assez froides, refusa de se laisser convaincre, et il exposa gravement au roi toutes les difficultés qu'il faudrait vaincre pour imposer à la noblesse jalouse le fils aîné de Gabrielle, César de Vendôme, comme héritier du trône, d'autant que la paternité du roi était assez douteuse.

Néanmoins, avec son obstination caractéristique dans les affaires de cœur, Henri refusa de se laisser arrêter par les complications politiques d'un tel mariage. Peu de temps après, il confiait à Groulart, président du Parlement de Normandie, qu'il se disposait à consolider la race royale « avec une princesse d'un sang plus fort et vigoureux que tout autre. »

Ce fut au milieu des influences rivales qui travaillaient secrètement pour ou contre le mariage de Gabrielle, que Marguerite adressa à la maîtresse du roi une lettre pleine de miel. Jusqu'alors, la reine de Navarre avait repoussé avec indignation tous les conseils qui tendaient à faire annuler son mariage en faveur d'une femme qu'elle accablait sans ménagement des épithètes de coureuse et putain. Mais apercevant

quelque avantage à un changement d'attitude, Marguerite
paraissait fléchir : elle écrivait à la favorite pour l'assurer de
sa chaude sympathie, et laissait entendre qu'on pouvait compter sur son aide pour obtenir la dissolution de son union. Au
début de 1599, au dire de Groulart, les projets du roi étaient
si avancés qu'il annonça à ses intimes son intention d'épouser
Gabrielle le premier dimanche après Pâques.

Cependant, celle-ci avait de nombreux ennemis à la Cour.
Tallemant des Réaux conte que, pour empêcher le mariage,
le maréchal de Belin se fit fort auprès du roi de surprendre
Gabrielle avec M. de Bellegarde. Une nuit, à Fontainebleau,
le courtisan vint réveiller Henri IV et tous deux se rendirent
jusqu'à l'aile habitée par la duchesse de Beaufort. Mais, à la
porte de son infidèle maîtresse, le roi arrêta son compagnon
et lui défendit d'aller plus loin. « Cela la bouleverserait trop »
dit-il. D'autre part, la froideur qui régnait entre Gabrielle et
Sully se manifesta par plus d'un incident, si bien qu'un jour,
la dame reprocha violemment au roi l'amitié qu'il témoignait
à son ministre. « J'aimerais mieux mourir, s'écria-t-elle dans
un mouvement dramatique, plutôt que de vivre avec cette
vergogne, de voir soutenir un valet et un serviteur contre moi
qui porte le titre de maîtresse. » A cette sortie, le roi répliqua :
« Pardieu, Madame, je vous le déclare, si j'étais réduit à cette
nécessité que de choisir à perdre l'un ou l'autre, je me passe-
rais mieux de dix maîtresses comme vous que d'un serviteur
comme lui. »

Vers la même époque, conte un autre chroniqueur, Gabrielle
examinait les portraits de toutes les princesses d'Europe en
âge de se marier. Quand elle aperçut les traits placides de
Marie de Médicis, elle s'écarta du tableau avec un frisson.
« Celle-ci me fait peur », avoua-t-elle à d'Aubigné. A Rome,
cependant, les émissaires de ceux qui s'intéressaient ouvertement ou secrètement à Gabrielle redoublaient leurs instances
auprès du Pape. Le cardinal d'Ossat et M. de Sillery
que Henri IV avait délégués pour obtenir l'annulation de son
premier mariage, arrivèrent à Rome en janvier 1599. Après
plusieurs mois de vaines négociations, ils laissèrent entendre
au Pontife que le roi pourrait être forcé de se passer de son

autorisation. Sur quoi, le Pape aurait ordonné un jeûne général dans toute la ville, et passé plusieurs jours dans la retraite et la prière, au bout desquels, conte un chroniqueur, sortant de sa chapelle privée en homme qui a eu une vision, Clément VIII s'écria comme en extase : « Dieu y a pourvu. » Peu de temps après, un courrier venu, de Paris, annonçait la mort mystérieuse de la duchesse de Beaufort, sur le couronnement de laquelle reposaient les espoirs secrets des protestants français.

Tandis que le Pape était en prières, Henri IV, en son palais de Fontainebleau, se préparait, comme tous les souverains catholiques, aux rigueurs spirituelles de la Semaine Sainte. La première pénitence que lui imposa son confesseur fut de se séparer momentanément de Gabrielle, pour cette raison qu'il ne pourrait communier en état de péché mortel. Le roi n'y consentit qu'avec répugnance. Sa maîtresse l'implora à genoux et versa des torrents de larmes, le suppliant de ne pas la quitter. Elle était assaillie de sombres pressentiments, qu'accentuaient une grossesse de quatre mois. Henri pleura en lui disant adieu, très impressionné lui-même, bien que traitant ces craintes d'enfantillage. Le 5 avril, lundi de la Semaine Sainte, il accompagna à cheval la litière de la duchesse jusqu'à Melun, où elle devait prendre le bateau pour descendre la Seine jusqu'à Paris Au moment de la séparation, Gabrielle s'accrocha à lui désespérément et peu s'en fallut que Henri ne revînt sur sa décision. Enfin, il s'arracha à son étreinte et la confia à La Varenne et à Montbazon, gentilhomme gascon, capitaine des gardes, en ajoutant qu'ils répondaient sur leur vie de la sécurité de la voyageuse. Le roi demeura un moment sur la rive, agitant la main pous rassurer Gabrielle, prostrée de chagrin sur un coussin dans la barque. Il ne devait plus jamais la revoir.

Dès qu'on atteignit les faubourgs de Paris, la duchesse dit aux bateliers d'arrêter. Elle ne voulait pas s'aventurer au cœur de la cité durant cette période de l'année où les passions religieuses étaient au plus haut point, passions que venait de rallumer l'exécution publique de deux moines impliqués dans un complot d'assassinat contre le roi. Elle se fit débarquer près de l'Arsenal, et décida de passer la nuit dans la luxueuse petite maison du financier Zamet, où elle avait goûté tant d'heureux moments en la compagnie de son amant. Là, dans ce quartier tranquille et élégant, alors en cours de construction sur l'emplacement de l'ancien palais des Tournelles, et loin de la foule fanatique qui remplissait la paroisse royale de Saint-Germain-l'Auxerrois, elle pourrait assister, sans être remarquée, aux cérémonies de la Semaine Sainte.

Le mercredi, deux jours après son arrivée, Gabrielle se confessa. Le lendemain, après un dîner fin, pour lequel les cuisiniers italiens de son hôte Zamet avaient prodigué leur talent, elle se fit porter en litière à la petite église Saint-Antoine voisine, où elle communia en compagnie de cette intrigante et malicieuse mademoiselle de Guise sur laquelle Henri avait un moment jeté les yeux comme épouse éventuelle. De retour à la maison de la rue de la Cerisaie, se sentant un peu étourdie par l'encens et la musique religieuse, et peut-être aussi par la chère trop généreuse de Zamet, elle fit quelques pas dans le jardin du financier. Tout à coup, elle fut assaillie de douleurs intolérables et perdit connaissance. Quand elle revint à elle et rouvrit les yeux, elle ne vit auprès d'elle que le valet de chambre La Varenne, le visage empreint de consternation. Comme de nouvelles convulsions la saisissaient, elle supplia cet homme épouvanté de l'emmener, et La Varenne l'emporta presque dans ses bras jusque dans la maison inoccupée de sa tante, madame de Sourdis, près de Saint-Germain-l'Auxerrois. Là, elle agonisa pendant trois jours, sans aucune femme pour l'assister, réclamant vainement le roi à grands cris, et elle succomba enfin à son mal mystérieux.

A trois reprises, elle avait fait appel à Henri IV. Son premier message, accompagné d'une note griffonnée en hâte par La Varenne, toucha le souverain à Fontainebleau. Le prince monta aussitôt à cheval, et se mit en route pour Paris. Mais à cinq lieues de la capitale, un second billet vint l'informer que sa maîtresse bien-aimée était morte. Comme frappé de la foudre, Henri s'arrêta. Conduit par ses compagnons jusqu'à une abbaye voisine, il se jeta désespéré sur un lit de moine, le visage ravagé de douleur. Quelques heures plus tard, convaincu qu'une démonstration publique de deuil avant la fête de Pâques blesserait le sentiment religieux du pays, il se laissa reconduire à Fontainebleau.

Cependant, par une tragique fatalité, au moment où la nouvelle avait atteint le roi au cœur, Gabrielle était encore vivante. La Varenne confessa plus tard qu'en tenant dans ses bras le corps méconnaissable de la favorite, avec ses traits torturés de douleur et sa beauté détruite à jamais, lui sembla-t-il, il craignit qu'Henri ne pût supporter un tel spectacle et, certain que la malheureuse femme n'avait plus qu'une heure à vivre, il fut tenté d'empêcher le roi d'arriver en annonçant prématurément la mort.

Tandis que le souverain inconsolable pleurait Gabrielle à Fontainebleau, Paris s'abandonnait à des manifestations de joie macabre. Les devins qui fourmillaient dans la ville superstitieuse exultaient. Mademoiselle de Guise et les autres dames de la Cour, qui avaient fui la maîtresse du roi aux premiers symptômes de son mal mystérieux, venaient contempler curieusement son corps rigide sur sa couche funèbre. Madame de Sourdis, revenue à Paris en hâte, avait fait habiller la morte de la robe de velours pourpre et du voile de satin blanc que la favorite devait porter pour ses noces royales. Les portes de la maison furent laissées grandes ouvertes et des milliers de gens curieux ou apitoyés défilèrent dans la chambre mortuaire, la plupart frappés d'admiration pour les immuables desseins de la Providence. Selon un écrivain contemporain, cette mort fut communément attribuée à un sortilège, « la duchesse de Beaufort ayant fait un pacte avec le Diable pour épouser le roi de France ». Le secret de sa maladie, qu'elle fût l'œuvre du poison ou la conséquence à peine moins mystérieuse de l'abandon dans lequel on la laissa, n'a jamais été percé. Le prêtre qui célébra les obsèques de Gabrielle se nommait Balagny, évêque de Valence et fils naturel de ce terrible prêtre-soldat Montluc, qui avait exterminé les huguenots dans les provinces du sud-ouest, à l'époque de Catherine de Médicis. La procession funèbre, dans laquelle on ne vit derrière l'évêque que le visage anxieux de l'ambitieuse madame de Sourdis et les autres membres de cette famille de parasites, portant les jeunes enfants de la défunte, inspira à un rimeur du temps cette cruelle épigramme :

> J'ai vu passer sous ma fenêtre
> Les six péchés mortels vivants
> Conduits par le bâtard d'un prêtre
> Qui tous ensemble allaient chantant
> Un requiescat in pace
> Pour le septième trépassé.

Cinq jours après la mort de Gabrielle, Henri écrivait à sa sœur Catherine de Navarre, devenue duchesse de Bar, lui faisant part de son « incomparable affliction », et il ajoutait : « La racine de mon cœur est morte et ne revivra plus. »

Quelques semaines ne s'étaient pas écoulées que l'inconsolable amant trouvait un dérivatif à son chagrin dans les charmes plus équivoques d'une nouvelle maîtresse, la jeune et redoutable coquette Henriette d'Entragues.

CHAPITRE XXIII

HENRIETTE D'ENTRAGUES
NOUVELLE FAVORITE

CELUI qui avait écrit orgueilleusement à Gabrielle : « Soyez fière de m'avoir vaincu, moi qui n'ai jamais été défait que par vous » était de nouveau conquis. Finies les premières angoisses de son chagrin. Le soleil printanier inondait les terrasses de Fontainebleau et l'immense forêt se tapissait de vert tendre. Agé de quarante-huit ans, Henri voyait avec effroi s'approcher de lui les regrets impuissants, les froideurs de la solitude et les maux de l'âge. Ennuyée d'un deuil plus rigoureux que l'étiquette ordinairement prescrite pour les favorites royales, bien que le Parlement eût dépassé lui-même les limites du décorum bourgeois en envoyant une députation solennelle porter au souverain ses condoléances, la Cour cherchait fiévreusement à distraire le monarque éploré. Ses conseillers les plus graves le pressaient de reconsidérer l'éventualité de son remariage, en particulier avec la princesse florentine, Marie de Médicis, nièce du grand-duc de Toscane régnant. Cependant, les jeunes courtisans, trouvant beaucoup plus d'avantages au règne d'une maîtresse qu'à celui d'une reine, recherchaient avidement une femme qui pût succéder à Gabrielle, et ils crurent la trouver en la personne d'Henriette d'Entragues. Conduites avec une égale absence de scrupules par les partis rivaux de la Cour, les doubles négociations pour un mariage officiel et une liaison inofficielle se poursuivirent concurremment.

Henriette de Balzac d'Entragues était la fille de Marie Touchet, la blonde jeune fille flamande dont l'affection pour Charles IX avait apaisé la conscience torturée du roi après la Saint-Barthélemy. A l'âge de dix-huit ans, Henriette passait

pour la plus jolie fille de France. A force d'entendre répéter
ce nom dans toutes les conversations légères ou scandaleuses
de la Cour, la curiosité de Henri IV s'était éveillée. Aussi,
quand un jour, secouant la tristesse qui l'enveloppait depuis
la mort de sa maîtresse, il exprima le désir de manger quelques
melons des fameux jardins de Blois, les courtisans échangèrent
un regard d'intelligence. Ils s'arrangèrent pour que la première étape du voyage royal à travers les plaines monotones
de la Beauce fût fixée à Malesherbes, propriété du seigneur
d'Entragues.

A la différence de Gabrielle, Henriette d'Entragues était
une beauté brune, moins régulière de traits, mais plus vive
et provocante et fort capable d'enflammer de désir un prince
déjà mûr, bien qu'encore vigoureux. De sa mère, elle avait
hérité l'intelligence, de son père le manque de cœur. « Une
impertinente et rusée femelle », disait Sully. Tour à tour docile
et pétulante, hardie et réservée, elle sut alternativement
repousser ou encourager les avances du prince amoureux.
Derrière elle, son père intrigant et sans scrupules, qui avait été
élevé dans la fourberie des cours de Charles IX et de Henri III,
joua avec une habileté consommée le rôle d'un chef de famille
orgueilleux et offensé, qui plaçait à très haut prix l'honneur
de sa fille. Quand Henri arriva à Blois, tous les d'Entragues
derrière lui, le rusé gentilhomme déclina l'hospitalité royale
au château, mais accepta complaisamment l'offre d'une maison de campagne à Beaugency, comme condition de la présence de sa fille dans le pays. Au mois d'août, mademoiselle
d'Entragues retourna à Paris où le roi la suivit. Elle refusa
avec une feinte modestie le don d'un collier de perles, mais
ne dédaigna pas d'agréer en cadeau une belle propriété à
Verneuil, dans la vallée de l'Oise, outre la promesse du marquisat qui fut suivie d'un présent de 100.000 écus. Sully versa
en maugréant cette somme, qui appauvrissait le trésor au
moment où il fallait payer des subsides aux Cantons suisses
pour renouveler l'alliance avec ces États. Mais les parents
vigilants et la vertueuse fille voulaient mieux encore. La passion du roi grandit à tel point que non seulement il laissa
entrevoir à la belle « la couronne et le sceptre », mais encore,

il lui signa une promesse de mariage en bonne et due forme. Toutefois, avant de s'engager, il décida par un soudain accès de prudence de consulter Sully sur la matière.

Comme tous deux se promenaient dans la grande galerie de Fontainebleau, Henri, tirant brusquement un papier de sa poche, le tendit à son conseiller en disant : « Lisez cela, mon ami, et dites-m'en votre avis. » Sully lut attentivement le document, mais au lieu de trahir son étonnement, il demeura sans réponse. Et comme le roi insistait pour connaître son opinion, le ministre déchira brusquement l'écrit en deux grands morceaux.

— « Comment, morbleu ! s'écria le prince avec colère, je crois que vous êtes fou.

— Il est vrai, Sire, je suis un fou et un sot, et je voudrais l'être si fort que je fusse le seul en France .» Puis il s'efforça de démontrer au roi l'indignité de la famille d'Entragues.

Cependant Henri, sans rien répliquer, sortit de la galerie, rentra dans son cabinet, et recopia de sa main cet extraordinaire document, que le père d'Henriette avait réclamé avec obstination et que la jeune fille avait arraché au roi à force de supplications et de larmes, et dont voici la teneur : « Nous, Henri, par la grâce de Dieu, roi de France et de Navarre, promettons et jurons devant Dieu en foi et parole de roi, à messire François de Balzac sieur d'Entragues, chevalier de nos ordres, que nous donnant pour compagne demoiselle Henriette-Catherine de Balzac sa fille, en cas que dans six mois à commencer du premier jour de présent, elle devienne grosse et qu'elle accouche d'un fils, alors et à l'instant nous la prendrons pour femme et légitime épouse, dont nous solenniserons le mariage publiquement et en face de Notre Sainte Église, incontinent après que nous aurons obtenu la dissolution du mariage entre Nous et dame Marguerite de France. »

Cet engagement était signé du 1er octobre 1599. Du 6 au 16 de ce mois, Henri, de plus en plus épris, adressa à Henriette un et parfois deux billets chaque jour, pour la tenir au courant de ses négociations avec M. d'Entragues. Il lui envoya deux ortolans par un messager, et lui annonça que madame de la Châtre avait quitté la Cour en versant des larmes : Henriette, jalouse de cette rivale, avait exigé cette expulsion, comme condition de sa soumission aux volontés du roi.

Mais quinze jours plus tard, las des atermoiements opposés par la belle et ses parents, Henri IV fit savoir brusquement par une sorte d'ultimatum que, quoiqu'il pût arriver, il passerait la nuit prochaine sous le toit des d'Entragues, au château de Malesherbes. Cette fois, la timide vierge céda au désir royal.

L'hiver 1599 vit s'installer à Paris comme favorite en titre la belle Henriette, créée marquise de Verneuil. On assista alors à une recrudescence momentanée de l'ardeur amoureuse du roi. Sous l'excitation provocante de sa nouvelle maîtresse, on le vit chercher d'autres apaisements à ses sens. Mademoiselle Babon de La Bourdaisière, fille d'honneur de la reine Louise, veuve de Henri III, fut la première à céder au caprice du roi. Puis ce fut le tour de mesdames Queslin et Isabelle Potier, femmes de deux conseillers au Parlement. Et dans la maison de Zamet, où Gabrielle avait ressenti les premières atteintes de son mal mortel, Henri fit une nouvelle conquête en la personne de la jolie Claude d'Estrées, sœur cadette de la défunte favorite. Une seule femme, la belle et chaste Catherine de Rohan, repoussa les avances du prince avec ces mots devenus historiques : « Je suis trop pauvre, Sire, pour devenir votre femme, et trop bien née pour être votre maîtresse. »

CHAPITRE XXIV

LA GUERRE DE SAVOIE
HENRI IV ÉPOUSE MARIE DE MÉDICIS

Cependant, les négociations pour le mariage du roi avec Marie de Médicis s'étaient poursuivies laborieusement. En décembre 1599, sur le rapport d'une commission de trois prélats, le nonce du Pape, le cardinal de Joyeuse et l'archevêque d'Arles, le Souverain Pontife avait prononcé la nullité du premier mariage de Henri IV avec Marguerite de Valois. Au printemps suivant, le contrat entre le roi de France et la princesse de Toscane fut signé à Florence. La fille des Médicis apportait une dot de 600.000 écus d'or, dont toutefois son oncle, le grand-duc, garda prudemment 250.000, en paiement d'une partie de la somme qu'il avait prêtée à Henri IV pour acheter la soumission de la Ligue.

Toutefois, le mariage fut retardé encore de quelques mois. Un dernier reste de répugnance de la part de Henri et quelques craintes pour la sécurité de la fiancée, en raison de l'imminence de la guerre avec le duc de Savoie, le décidèrent à ajourner la venue en France de la princesse. A la Cour, on spéculait sur les motifs de ce délai. A plusieurs reprises, Henriette d'Entragues risqua des allusions imprudentes à la future reine, dont la noblesse de France affectait de mépriser les origines bourgeoises. Demandant avec trop d'assurance insolente quel jour on attendait à Paris la fille des Médicis, cette grosse *banquière*, la favorite s'attira une mordante réplique : « Aussitôt que j'aurai chassé toutes les putains de la Cour », lui répartit le roi malicieusement.

Enfin, au mois d'octobre 1600, le mariage fut célébré à Florence par procuration, le roi de France étant représenté par le beau duc de Bellegarde, l'ancien amant de Gabrielle.

Quand les articles du contrat eurent été signés, Sully se hâta d'en informer le roi. « Sire, s'écria-t-il joyeusement, nous venons de vous marier. » Henri, à ces mots, demeura un instant étourdi, puis il se mit à arpenter sa chambre à grands pas, rongeant ses ongles et visiblement en proie à une grande émotion. Enfin, frappant ses mains l'une contre l'autre, il s'écria : « Fort bien donc, s il n'est pas d'autre remède. Puisque pour le bien de mon royaume vous dites que je dois me marier, eh bien ! marions-nous. » Mais il avoua plus tard à Sully qu'il craignait que son second mariage ne fût pas plus heureux que le premier. Le 17 octobre, Marie de Médicis, dont jusqu'alors Henri n'avait vu que des portraits assez peu flatteurs, s'embarqua à Livourne pour Marseille, escortée par dix-sept galères et une armée de 7.000 hommes.

En dépit de ses premiers tristes pressentiments, Henri IV s'engagea presque joyeusement dans l'aventure de son second mariage. Il était alors en pleines négociations avec le duc de Savoie, au sujet de la restitution du marquisat de Saluces, réservée à l'arbitrage du Pape par le traité de Vervins. Le 17 juillet, il écrivait à Lyon à sa fiancée : « Si dans huit jours le duc de Savoie ne me satisfait, la première lettre que vous recevrez de moi sera datée de Chambéry. Toute son espérance est de me faire quelque méchanceté, mais Dieu m'en gardera, premièrement pour vous, puis pour mes sujets. J'ai pris des eaux de Pougues, dont je me suis bien trouvé. Comme vous désirez la conservation de ma santé, j'en fais ainsi de vous, et vous recommande la vôtre, afin que, à votre arrivée, nous puissions faire un bel enfant, qui fasse rire nos amis et pleurer nos ennemis. Frontenac me dit, à son arrivée, que vous désirez avoir quelque modèle de la façon que l'on s'habille en France... je vous en envoie des poupines... Résolvez-vous, ma belle maîtresse, de me faire une faveur, car de vous seule en veux-je porter à cette guerre... »

Ce fut de Chambéry, comme il l'avait annoncé, qu'il data la lettre suivante, après avoir enlevé cette place au duc de Savoie. Le 3 septembre, il mettait le siège devant la forteresse de Charbonnières qui commandait la vallée de Maurienne, et s'était rendu maître de Conflans. Ses alliés genevois saisirent l'occasion pour prendre et raser le fort de Sainte-Catherine, par lequel le duc de Savoie tenait Genève en respect. L'armée royale, grossie des contingents suisses, se montait à 20.000 hommes de pied et 2.500 chevaux. « Hâtez votre voyage le plus que vous pourrez, écrivait Henri à Marie de Médicis. S'il était bien séant de dire qu'on est amoureux de sa femme, je vous dirais que je le suis extrêmement de vous : mais j'aime mieux de vous en témoigner au lieu où il n'y aura témoin que vous et moi. »

Le 6, il écrivait joyeusement qu'il avait pris Charbonnières et qu'à l'exception de la citadelle de Bourg, toute la province de Bresse était entre ses mains. Le 22, dans une plaisanterie d'écolier, il raillait son adversaire en l'appelant « le duc sans Savoie ». Le 30, enfin, il dépêchait à sa fiancée une dame d'honneur, chargée d'assurer la reine des plus chaudes tendresses de son futur époux. La messagère n'était autre que cette sage madame de Guercheville, qui, dix ans auparavant, avait repoussé en souriant, mais avec tant de fermeté, les avances du galant roi de Navarre.

Cependant, une rencontre presque clandestine avec Henriette d'Entragues interrompit la correspondance amoureuse du roi avec sa fiancée. La favorite venait de mettre au monde un enfant et elle relevait de ses couches. Elle était bien décidée à recouvrer son empire, que le mariage risquait d'affaiblir. Elle avait en main l'imprudente promesse que le roi lui avait donnée dans un moment de folie, et bien qu'elle eût accouché d'un enfant mort-né, ce qui relevait Henri de son engagement, l'existence d'un si grave document constituait un reproche permanent et même une menace politique contre le roi.

Mais pour le moment, elle se proposait de recourir à d'autres armes. Tandis qu'Henri se trouvait à Grenoble, base de ses opérations contre la Savoie, il reçut avis que son impérieuse maîtresse venait d'arriver au château voisin de la Côte Saint-André. La nouvelle lui causa d'abord quelque irritation. Mais l'entrevue orageuse, où l'on échangea des reproches de part et d'autre, se termina par une tendre réconciliation. Le roi passa la nuit avec Henriette et le lendemain, elle retourna avec lui à Grenoble. Jusqu'au 17 octobre, jour où Marie de

Médicis s'embarqua à Livourne, la favorite demeura près de son amant. Quand elle le quitta pour retourner à Paris, elle emportait une curieuse lettre, dans laquelle le roi, en termes vagues, informait le Pape que « son union avec Marie de Médicis n'était pas valable, puisqu'il avait contracté un engagement antérieur pour épouser une Française. » Les lettres qu'Henri adressa à sa maîtresse après son départ étaient remplies de la même ardeur impétueuse qu'il témoignait à sa future femme, mais avec plus encore d'ingénuité suppliante.

Le 22 octobre, Henri IV avait toujours la guerre sur les bras, et le duc de Savoie menaçait l'armée royale qui assiégeait Montmélian. Cette conjoncture apportait au mariage un nouveau retard, qu'Henri jurait dans une lettre à la reine de faire payer cher à son adversaire, en ajoutant : « Aimez-moi bien et ce faisant, vous serez la plus heureuse femme qui soit sous le ciel. » Le 2 novembre, il exprimait ses regrets de ne pouvoir aller lui-même accueillir la princesse à Marseille, et l'espoir que la traversée n'avait pas nui à sa santé.

Pendant les semaines suivantes, il écrivit presque chaque jour à la reine, manifestant une impatience extraordinaire à l'égard de cette fiancée qu'il n'avait jamais vue. A la fin du mois de novembre, le duc de Savoie capitulait. Dans l'intervalle, Marie de Médicis avait voyagé à petites étapes, en suivant le Rhône jusqu'à Avignon, où le légat du Pape et le clergé lui firent une somptueuse réception. Un grand bal fut donné en son honneur dans le blanc palais des Papes, qui avait conservé sa première magnificence. Quand les danses prirent fin, et que la reine se prépara à se retirer, les grandes tapisseries, qui masquaient les murs de l'immense salle, furent abaissées sur un signal et laissèrent voir les longues tables toutes dressées pour le banquet. A l'issue du repas, la statue en sucre d'une divinité mythologique fut offerte à chacune des dames, à leur joyeuse surprise.

Marie arriva à Lyon au commencement de décembre, et ce fut là qu'elle rencontra le roi. Laissant la conduite des négociations avec le duc de Savoie, et chevauchant gaillardement le long du Rhône, Henri toucha Lyon dans la soirée du 9.

La Florentine attendait son époux au château de la Mothe.

Mais les portes en étaient closes, et le prince, qui avait voyagé incognito, attendit longtemps dans l'obscurité qu'on apportât des torches et que le pont-levis fût abaissé. Enfin, l'impatient amoureux put aborder sa fiancée. La princesse dînait seule dans la longue galerie. Ses deux principaux assistants, deux hommes d'âge, le chancelier de Bellièvre et l'ambassadeur toscan da Vinta étaient allés se coucher en raison de l'heure tardive. Soudain, un coup frappé à la porte et le bruit de quelques chuchotements remplirent la jeune femme de confusion. Devinant que le roi venait d'arriver (en fait, il observait curieusement sa femme, dissimulé derrière les hautes silhouettes de ses compagnons Bellegarde et Bassompierre), la reine repoussa l'un après l'autre tous les plats qui lui étaient offerts cérémonieusement, et après quelques minutes d'hésitation, elle se retira en rougissant et avec dignité dans son appartement. Henri l'y suivit aussitôt, et sans cérémonie l'embrassa sur la bouche.

La première apparition du roi de France devant la nouvelle reine fut celle d'un homme casqué, botté et éperonné, dont la froide nuit de décembre avait accentué les fils d'argent de la barbe. La lueur des bougies se réflétait dans la cuirasse du prince, et parmi les gentilshommes italiens de la suite de la reine, tous habillés de satin, il semblait une sombre et guerrière figure, mais néanmoins souriant et gaillard, les yeux brillants de curiosité et de plaisir anticipé. Les premiers mots qu'il prononça, et qu'on traduisit à la reine qui n'entendait pas le français, plongèrent la jeune femme dans l'embarras. « Il fait si froid que j'espère que vous m'offrirez la moitié de votre lit, car étant venu à cheval, je n'ai pas pu apporter le mien », dit le prince hardiment.

Le mariage n'avait pas encore été béni par le Pape, et la cérémonie ne s'en déroula qu'une semaine plus tard. Mais ne s'embarrassant pas des conventions, et sans se soucier des serviteurs de sa femme, dont Léonora Galigaï, la Florentine, sœur de lait de la princesse, qui ne la quittait ni jour ni nuit, il passa au milieu d'eux et entra dans l'appartement de Marie de Médicis.

Leur seul interprète avait été une femme d'âge mûr, la

toujours belle quoiqu'un peu fanée duchesse de Nemours, la veuve à demi italienne du duc de Guise. Henri l'avait priée de préparer la reine à le recevoir cette nuit même. A cette requête, Marie répliqua humblement qu'elle n'était venue que pour plaire et obéir à la volonté du roi, puis elle se retira dans sa chambre à coucher, où le roi la rejoignit dès qu'il eut soupé hâtivement. Agucchi, seigneur de la suite du légat, un de ceux qui assistèrent à cette rencontre dépourvue d'étiquette, écrivait avec une nuance de dédain : « Quand la reine comprit les intentions du roi, elle fut saisie d'une telle frayeur qu'elle devint froide comme la glace, et que, portée dans son lit, elle ne put s'y réchauffer, même dans des draps brûlants. »

Le lendemain matin, cependant, Henri parut aux gentilshommes de sa garde-robe fort satisfait de sa nuit de noces. Hurault de Cheverny, grand aumônier de France, raconte que le roi ne pouvait se lasser de faire l'éloge des rares et excellentes beautés qu'il avait découvertes chez sa femme, et Agucchi, parmi d'autres détails moins discrets, laisse entendre que le roi et sa femme manifestèrent l'un et l'autre une flatteuse surprise, lui, de la voir plus belle et plus gracieuse qu'il ne l'imaginait, elle, de l'avoir trouvé plus jeune qu'elle ne s'y attendait d'un homme à barbe grise.

Mais ces divers récits sont gâtés par l'inévitable exagération des courtisans. Ce n'est pas chez eux que l'on peut trouver la vérité, encore moins dans la magnifique flatterie de Rubens, qui a immortalisé Marie de Médicis dans toute une salle du Louvre. La princesse, en réalité, semblait beaucoup plus âgée que ses portraits. A vingt-six ans, elle en paraissait dix de plus, avec la peau blanche, l'allure lourde et le regard fixe de sa tante, Catherine de Médicis. Elle avait l'amour du luxe ostentatoire, moins l'instinctive élégance dès Florentines. Surchargée de bijoux, entourée d'un essaim d'Italiens de petite naissance, vigilants, prétentieux et ostensiblement dédaigneux des manières simples de la Cour de France, alternativement grondée et cajolée par sa sombre familière Léonora Galigaï, à l'apparence diabolique, flattée et adulée par des jeunes gens éblouissants comme Concini qui allait épouser Léonora, elle était bourgeoise jusqu'aux moelles. De ses ascendants, les banquiers méprisés, dont quatre-vingts ans plus tôt était issu son illustre grand-père, elle avait hérité la patience, l'obstination et le rude bon sens.

Le lendemain de la cérémonie religieuse qui fut célébrée à Lyon le 18 décembre, le roi quitta sa femme sous prétexte d'affaires d'État urgentes et, voyageant par terre et par eau, atteignit Paris en deux jours et demi. Il ne fit que traverser la capitale et le jour suivant, il rejoignait Henriette de Verneuil. Quand, après un long voyage par petites étapes, Marie de Médicis fit son entrée triomphale à Paris, aux premiers jours de février 1601, elle s'aperçut que son époux avait ouvertement renoué sa liaison avec la marquise.

Mais quelques jours plus tard, le 8 février, le roi pouvait confier triomphalement à un ami que la reine était déjà grosse. Marie de Médicis devait accoucher au mois de septembre 1601 d'un fils qui devint Louis XIII et dix jours après cet accouchement, Henriette d'Entragues, elle aussi, mettait un enfant au monde.

CHAPITRE XXV

LES COMPAGNONS ET LES AMIS DE HENRI IV

Deux générations d'hommes, étrangement divers, composent la brillante galerie de portraits du règne de Henri IV. Les plus âgés ont l'aspect grave des hommes de loi ou des ministres de la religion. Leurs regards sévères éclairent des visages marqués par de longues années de luttes et de déceptions. Une austère et ironique méfiance est inscrite sur leurs traits, qui portent la trace ineffaçable de l'âge des héros et des martyrs. Tels sont les Mornay, les d'Aubigné, les Sully, les Lesdiguières, et même ceux d'allure moins héroïque, les hommes de loi, Jeannin, Villeroy, Harlay de Sancy. Tel encore le rude et grondeur Crillon, que sa loyauté toute simple envers le souverain et le trône laissait indifférent à tout conflit de religions, La Noue au bras de fer, et le brave Harambure, l'homme qui n'avait qu'un œil et qu'un cœur.

Les plus jeunes différaient profondément de ces anciens. D'aspect plus gai, et plus enclins à l'élégance dans leurs costumes et leurs manières, leur personnalité séduisante soutient impudemment et presque cyniquement le regard sévère de leurs aînés. Galants en amour et impitoyables dans la guerre, ils rompaient une lance ou brisaient un cœur de femme avec la même indifférence. Ils remplissaient la Cour de leurs joyeuses intrigues, de leurs rires, de leur esprit impétueux, de leurs scandaleuses conversations et de leur irrésistible jeunesse. Ils chassaient, faisaient l'amour, rimaient des sonnets qui rivalisaient avec ceux des poètes, jouaient à la paume, festoyaient ou courtisaient sans vergogne les femmes des bourgeois, sans souci des époux mécontents, partageaient la pauvreté et les dangers du roi, qu'ils entouraient à différents degrés, d'affection, d'admiration, de désintéressement, de loyauté, se délectant de sa bonne humeur, le trahissant à l'occasion, tant en amour qu'en politique, et parfois mourant glorieusement et sans se plaindre pour sa cause. A cette génération appartenait le beau Bellegarde, l'ardent et noble Givry, le cadet de La Noue, et le dernier des jeunes courtisans de Henri IV, le célèbre Bassompierre.

Le profil hautain d'Agrippa d'Aubigné apparaît trop souvent dans les premières pages de cette histoire pour qu'on ne rappelle pas quelques traits de sa carrière. Dès sa prime jeunesse (il avait trois ans de plus que Henri de Navarre), le futur poète de la cause protestante avait donné des preuves d'une brillante précocité intellectuelle qui n'était d'ailleurs pas rare à l'époque. A huit ans, il traduisait, du grec le *Criton* de Platon. Un an plus tard, il contemplait à Amboise les huguenots décapités, horrible spectacle qui fit une impression profonde sur son jeune cerveau. Durant les premières persécutions religieuses, il tomba ainsi que son précepteur et quelques autres élèves entre les mains d'un inquisiteur qui les menaça du bûcher. L'orgueilleux enfant répliqua que son horreur de la messe lui ferait surmonter toute crainte des flammes. Par la suite, il sut dissimuler son fanatisme religieux derrière un masque d'humeur sarcastique.

Sa première apparition, en 1575, à la cour de Henri III, fut signalée par un mot d'une hardiesse impudente. Comme il attendait dans l'antichambre du roi, l'aspect sévère de son vêtement gris de huguenot lui attira les regards dédaigneux de trois vieilles dames d'honneur de la reine mère, « dont les âges ne totalisaient guère moins de deux siècles et demi ». Le jeune homme irrité leur tourna le dos. Sur quoi, les respectables dames, embarrassées à leur tour, lui demandèrent ce qu'il contemplait. « Les antiquités de la Cour », répliqua-t-il gravement. Toutes déconfites de cette réponse, elles lui demandèrent son amitié et lui offrirent leur protection.

Quand le roi eut reconnu le remarquable talent littéraire de d'Aubigné, il le pressa d'écrire l'histoire de son règne. Mais le futur auteur de la célèbre *Histoire Universelle*, répliqua : « Sire, je suis trop votre serviteur pour me faire votre historien. » Ce fut d'Aubigné qui engagea Henri de Navarre à s'échapper de la Cour où on le retenait prisonnier et, par la suite, jusqu'à l'abjuration du prince, il demeura son conseiller loyal, ne lui épargnant ni les critiques, ni même d'amers reproches, mais toujours en ami passionnément attaché. Quand Henri eut fait la paix avec la Ligue, d'Aubigné quitta la Cour, plein d'amertume et de colère. Dans sa lettre d'adieu au roi, il écrivait : « Sire, cette lettre vous reprochera mes douze années de services et douze blessures reçues en vous servant. Elle vous remémorera votre prison et la main qui vous en a délivré. Elle vous dira que cette même main est demeurée pure et vide de toutes faveurs, incorrompue soit par vous soit par vos ennemis. » Peu après cette première séparation, d'Aubigné reçut du roi quatre lettres que le farouche huguenot jeta au feu sans les ouvrir. Mais un jour le roi réussit à toucher ce cœur orgueilleux.

Apprenant que d'Aubigné était emprisonné à Limoges, le prince avait engagé quelques bijoux de la reine pour payer la rançon du gentilhomme. Puis, sur la fausse nouvelle de l'exécution de l'intraitable huguenot, il avait manifesté un violent chagrin. Sur quoi, d'Aubigné, profondément ému, décida de retourner à la Cour. Une lettre du roi lui promettant un accueil bienveillant le confirma dans sa résolution. Cependant, deux mois après la nouvelle apparition de d'Aubigné, celui-ci s'aperçut que le roi s'abstenait délibérément de lui faire connaître franchement ses griefs.

D'Aubigné trouva enfin, au cours d'une chasse, l'occasion d'un tête-à-tête avec le prince. « Sire, dit le gentilhomme, puisque je vous retrouve seul, j'ose reprendre ma hardiesse et ma liberté d'autrefois. Déboutonnez votre pourpoint et mettez votre cœur à nu, dites-moi ce qui vous a conduit à me détester ? » Sur quoi, Henri, pâlissant comme dans ses moments d'émotion, répliqua :

« Vous aimiez trop La Trémoille. Vous saviez que je le haïssais et pourtant vous lui montriez toujours de l'affection.

— Sire, dit d'Aubigné, j'ai été élevé aux pieds de Votre Majesté, et c'est là que j'ai appris à n'abandonner personne qui fût dans le malheur ou accablé par un pouvoir supérieur.

Blâmez-moi donc d'avoir pratiqué cette vertu que m'a ensei-
gnée votre service. »

A ces mots, conte d'Aubigné, Henri l'embrassa. La réconciliation fut complète, et si leurs relations ne reprirent pas
aussi étroites qu'auparavant, elles n'en demeurèrent pas
moins cordiales.

Quand d'Aubigné s'éteignit à Genève, à l'âge vénérable de
quatre-vingts ans, il porta ce jugement sur l'ami de sa jeunesse
qui l'avait précédé de vingt années dans la tombe : « Ce prince
était le plus grand roi que la France eût connu. Sans doute,
il n'était pas sans défaut, mais en échange, il possédait des
vertus vraiment sublimes. »

Fondu dans le même rude moule, quoique moins héroïque,
était Philippe Duplessis-Mornay, à qui sa science théologique
avait valu parmi les catholiques le titre, mélangé de moquerie
et d'admiration, de « Pape des Huguenots ». De cinq années
plus âgé que Henri, il fut jusqu'à l'abjuration royale un sage
et loyal conseiller et l'ambassadeur de confiance du roi de
Navarre. Il avait combattu à ses côtés à Coutras, à Arques,
et à Ivry, et été admis dans son intimité. Après l'abjuration
et le triomphe de la cause royale, Mornay, comme on l'a vu,
s'était retiré à Saumur, place sur la Loire, dont Henri lui
avait donné le gouvernement. De cette citadelle des huguenots,
il ne sortit plus que rarement.

Son unique manifestation d'activité finit désastreusement.
En 1599, il avait publié un livre qui attaquait la messe et
l'Eucharistie, comme contraires aux pratiques chrétiennes des
premiers âges. Ce traité fut immédiatement attaqué par le
clergé catholique. Du Perron, le brillant évêque d'Évreux,
poète médiocre mais bon théologien, défia Mornay en débat
public devant le roi, et offrit de prouver que l'ouvrage incri-
miné contenait au moins cinq cents citations inexactes des
textes anciens. Malgré les objections faites par le nonce du
Pape à toute controverse sur la doctrine fondamentale de
l'Église, Henri IV mit en présence les deux rivaux, après
qu'on fût tombé d'accord pour limiter à soixante le nombre
des citations contestées. Mornay réussit péniblement à en faire

accepter neuf comme authentiques. Pour le reste, il dut confesser à regret qu'il s'était fié trop légèrement aux textes fournis par des pasteurs dont le zèle l'emportait sur la science. Humilié de sa défaite, et plus encore de la satisfaction qu'il crut lire sur le visage du roi, Mornay refusa tout nouveau débat avec ses adversaires et se retira, plein d'amertume, à Saumur.

Les résultats de cette controverse eurent un grand retentissement dans le monde religieux. Une armée de rimeurs et de pamphlétaires, jaloux de l'austère vertu de Mornay, l'accabla d'épigrammes et de quolibets.

Plus tard, Voltaire lui rendit justice en le dépeignant ainsi dans la *Henriade*.

> Censeur des courtisans, mais à la Cour aimé
> Fier ennemi de Rome et de Rome estimé.

Quand à l'évêque du Perron, son succès lui valut le chapeau de cardinal.

Et l'orgueilleux « ennemi de Rome » se renferma dans l'isolement de sa forteresse de Saumur, jusqu'à ce que Louis XIII, en 1631, lui en retirât le gouvernement, pour s'être risqué à faire des remontrances sur la reprise des persécutions contre les huguenots. L'austère Mornay mourut deux ans plus tard.

Et voici maintenant la plus héroïque figure de l'histoire de France, « le brave Crillon ».

A l'époque où Henri de Navarre gagnait ses éperons en Béarn, et apprenait l'art de la guerre sous son oncle, le prince de Condé, Louis Berton de Crillon, de treize ans plus âgé, était déjà une légendaire figure. Dès sa prime jeunesse, il avait conquis l'épithète de brave et de « chevalier sans peur ». De bonne heure, il manifesta son caractère simple et impulsif dans un incident pittoresque. Au cours d'un sermon de Semaine Sainte, qui décrivait les souffrances du Christ, Crillon bondit sur ses pieds dans l'église, et tirant à demi son épée du fourreau, il s'écria, comme dans un reproche à lui-même : « Au nom du Ciel, brave Crillon, où étais-tu donc à cette heure ? »

D'une fidélité indéfectible, d'un courage sans rival, et entiè-

ement dépourvu d'ambition, sinon de vanité, il était né pour
tre le garde du corps et le bras droit du roi. Il avait appris
a guerre à la rude école de François de Guise et combattu
es Anglais sous les murs de Calais. Passé du service des Guise
a celui de Henri II, il avait ensuite servi tous les rois de France
avec la même inaltérable loyauté, aussi dédaigneux des intrigues de cour que des conflits de religion. Il avait combattu
à Dreux, à Jarnac et Moncontour, et même commandé une
galère sous don Juan d'Autriche, à la fameuse bataille navale
de Lépante. Par une heureuse chance qui sauva sa gloire du
déshonneur, il se trouvait loin de Paris lors du massacre de
a Saint-Barthélemy, et son épée demeura vierge de cette
souillure. En outre, lors d'une rencontre avec Bussy d'Amboise,
a plus fameuse lame de France, il avait désarmé ce redoutable adversaire, et le tenant à sa merci, il l'avait épargné au
lieu de lui porter le coup de grâce, comme l'y autorisaient les
ois du duel.

Henri III avait donné à Crillon le commandement de son
régiment des gardes, distinction que la voix populaire réclamait depuis longtemps pour l'intrépide soldat. A la journée
des Barricades, le colonel, presque seul, tenta d'apaiser l'insurrection qui avait chassé son maître de la capitale. Alors âgé
de quarante-neuf ans et le corps criblé de blessures, il ne s'en
battit pas moins avec l'ardeur d'un jeune homme. Ce n'était
pas à cette loyale épée qu'on pouvait confier l'assassinat du
duc de Guise, et l'on a vu comment, dans un geste de révolte
et d'indignation, Crillon refusa de se faire l'instrument de la
vengeance de Henri III. Cependant, il avait offert de rencontrer Guise dans un combat singulier en dépit du handicap
de l'âge.

A l'avènement de Henri IV, Crillon, à son immense satisfaction, se trouva au service d'un roi qu'il pouvait admirer de tout
son cœur et louer, sans nulle flatterie, comme « le plus grand
capitaine de son temps ». Dans cette génération de jeunes et
précoces hommes de guerre, cet homme dévoué était un déjà
vétéran et sans ses prouesses légendaires, son âge, sa barbe
et ses cheveux blancs, et ses habits de soldat dépourvus d'élégance l'auraient exposé aux railleries de ceux qui se moquaient

de tout, excepté de la bravoure aveugle. Un épisode caractéristique dont il fut le héros vint le démontrer. Crillon avai.
été envoyé, avec le jeune duc de Guise, à Marseille pour y
étouffer la rébellion fomentée par les Espagnols. Une nui.
que le vieux guerrier dormait dans son logis, quelques officier.
donnèrent l'alarme au dehors, et le duc de Guise, se ruant dan.
la chambre de Crillon, s'écria que la ville était prise et qu'i.
ne restait plus qu'à fuir. Crillon se leva sans se hâter, s'habill.
tranquillement et ceignant son épée, déclara au duc que mieu.
valait mourir que de se rendre. Dès qu'il fut descendu dan.
la rue, son interlocuteur l'arrêta et, éclatant de rire, lui d.
qu'il s'agissait d'une plaisanterie. Crillon jura pendant un bo.
moment, puis, prenant le duc par le bras, il lui dit gravement
« Jeune homme, ne jouez pas avec le cœur d'un honnêt.
homme. Mordieu, si vous m'aviez vu faiblir, au même momen.
vous auriez senti au cœur la lame de mon poignard. »

La fameuse lettre que Voltaire attribue à Henri IV : « Pends
toi, brave Crillon, nous avons combattu à Arques et tu n'y
étais pas », n'est qu'une invention littéraire. Toutefois, ell.
est tout à fait dans la manière du roi de Navarre, et sans dout.
modelée sur le message que Henri écrivit à son serviteur dan.
les tranchées, devant Amiens et que nous avons cité plus haut.
La pacification du royaume et la fin de la guerre étrangèr.
laissèrent Crillon oisif à son grand déplaisir. Son tempéramen.
le poussait à l'action, et son cœur simple ne se sentait de goû.
ni pour l'intrigue, ni pour les plaisirs faciles de la Cour. Mai.
dans l'ère de paix nouvelle qui s'ouvrait pour le royaume, le.
plus grandes tâches incombaient aux hommes de loi, aux
administrateurs et aux financiers. Le rôle des hommes de
guerre, comme Crillon et ce soldat encore plus brillant, Biron
subirent une éclipse temporaire. Crillon bouda pendant quelque temps dans un silence qui se contenait à peine. Une ou
deux fois, cependant, la violence de son caractère éclata,
mais le roi, qui le connaissait et l'aimait, l'écouta avec un
calme admirable. Et quand, enfin, il se vit confirmé par l'affection de son maître dans sa charge de colonel des gardes, le
fougueux gentilhomme se résigna à devenir, dans son grand
âge, le jouet des enfants royaux, une sorte d'oncle grondeur

et tendre à la fois, tourmenté et choyé tour à tour par le groupe de ces tyranneaux qui remplissaient le Louvre de leurs cris joyeux et de leurs éclats de rire.

Il mourut à Avignon, en 1635, à l'âge de 95 ans, vieillard couvert de cicatrices et manifestant jusqu'à son dernier jour l'orgueil enfantin de son immortel sobriquet : « le brave des braves ».

Le plus fameux de tous les compagnons de Henri IV fut Maximilien de Béthune, baron de Rosny, créé en 1606 duc de Sully, titre que nous lui donnerons désormais.

De toutes les grandes figures de cette époque, celle de Sully mérite une place à part dans l'histoire. Pas un écolier français qui ne connaisse familièrement l'austère et patriarcal ministre qui fut, avant Richelieu, le principal restaurateur de la France.

Mais cet homme, qui apparaît aux générations suivantes comme le sage mentor de Henri IV, était en réalité de sept années plus jeune que son maître. Né en 1560, il était le fils de François de Béthune, baron de Rosny, dont l'ancienne et illustre maison, remontant au XIᵉ siècle, avait contracté de nombreuses alliances avec différents princes français, aussi bien qu'avec l'empereur de Constantinople, le comte de Flandre, les ducs de Lorraine, les rois de Jérusalem, de Castille, d'Écosse, d'Angleterre, et la maison d'Autriche. Élevé dans la religion protestante, Rosny était âgé de treize ans quand, dans la nuit de la Saint-Barthélemy, il échappa au massacre en traversant hardiment les rues, un livre d'heures sous le bras, pour se réfugier au collège de Bourgogne. Il accompagna Henri de Navarre lors de la fuite du prince, en 1576, et depuis lors, sauf une courte absence à la suite du duc d'Alençon, dans l'expédition en Flandre, et une mission diplomatique à la Cour d'Angleterre, il ne quitta plus la personne du roi. Ce fut lui qui mena à bien les négociations délicates et laborieuses qui aboutirent à la soumission des ligueurs, et à la reddition de toutes les places qu'ils détenaient. Presque seul, encore, il traita pour la paix avec le duc de Savoie, après avoir réduit l'imprenable forteresse de Montmélian, grâce aux canons qu'il avait fondus à l'Arsenal de Paris.

Cependant, les détracteurs de Sully étaient nombreux. Les familiers du roi, parmi lesquels Gabrielle d'Estrées et Henriette d'Entragues, cherchèrent plus d'une fois à ruiner l'influence qu'il avait acquise dans les conseils, et s'attaquèrent même à sa vie privée. On l'accusa à diverses reprises de s'être enrichi démesurément au détriment de l'État, d'avoir conspiré la mort de Gabrielle, puis, après la mort de Henri IV, on lui reprocha son train de vie princier dans ses magnifiques domaines, où il s'entourait d'une pompe moyenâgeuse.

Mais la véritable figure de Sully, telle qu'elle ressort au bout de trois siècles, n'est celle ni d'un parvenu ni d'un politicien. L'homme qui osa déchirer la folle promesse de mariage signée par son maître et qui risquait ainsi la colère royale, n'était pas un simple courtisan. L'homme qui rétablit les finances de la France contre l'opposition violente de la noblesse française, de la bourgeoisie et du clergé, déploya une volonté, une intelligence et une intégrité qu'on ne trouve chez aucun ministre de son époque. Il tolérait, bien qu'il les déplorât, les folies amoureuses du prince qu'il chérissait, mais il méprisait les favorites royales. Là est le secret de sa suprême hostilité contre Gabrielle, de sa longue aversion à l'égard de Henriette. Sa seule satisfaction, son unique objet d'orgueil, étaient l'estime et l'affection de Henri IV. A une lettre fameuse que le roi lui écrivait d'Amiens pour se plaindre des difficultés qu'il éprouvait à lever des troupes et à trouver de l'argent, Sully, dans la transcription qu'il transmit à la postérité, ne put s'empêcher d'ajouter des expressions de dévouement qui montraient en lui l'ami le plus fidèle et le conseiller le plus écouté.

Quand Henri IV fut assassiné, Sully se trouva frappé comme par la foudre. Marie de Médicis le maintint toutefois dans ses fonctions de surintendant des finances, mais après avoir lutté désespérément pendant onze mois pour défendre, contre le déchaînement des appétits les trésors accumulés dans les caves de la Bastille, le ministre résigna ses fonctions avec dignité et s'éloigna à jamais de la Cour. Il vécut encore trente ans dans la retraite et mourut à l'âge de 82 ans.

François de La Noue, dit Bras-de-Fer, fut le héros des plus audacieux exploits accomplis durant le premier siège que le roi de France mit devant Paris. Tandis qu'il suivait la fortune du roi de Navarre, le vieux huguenot avait perdu un bras à la prise de Fontenay, mais il s'était confectionné, pour le remplacer, un crochet de fer qui lui permettait de conduire un cheval. Il avait combattu avec la plus grande bravoure dans l'armée des Pays-Bas révoltés et fait prisonnier le fils renégat du comte d'Egmont, puis il était tombé lui-même aux mains des Espagnols, qui lui offrirent la liberté s'il consentait à avoir les yeux crevés. Finalement, il fut échangé contre son propre captif, le jeune comte d'Egmont, et en s'engageant, en outre, à ne plus porter les armes contre l'Espagne. Si grande était sa réputation d'intégrité que le duc de Lorraine, pourtant allié de l'Espagne, se porta lui-même caution de cette parole. La Noue fut tué, en 1591, au siège de Lamballe, en Bretagne, à l'âge de 80 ans. Montrant le chemin à ses soldats, le vieux guerrier montait à l'assaut des remparts, lorsqu'il fut frappé à la tête et tomba mort à la renverse dans le fossé. Le roi manifesta un violent chagrin de cette perte, déplorant « qu'un si chétif château ait pu coûter la vie d'un capitaine qui valait toute une province ».

Son fils, Odet deLa Noue, suivit les traces de son père, montrant un égal courage, la même générosité, la même noblesse de caractère. Le vieux La Noue avait acheté des vivres et des munitions pour les défenseurs affamés de Senlis, et engagé ses terres après avoir vidé sa bourse à cet effet. Nous avons raconté comment le fils fut arrêté pour le paiement de ces dettes et comment Henri IV, entrant dans Paris, fit relâcher le jeune homme.

De tous les gentilshommes de la cour de Henri IV, le plus favorisé de la fortune fut Roger de Saint-Larry, duc de Bellegarde. Il était arrivé à Paris, fort pauvre, de sa province du midi, mais Henri III, ayant remarqué sa belle mine, son adresse à l'épée et son esprit, l'avait créé successivement maître de la garde-robe, premier gentilhomme de la chambre, et grand écuyer. Bellegarde fut avec Givry un des premiers seigneurs catholiques à répondre à l'appel de Henri IV, quand ce ui-ci succéda à Henri III. Dès lors, il devint l'ami du nouveau roi.

Sa rivalité avec celui-ci dans l'amour de Gabrielle ne fit que fortifier cette affection, dès que les premiers tourments de la jalousie se furent dissipés dans le cœur du prince. Même après l'incident fameux qui faillit les mettre aux prises dans la chambre de la favorite, Bellegarde n'ayant réussi à s'échapper que grâce à la complicité d'une femme de chambre, il semble que le roi ait suivi d'un œil indulgent et même amusé les succès de son rival.

Une autre fois, Henri entra dans l'appartement de Gabrielle, tout joyeux et les mains pleines de fruits confits que prisait fort sa maîtresse. Mais Bellegarde, qui l'avait précédé, s'était glissé précipitamment sous le lit. Malheureusement, un de ses pieds dépassait visiblement. Cependant, le roi feignant de ne pas s'apercevoir de l'embarras de Gabrielle, s'assit à table auprès d'elle et tous deux commencèrent à goûter les fruits. Soudain, le prince en jeta quelques-uns dans la direction du lit et s'écria gaiement : « Hé, Madame, n'est-il pas juste que tout le monde vive ? »

Cependant, Bellegarde poursuivait le cours de ses succès. Il ne se contentait pas d'avoir gagné le cœur de la favorite. Deux des plus belles femmes du temps, la mère et la fille, tombèrent amoureuses de lui, la duchesse de Nemours, veuve du duc de Guise, et sa ravissante fille, Louise Marguerite de Guise, sur laquelle le roi lui-même avait plus d'une fois jeté les yeux avec intérêt. Henri IV escomptait que ces nouvelles conquêtes détourneraient le galant Bellegarde de Gabrielle, mais cet espoir demeura vain, car l'irrésistible et adroit gentilhomme s'arrangea si bien qu'aucune des trois femmes ne douta jamais qu'elle ne fût sa seule maîtresse.

Par une ironie singulière, ce fut lui qui fut envoyé par le roi de France pour épouser Marie de Médicis par procuration. Après la mort de Henri IV, Bellegarde, toujours heureux, fut créé pair de France pas Louis XIII.

Le plus jeune des amis intimes de Henri IV fut François de Bassompierre. Du service des Guise, il passa loyalement à celui du roi, quand les princes de la maison de Lorraine firent leur soumission. Son caractère franc et ouvert, son humeur joyeuse l'avaient rendu cher à Henri, qui s'amusait fort des indiscrétions nombreuses du gentilhomme. Dans la bonne ou la mauvaise fortune, celui-ci ne perdait jamais son sourire, supportant sans acrimonie les plaisanteries que faisaient sur sa personne négligée et parfois malodorante l'élégant et parfumé Bellegarde. Il ne se fâchait pas davantage des railleries que son penchant pour le vin lui attiraient de la part du roi, penchant si marqué qu'au XVIIe siècle l'expression « boire à la Bassompierre » devint proverbiale chez les ivrognes. Il toléra même sans trop d'amertume la dernière passion du roi vieillissant pour la belle mademoiselle de Montmorency, qui lui avait été promise en mariage. Et sous le règne de Louis XIII, abandonné par un souverain déloyal à la vengeance de Richelieu, il se soumit d'un cœur léger à un emprisonnement à la Bastille, qu'il croyait être de courte durée, mais qui se prolongea pendant des années. En mettant ses papiers en ordre au moment de son arrestation, il jeta au feu plus de six mille lettres de femmes, qu'il jugeait susceptibles de compromettre leurs auteurs. Cela fait, et la conscience en repos, il accepta sa captivité de bonne grâce, se faisant des amis de ses geôliers, buvant joyeusement avec le gouverneur de la Bastille, et composant allègrement ses fameux *Mémoires*. Bassompierre était hautement apprécié des femmes de la Cour, ainsi qu'en témoigne l'autodafé de sa correspondance amoureuse. Il fut le rival heureux du jeune duc de Guise dans les faveurs de Marie Balzac d'Entragues, la sœur cadette de la maîtresse du roi. Un jour, le roi, qui n'ignorait rien de cette liaison, plaisanta le duc sur sa défaite. « Ah, Guisard, lui dit-il malicieusement, d'Entragues nous dédaigne tous pour Bassompierre, j'en parle moi-même en connaissance de cause. » A quoi le gentilhomme répliqua avec vivacité : « Mais vous, Sire, vous ne manquez pas de moyens de vous venger. Quant à moi, je n'ai que les ressources des chevaliers errants, provoquer mon adversaire et le défier de briser trois lances en tournoi public sous les yeux de Votre Majesté, à tel endroit que vous me le commanderez. » Le roi autorisa allègrement cette rencontre, dont l'usage était fréquent pour trancher les rivalités entre jeunes seigneurs. Le duel se déroula dans une cour du Louvre sous les yeux de toute la Cour, mais il tourna mal pour Bassompierre. La lance de Guise lui traversa l'abdomen de telle sorte « que ses boyaux tombant sur le côté, il se trouva le nombril derrière le dos ». Mais trois semaines après, le hardi gentilhomme, guéri de sa blessure, poursuivait le cours de ses galantes conquêtes.

Un peu plus tard, ce fut le tour du roi de s'avouer vaincu. Car le duc de Guise, repoussé par Marie d'Entragues, vit ses propres avances à Henriette couronnées de succès. Le roi manifesta d'abord quelque ressentiment à la nouvelle de cette infidélité. Enfin, il s'y résigna avec un mot de cynique philosophie : « Nous avons pris tant de choses à tous ces Lorrains, que nous pouvons bien leur laisser le pain et les filles. » En toute autre matière, cependant, Guise se montra entièrement soumis à l'autorité du roi. Et la mutuelle estime que se témoignèrent Henri et le fils de son vieux rival fut un des traits remarquables du règne.

Mais parmi tous les braves compagnons, vieux ou jeunes, sages ou fous, joyeux ou martiaux, qui servirent la fortune de Henri IV et jouirent de son amitié, il devait se trouver fatalement un Judas. Dans la tapisserie pourpre du temps, on retrouve inévitablement la trace sombre de la trahison.

Chose singulière, l'homme destiné à ce triste rôle n'était pas un des nouveaux partisans qui s'étaient ralliés au roi, mais un de ceux que Henri avait couverts de bienfaits, son compagnon d'armes des jours épiques d'Ivry, des sièges de Rouen et d'Amiens, le maréchal de Biron.

La conspiration ourdie par ce gentilhomme fut la tragédie douloureuse du règne de Henri IV. Même la hautaine et belle figure d'Essex, s'abandonnant sans murmure au bourreau de la tour de Londres, ne jeta pas sur les derniers jours d'Élisabeth une ombre plus sinistre que celle qui assombrit le triomphe de Henri IV, quand Biron, dans un accès d'orgueil frénétique, défia l'exécuteur de le frapper sur l'échafaud de la Bastille.

CHAPITRE XXVI

LA CONSPIRATION DE BIRON

Cependant, les regards soupçonneux de Biron avaient pu contempler la tête noircissante d'Essex, parmi les hideuses reliques de la tour de Londres. Envoyé en ambassade extraordinaire auprès de la reine Élisabeth, muni d'une lettre d'introduction flatteuse de Henri IV, Biron avait reçu de la reine un accueil des plus gracieux. Un jour, elle l'attira à l'une des fenêtres du palais, et de là lui montra les sinistres murs de la tour, et les restes de ceux qui avaient conspiré contre elle.

Encouragé par ce geste, Biron eut la hardiesse de mettre la conversation sur le comte d'Essex, décapité un an plus tôt. Alors la vieille princesse, avec un air tragique, tira d'une cassette un portrait du jeune comte enrichi d'émaux et le mit dans les mains de l'ambassadeur, en prononçant ces paroles significatives : « Il fut détruit par son propre orgueil. Il croyait que rien ne se pouvait faire sans lui. Voyez ce qu'il y a gagné. Si mon frère le roi de France abattait les têtes de ceux qui le trahissent, il serait plus craint et mieux obéi. »

Elisabeth avait-elle lu de sombres secrets dans le cœur de Biron ? Cette scène se passait en 1601. Depuis l'année précédente, Biron entretenait des relations secrètes avec le duc de Savoie, avec Fuentès, gouverneur espagnol du Milanais, et avec tous les mécontents de la noblesse française, en particulier d'Épernon et le duc de Bouillon,

Biron était un gentilhomme brun, de petite taille, mais solidement bâti. Il n'aimait ni le jeu ni les femmes. Sa seule passion était le pouvoir. Il rêvait d'une couronne. Un diseur de bonne aventure lui avait prédit dans sa jeunesse que seul un coup d'épée par derrière pourrait l'écarter du trône. Marchant d'abord sur les traces de son père, il en avait hérité l'ambition, mais non la prudence. Le roi l'avait comblé d'honneurs, en le nommant duc et pair, outre le bâton de maréchal. De tous les premiers compagnons de Henri de Navarre, Biron était le plus avide de flatterie, et le moins accessible aux sentiments. Dans une conversation particulière avec le duc de Savoie, le roi avait traité le maréchal sans ménagement, en disant que les deux Biron étaient deux bons serviteurs, mais qu'il avait eu grand'peine à modérer l'ivrognerie du père et à refréner le triste caractère du fils. Le duc de Savoie, homme à double visage, n'eut rien de plus pressé que de répéter ces imprudentes paroles à Biron, qui se sentit profondément froissé. A ce moment, sa loyauté envers le souverain était déjà fortement ébranlée.

Pour corrompre Biron, alors gouverneur de Bourgogne, le duc de Savoie s'adressa à un intrigant nommé La Fin, contre lequel Henri avait amicalement mis en garde le maréchal, en lui disant : « Méfiez-vous de cet homme, c'est une peste qui causera votre ruine. » Mais Biron dédaigna ce sage conseil. Le fourbe personnage n'épargna aucun effort pour séduire le vain et impressionnable maréchal. Non content d'employer la flatterie, il recourut même à la magie, en persuadant le superstitieux gentilhomme de percer avec une aiguille rougie au feu le cœur d'une figure de cire à l'image du roi.

Le rite s'accomplit à minuit dans la chambre de Biron, et tandis que l'effigie fondait au feu, Biron, à l'instigation de La Fin, prononçait les paroles d'incantation :

> Roi impie, tu périras,
> La cire fondant, tu fondras !

tout en se signant avec ferveur, bien qu'il ne fût pas très fixé dans ses croyances religieuses (son père était catholique et sa mère protestante).Et à travers la fumée qui s'élevait, les yeux du maréchal crurent voir sa propre destinée se dérouler dans un triomphe éblouissant.

Néanmoins, il se repentit ou feignit de se repentir de sa trahison. Dans une entrevue qu'il eut avec le roi à Lyon, dans le cloître des Cordeliers, peu après le commencement de la guerre contre la Savoie, le conspirateur se jeta aux pieds du souverain et avoua ses relations secrètes avec l'Espagnol Fuentès. Henri lui pardonna pour cette fois. Mais peu après, Biron, arrogant plus que jamais, réclama le gouvernement de la citadelle de Bourg, capitale de la province de Bresse, qui venait d'être conquise sur le Savoyard. Henri refusa prudemment.

Biron, ulcéré, reprit le cours de ses intrigues criminelles, et fut assez fou pour écrire les détails du complot. Selon le plan des conjurés, deux armées envahiraient la France, l'une fournie par l'Espagne, l'autre par le duc de Savoie. On inciterait les huguenots à provoquer le désordre. Le roi serait détrôné, peut-être assassiné, le royaume démembré. Biron, pour sa part, serait créé duc de Bourgogne et Bresse, et on lui donnerait en mariage la troisième fille d'Emmanuel de Savoie, pourvue d'une dot de 500.000 écus. Ce prince, de son côté, recevrait la Provence et le Dauphiné, tandis que d'Épernon et le comte d'Auvergne, demi-frère de Henriette d'Entragues, deviendraient gouverneurs indépendants des provinces françaises. Tous reconnaîtraient cependant la souveraineté du roi d'Espagne.

Cependant, le fourbe La Fin se rendit secrètement à Fontainebleau et révéla les documents relatifs au complot. Puis quand, sur les conseils de Sully, on lui eut accordé son pardon et juré le secret, le traître retourna auprès de Biron, en promettant de tenir le roi au courant.

La Fin revint auprès du maréchal sans méfiance, puis partit sous un déguisement, pour Milan, où il s'aboucha avec Fuentès. L'Espagnol, avec sa longue expérience des espions, flaira le piège et avertit le duc de Savoie. Mais La Fin, voyageant prudemment par des chemins détournés, échappa aux poursuites de ce dernier et regagna Fontainebleau, où il eut de nouveaux entretiens secrets avec Henri IV. Le roi, malgré toutes les preuves, se refusait encore à croire à la culpabilité du maréchal. Décidé à le mettre devant l'évidence de sa trahison, il le manda à la Cour, en l'assurant qu'il ne lui voulait aucun mal. « Je connais le cœur de Biron, dit le prince aux amis du gentilhomme, pour celui d'un homme fidèle et affectionné. Je lui pardonne ses méchants discours pour toutes les bonnes choses qu'il a faites. » Il écrivit donc au maréchal hésitant qu'il l'aimait toujours, et qu'il ne croyait pas un mot de tous les propos tenus contre lui.

Ses soupçons apaisés par ce bienveillant message, et confirmé par La Fin dans la certitude que le roi ignorait tout, Biron arriva à Fontainebleau le 30 juin 1602. Le roi, qui se promenait dans le jardin, vit le maréchal s'approcher avec plus d'assurance que jamais, bien que le visage grave et détournant les yeux. « Vous avez bien fait de venir, dit Henri en l'accueillant cordialement, j'étais sur le point d'aller vous chercher. » Puis, prenant familièrement son interlocuteur par le bras, il le conduisit dans un petit cloître, où tous deux restèrent seul à seul. Là, il lui demanda s'il n'avait rien à dire. « Quoi, s'écria Biron avec hauteur, qu'ai-je à vous dire, sinon que je cherche mes accusateurs pour les châtier ? »

Le soir même, après souper, Henri envoya au conspirateur le comte de Soissons pour l'adjurer de tout avouer. Le duc répliqua brutalement qu'il n'avait rien à dire. Le lendemain, le roi fit une nouvelle tentative, et supplia Biron au nom de leur vieille camaraderie de tout lui révéler. Mais le maréchal se borna à clamer de nouveau son innocence, et jura violemment qu'il se vengerait de ses calomniateurs.

Henri, perplexe, convoqua aussitôt dans son cabinet ses quatre ministres : Sully, Bellièvre, Villeroy et Sillery, et leur montra les preuves de la trahison, écrites de la main même de Biron. Les quatre conseillers, devant cette preuve écrasante, émirent l'avis qu'il y avait lieu d'arrêter immédiatement le maréchal. Quant à la reine, en apprenant que le demi-frère de la maîtresse du roi était du complot, elle insista véhémentement pour que tous les coupables fussent saisis et jugés sans délai.

Néanmoins, le roi voulut tenter un suprême effort pour sauver Biron, ou l'engager à se sauver lui-même. A minuit, quand tous les courtisans se furent retirés, il prit le maréchal à part et l'adjura, presque avec des larmes, de confesser sa faute, en lui promettant solennellement le pardon. Biron l'écouta avec un air d'impatience arrogante. Puis il éclata en injures et en imprécations contre ses ennemis, les menaçant d'une mort violente et honteuse.

Rien ne pouvait prévaloir contre un tel orgueil. « Très bien, conclut le roi tristement, j'apprendrai donc la vérité ailleurs », et prenant congé, il ajouta : « Adieu, baron de Biron. »

Quand à son tour celui-ci sortit de l'appartement royal, le capitaine des gardes s'avança et le pria de lui remettre son épée. « Vous plaisantez, Monsieur, s'écria le maréchal. — Non, Monsieur, telle est la volonté du roi. »

Le lendemain, Biron et le comte d'Auvergne, arrêté lui aussi, furent conduits sous bonne escorte à la Bastille.

Rentrant à Paris, le soir du même jour, par la porte Saint-Marceau, le roi fut salué par les acclamations populaires.

L'enquête fut confiée à quatre commissaires, qui interrogèrent Biron à la Bastille. L'accusé commença par tout nier. Cependant, quand on lui montra les quatre feuillets qu'il croyait depuis longtemps livrés aux flammes, il changea de couleur, mais il n'hésita pas à reconnaître sa propre écriture. Quand La Fin fut appelé à déposer, le maréchal respira plus librement. Mais il était loin de s'attendre aux écrasantes révélations et à la duplicité de ce confident. Epouvanté et mis hors de lui, il injuria violemment le témoin, et l'aurait étranglé sans l'intervention des gardes. Il le dénonça comme traître, sorcier et magicien, mais le fourbe personnage lui rit au nez.

Un autre témoin porta le dernier coup au conspirateur. Renazet, le secrétaire de La Fin, déclara que pendant la guerre de Savoie, le maréchal avait comploté avec le gouverneur du fort Sainte-Catherine, en vue d'enlever le roi et de l'emmener en Espagne.

Traduit devant le Parlement, Biron reconnu coupable de lèse-majesté pour avoir conspiré contre le roi, de complicité avec ses ennemis, fut condamné à avoir la tête tranchée en place de Grève. Ses biens et sa forteresse furent déclarés confisqués, et son duché annexé au domaine royal.

La reine Élisabeth, qui avait exhorté le roi à ne pas céder aux prières et supplications des amis ou parents de l'accusé, lui exprima sa satisfaction de la sentence. Cependant, par

crainte de désordre, Henri décida que l'exécution se ferait
à l'intérieur de la Bastille.

Quand parut l'aube de son dernier jour, on trouva le condamné plongé dans un livre d'astrologie. Superstitieux jusqu'à la fin, il croyait que le cours des astres travaillait pour
lui. Il n'avait pas oublié la terrible et mystérieuse prophétie
de sa jeunesse. Quand le chancelier lui lut en tremblant l'arrêt
du Parlement, Biron l'accueillit d'un rire de mépris. Toutefois,
il remit sans difficulté au magistrat le grand collier de l'ordre
du Saint-Esprit, dont il était porteur.

Mais quand on le pressa de faire sa confession, il éclata en
violentes menaces. « Sortez, dit-il à l'exécuteur, sortez avant
que je vous étrangle. » Il refusa de se laisser lier les mains
derrière le dos comme un voleur, et supplia les gardes de lui
faire sauter la cervelle d'une balle de mousquet.

Il était cinq heures du soir quand il monta sur l'échafaud,
toujours sans être attaché et regardant sauvagement les rares
témoins qui, bouleversés, assistaient à la scène. « Prenez garde,
leur cria-t-il, que je n'étrangle la moitié d'entre vous. » Le
bourreau, fort embarrassé, le pria enfin de réciter les dernières
prières. A sa grande surprise, Biron y consentit, s'agenouilla
et ferma les yeux un instant.

En un éclair, l'homme saisit le glaive des mains de son aide,
et d'un seul coup trancha la tête du traître. On était au 31 juillet 1602, Biron avait atteint sa quarantième année.

Les autres conspirateurs furent plus heureux.

Grâce à l'intervention de sa demi-sœur Henriette, le comte
d'Auvergne s'en tira avec un court emprisonnement. Sommé
par le roi de paraître à la Cour, le duc de Bouillon répondit
évasivement et peu après put gagner l'Allemagne.

Le baron de Lux, ami de Biron, et son secrétaire Hébert
recouvrèrent leur liberté après un interrogatoire serré.

Un seul des autres conjurés impliqués plus ou moins directement dans le complot, un jeune seigneur breton, M. de Fontenelles, subit la peine capitale. Il avait littéralement trempé
ses pieds dans le sang de femmes innocentes. Le roi le fit juger,
condamner au supplice de la roue et exécuter.

CHAPITRE XXVII

LE PARIS DE HENRI IV
LA LÉGENDE DU VERT-GALANT

L E Paris de Henri IV était une ville de clochers et d'abbayes, d'arbres et de moulins, de moines et d'hommes d'armes.

La flore de la capitale était plus riche qu'aujourd'hui. On y voyait des saules, des acacias, des mûriers plantés par l'ordre de Henri IV, des sycomores, des tilleuls et des peupliers, des poiriers, des cerisiers et des pruniers, et, dans les champs environnants, fleurissaient des roses et des violettes.

Des ermites en haillons vivaient dans l'austérité hors les murs de la ville, l'un d'eux prêtant son nom et son saint prestige à une fontaine miraculeuse. Sur cette population superstitieuse, pesait lourdement le monde invisible et le pouvoir du malin.

Dans ce Paris étrange, le roi était une figure familière et la Cour presque un lieu public. Le souverain n'avait pas encore secoué la poussière parisienne de ses talons dorés, pour aller chercher, comme durant le règne de Louis XIV, un orgueilleux isolement dans la sombre magnificence de Versailles. Dans les dernières années de Henri IV, le Louvre, cette lugubre demeure des Valois, restait largement ouverte au peuple. La vieille résidence était moins un palais royal, soumis à un cérémonial religieux, que le centre du pouvoir administratif, un musée, et une académie des arts et des sciences. Henri fit bâtir une splendide galerie sur la façade qui donnait sur la Seine, et près de ses propres appartements, il logea nombre d'habiles artisans, dont les produits séduisants étaient exposés dans des boutiques au rez-de-chaussée.

Le roi avait la passion des bâtiments. Il se plaisait à faire tracer des plans de maisons et de jardins, de routes et de ponts,

de lacs et de canaux. A Paris, il fit construire le beau Pont
Neuf, qui fut longtemps le plus large d'Europe, le Pont au
Change, l'imposante Place Royale, aujourd'hui place des
Vosges, et un vaste quartier neuf de résidences richement
décorées dans le Marais. A Fontainebleau, le Palais, avec ses
galeries, ses escaliers, son parc et ses terrasses, reçut des agran-
dissements et embellissements considérables.

Quand le roi ne chassait pas au sanglier dans la forêt, il
aimait à se promener dans ces jardins, et même à y traiter
les affaires de l'État avec ses conseillers intimes, s'isolant à
demi avec eux dans une allée, et laissant ses courtisans à
quelque distance. Ce fut ainsi qu'ils assistèrent en spectateurs
à ses entrevues avec Biron, et à la scène dramatique de sa
réconciliation avec Sully. Le roi mit fin à une longue querelle
avec son ministre, en l'embrassant les larmes aux yeux et en
lui redonnant publiquement toute sa faveur.

Les contradictions étonnantes du caractère du roi se révé-
laient dans ses contacts journaliers avec les hommes et les
femmes. A un courtisan insolent et rebelle comme le duc
d'Épernon, il manifestait sa volonté énergique en ces termes :
« Cousin, je vous ai déjà fait part de mes désirs. Décidez-vous
à m'obéir pleinement, comme un serviteur qui **veut être**
aimé de son maître. » Il était capable d'implorer à genoux
l'affection de ses maîtresses, de pardonner leurs infidélités
et même d'oublier leur déloyauté. Et aux artisans comme
aux pauvres laboureurs, il savait parler affectueusement et
paternellement, avec une liberté qui scandalisait parfois les
gentilshommes gourmés de son entourage. On le voyait fréquemment assis sur les murs de la terrasse à Saint-Germain
ou à Fontainebleau, s'entretenant gaiement avec les jardiniers
et les maçons.

Sa curiosité naturelle le rendait avide de s'instruire. A la
campagne, il causait familièrement avec les paysans des conditions de leur existence, de leurs gains, et du prix du pain.
Il se délectait à la lecture du fameux ouvrage qu'Olivier de
Serres venait de publier sur l'Agriculture.

Sa fameuse parole sur la poule au pot du dimanche, probablement apocryphe, comme son mot sur Paris et la messe,

n'en reflète pas moins l'intérêt qu'il prenait à améliorer le sort du paysan.

Aidé de l'infatigable Sully, il travailla à relever l'agriculture des ruines accumulées par la guerre civile. Sans se soucier des railleries de la Cour, il fit planter des mûriers dans tous les jardins publics, et réussit à développer l'industrie de la soie, déjà solidement installée en France. Il projeta même de mettre un terme au lourd impôt de la gabelle, en rachetant les marais salants, et en établissant sur cette denrée un monopole d'État qui permettrait d'en fixer le prix pour tous ses sujets.

Henri lui-même, bien qu'il fît cadeau de riches présents à ses maîtresses, était ennemi de toutes dépenses extravagantes. Il payait ses dettes avec une exactitude ponctuelle, scrupule assez rare parmi les grands personnages du temps. Aussi sa propre bourse, peut-être à cause de cela, était-elle toujours vide. Sauf dans les cérémonies, il était vêtu avec la modestie d'un bourgeois, et les courtisans se moquaient de ses pourpoints gris plus ou moins râpés.

Après les femmes, sa plus grande passion était la chasse. Il chassait avec quelques compagnons peu nombreux et, lui-même infatigable, il lassait parfois les plus solides cavaliers d'entre eux. Il aimait à dîner seul, dans des auberges au hasard de ses promenades, et souvent il entendait discuter sa religion ou ses affaires d'amour avec une liberté de langage dont ses interlocuteurs se montraient confus quand il leur découvrait son identité.

Le souverain se rendait compte, d'ailleurs, de ses faiblesses. Et dans ses conversations avec Sully, il faisait allusion aux critiques que l'on adressait à sa conduite. « Les uns me blâment d'aimer trop les bâtiments et les riches ouvrages, les autres, la chasse, les chiens et les oiseaux, les autres, les cartes, les dés, et les autres sortes de jeux, les autres, les dames, les délices et l'amour, les autres, les assemblées, comédies, bals, danses et courses de bagues, où, disent-ils, l'on me voit encore comparaître avec ma barbe grise, aussi réjoui et prenant autant de vanité d'avoir fait une belle course que je pouvais faire en ma jeunesse. En tous lesquels discours, je ne nierai point qu'il puisse y avoir quelque chose de vrai, mais aussi dirai-je que, ne passant pas mesure, il me devrait plutôt être dit en louange qu'en blâme, et en tous cas me devrait-on excuser la licence en tels divertissements, qui n'apportent nul dommage ou incommodité à mes peuples, par forme de compensation de tant d'amertumes que j'ai goûtées, et de tant d'ennuis, déplaisirs, fatigues, périls et dangers par lesquels j'ai passé depuis mon enfance jusqu'à cinquante ans.

« Est-il étonnant que j'aie contracté quelques vices, élevé comme je le fus dans la licence des camps ? Les faiblesses sont le lot commun de l'humanité. La religion ne nous ordonne pas de n'avoir pas de défauts, mais de ne pas nous laisser dominer par eux. Et c'est ce que, faute de mieux, j'ai toujours tâché de faire. Et quant à mes maîtresses, la passion que l'on me reproche par-dessus tout, vous savez que je les ai plus d'une fois mises à la raison, et que je vous ai estimé au-dessus d'elles. Ainsi, ferai-je toujours, j'abandonnerai maîtresses, chasse, chiens, bâtiments, festins et plaisirs, plutôt que de perdre la moindre occasion d'acquérir honneur et gloire, et de perdre l'amour de mes serviteurs et de mes peuples, que j'aime comme mes enfants. »

Henri IV ne se refusa pas à voir son véritable portrait peint pour la postérité. Parmi tous les chroniqueurs contemporains, il avait choisi Pierre Mathieu pour écrire l'histoire de son règne. Un jour que l'auteur lisait quelques pages de son ouvrage ayant trait aux galanteries du roi, celui-ci l'arrêta par ces mots : « A quoi bon révéler mes faiblesses au monde ? » L'historien répliqua, avec quelque embarras, que celles-ci pourraient servir de leçon à l'héritier royal, aussi bien que les grandes actions. Après un moment de silence, le souverain acquiesça. « Oui, conclut-il, toute la vérité doit être dite. Si vous gardiez le silence sur mes défauts, on ne vous croirait plus sur le reste. »

La mort de sa vieille alliée Élisabeth l'affecta profondément. Cependant, il accueillit la nouvelle par un mot que recueillirent ses intimes : « Il y a trois choses que le monde ne croira jamais, quelque vraies et certaines qu'elles soient : que la reine d'Angleterre est morte vierge, que l'archiduc d'Autriche est un grand soldat, et que le roi de France est un bon catholique. »

Même de son vivant, la légende de la paillardise du Vert-Galant avait franchi les limites de son royaume. Un jour, après une journée de chasse, il s'arrêta, pour se rafraîchir, dans une auberge de village. Pendant qu'on lui préparait à souper, il demanda qu'on lui envoyât l'homme le plus spirituel du pays pour le distraire pendant son repas. Un paysan se présenta devant le roi qui l'accueillit joyeusement en lui demandant son nom. « Gaillard », répliqua l'homme.

— « Quelle différence y a-t-il, poursuivit le roi, entre Gaillard et paillard ?

— Il n'y a que la largeur d'une table, répliqua hardiment le villageois.

— Ventre-Saint Gris, s'écria le roi en riant, je ne pensais pas trouver si grand esprit dans si petit coin. »

Il demanda un jour en souriant à l'ambassadeur de Rodolphe II de Habsbourg si l'Empereur avait des maîtresses. « S'il en a, répliqua sèchement l'envoyé, il les tient secrètes. » Mais on ne prenait pas aisément le Béarnais sans vert. « Il est vrai, dit-il, que certains hommes ont si peu de qualités qu'ils sont obligés de cacher leurs défauts. »

En dépit de « l'étrange quantité » de maîtresses que lui a reprochée Tallemant des Réaux, les prouesses amoureuses du Vert-Galant n'avaient rien de remarquable. Le même auteur mentionne que le roi n'était pas un grand *abatteur de bois*, et qu'il fut plus souvent trompé que trompeur. Un jour, Henriette d'Entragues, à la langue bien affilée, lui lança au visage le sobriquet de « capitaine Bonne Volonté », car avec lui, l'intention était toujours supérieure à la réalisation. Un autre jour, elle lui déclara brutalement qu'il était bien heureux d'être roi, car autrement elle n'aurait pas pu le supporter, « parce qu'il sentait horriblement ». Et l'on raconte que, dans sa nuit de noces, tous les parfums que Marie de Médicis avaient apportés d'Italie ne purent faire oublier à la jeune femme le contact de son nouvel époux, soldat plus à son aise au camp qu'à la Cour.

En dépit de la légende populaire, Henri IV n'était ni gourmand ni gourmet. S'il aimait les plaisirs de la table, c'était pour y voir couler l'esprit et la gaieté plutôt que le vin. Il buvait lui-même modérément, et il a rendu fameux par sa préférence les vins légers et rosés d'Arbois. Ses goûts n'étaient pas raffinés, ceux d'un soldat plutôt que d'un prince. Plus d'une fois, il étonna la Cour par son amour des mets simples, en particulier l'omelette à l'ail.

Il détestait les cérémonies et trouvait fastidieuse l'étiquette la plus indispensable. Ses manières à l'égard des corvées officielles étaient parfois d'une brusquerie déconcertante. En rentrant à Paris après le siège d'Amiens, il se vit obligé de subir une longue adresse de congratulation qui était prononcée par un magistrat à l'éloquence prolixe. Quand l'orateur, après un exode pompeux, en vint à la description rituelle de Sa Majesté comme « d'un prince très grand, très clément et très magnanime », le roi coupa court à cette belle période. « Vous pouvez ajouter : et très las, dit-il en souriant. Je vais aller me reposer et j'entendrai le reste de votre discours une autre fois. »

C'était d'ailleurs l'âge d'or des harangues. Un autre orateur s'adressa un jour au roi qui était près de dîner, et entama une homélie qui s'annonçait d'une longueur insupportable, toute remplie d'allusions classiques. « Quand Annibal quitta Carthage... — Ventre Saint-Gris, s'écria Henri avec humeur, quand Annibal quitta Carthage, il avait dîné, eh bien ! je vais faire comme lui. »

Il garda jusqu'à la fin son amour de la simplicité. Les divertissements coûteux et l'extravagance ostentatoire qui avaient été de mode sous ses prédécesseurs lui faisaient froncer le sourcil. Il encourageait les nobles à quitter la Cour, et à retourner dans leurs terres pour y vivre la simple existence du gentilhomme campagnard et y rebâtir leurs fermes à demi ruinées. Il interdit les duels, ce fléau toujours en honneur de son temps, et les punit sévèrement. Quand il traversait les rues de Paris dans son carrosse ouvert, le peuple le reconnaissait et le saluait avec ce manque de cérémonie qu'il affectionnait.

Mais ce contact n'était pas sans danger. La capitale fourmillait d'ennemis et d'espions. Même après le rétablissement de l'ordre des Jésuites en France, et après que le roi eut choisi l'un d'eux comme confesseur, le Père Cotton, les chaires de maintes églises retentissaient encore de dénonciations ou de malicieux sous-entendus contre le souverain prétendu secrètement hérétique. Et un jour que Henri traversait le Pont Neuf, escorté d'un seul compagnon, un homme, le poignard à la main, s'élança vers lui et saisit son cheval par la bride. L'assaillant fut aussitôt maîtrisé et il aurait été écharpé par la foule sans l'intervention du prince. On découvrit que c'était un insensé nommé Jean de l'Isle.

L'indulgence et la bonne grâce naturelle de Henri IV le rendaient accessible à tous ceux qui venaient implorer sa merci. Mais au besoin, il savait rester sourd aux interventions inopportunes. Un jour qu'un courtisan implorait sa pitié pour un neveu coupable de meurtre, le roi répliqua : « C'est votre devoir d'être oncle et c'est mon devoir d'être roi. J'excuse votre requête, et je vous prie d'excuser mon refus. »

Un jour, le maréchal de Boisdauphin le supplia d'accorder la grâce d'un gentilhomme à son service, nommé Bertaut, et condamné à mort par le Parlement. Le roi était sur le point de céder à ses prières, quand le président de Thou survenant, représenta au roi la gravité du crime et insista pour le maintien de la sentence. Henri perplexe se tourna vers le maréchal. « N'est-ce pas votre amitié pour ce Bertaut qui vous fait parler en sa faveur ? demanda-t-il. — Oui, Sire. — Ne dois-je pas croire que vous avez au moins autant d'amitié pour moi ? — Ah, Sire, quelle comparaison peut-il y avoir ? — Alors, je vous prie de laisser la justice suivre son cours, car en épargnant la vie de cet homme, vous me feriez perdre mon âme et mon honneur. J'offense déjà Dieu assez souvent pour ne pas me charger de ce nouveau péché. » Et la tête du coupable tomba en place de Grève.

A l'égard de tous ceux, grands ou petits, qui lui avaient fait quelque tort, le roi témoignait une noble générosité. Un jour qu'il était dans son carrosse avec le maréchal d'Estrées, le roi lui montra un des soldats qui marchait dans l'escorte. « Voilà l'homme qui m'a blessé à Aumale », dit-il à son compagnon fort étonné. C'était en effet l'ancien arquebusier de l'armée espagnole dont la balle avait frappé le roi à la hanche à Aumale et que celui-ci avait fait enrôler dans sa garde. Les manières simples et joviales du souverain l'avaient rendu très populaire parmi les Parisiens. Les dames de la Halle s'intéressaient passionnément à sa vie privée et discutaient ses affaires d'amour avec tant d'ardeur qu'on en venait parfois aux coups au sujet des mérites comparatifs de la reine et des favorites. Dans un accès de vertu, l'une de ces marchandes écrivit un jour à Marie de Médicis, une lettre indignée, pour lui dénoncer l'adultère du roi avec Henriette d'Entragues. Elle reçut une réponse chaleureuse, en même temps que la concession à perpétuité d'un étal sur le marché.

Mais les consœurs de cette femme vertueuse montraient généralement plus d'indulgente sympathie à ces amours extra-conjugales, auxquelles l'humeur acrimonieuse de la reine et les intrigues de son entourage poussaient irrésistiblement le galant souverain.

CHAPITRE XXVIII

LE MÉNAGE ROYAL
INTRIGUES ET QUERELLES

LE second mariage du roi s'était révélé désastreux. Nuls tempéraments ne se trouvaient en plus complet désaccord que ceux de Henri IV et de Marie de Médicis. Il était tout feu et elle toute glace. Il avait du Gascon la légèreté, la bravoure, la vivacité, la bonne humeur, l'amour de la plaisanterie. La reine, bien que Florentine, n'avait d'italien que son amour de l'intrigue et du pouvoir. Le sang flamand coulait lentement dans ses veines. Ses regards étaient lourds et soupçonneux, sa lèvre triste, son langage, qui fut toujours gâté par l'accent italien, était rude avec un ton perçant. Dans les six mois de son mariage, Henri retourna ouvertement à sa liaison avec Henriette et dans les deux ans, il installa publiquement sa maîtresse au Louvre sous le même toit que la reine, laquelle accepta l'arrangement avec d'autant plus de complaisance qu'elle-même s'était fait de l'Italien Concini un cavalier servant.

Fils d'un ministre ruiné de Côme de Médicis, ce jeune homme avait été tour à tour croupier dans une maison de jeu, pensionnaire d'une prison pour dettes, et *bravo*, ou spadassin aux gages des courtisans florentins qui, contre une bourse bien garnie, voulaient se débarrasser d'un ennemi. A la cour de Henri IV, cet intrigant fit bientôt figure de personnage influent. Le roi le détestait, mais répugnait à renvoyer un favori dont Marie de Médicis réclamait obstinément la présence, et dont l'intimité avec la reine, au surplus, laissait le roi libre de poursuivre sa carrière amoureuse. En dépit de l'opposition de Henri, la reine maria Concini à son amie intime, Léonora Galigaï et cette union, bien qu'elle régularisât la situation à la Cour du bel Italien, ne fit qu'encourager l'inti-

mité de celui-ci avec Marie de Médicis. Désormais, ce singulier
couple, physiquement si mal assorti, mais intellectuellement
si bien associé, domina entièrement l'esprit et le cœur de la
reine. La croyance populaire attribuait à Léonora un commerce avec le diable. Affligée de terribles maux de tête, et
sujette à des crises d'hystérie, elle recourait fréquemment aux
médecins et plus encore aux astrologues, parmi lesquels l'ancien personnage énigmatique de Côme de Ruggieri, le conseiller de Catherine de Médicis. Ces particularités confirmaient
les gens superstitieux dans leur conviction que l'Italienne pratiquait la magie et avait ensorcelé la reine.

Les prétentions insolentes de Concini et de Léonora étaient
une source de querelles incessantes entre le roi et la reine.
Fréquemment, la Cour était le théâtre de scènes violentes
au cours desquelles Marie de Médicis, en son français rocailleux,
lançait des injures contre le roi amoureux et sa *putane de
marquise*. Un jour, la reine s'emporta jusqu'à lever la main
sur Henri IV, et l'aurait frappé sans l'intervention de Sully
indigné, qui se trouva là à point pour lui saisir le bras sans
ménagement.

Les disputes se poursuivaient jusque dans le lit royal. Un
soir, la reine, dans une furieuse colère, se leva et griffa sauvagement le roi, qui lui rendit ses égratignures d'une poigne
vigoureuse. Le souverain, dans son amertume, confiait tristement à Sully ses malheurs domestiques et ses déceptions con-
jugales. « Je ne trouve ni agréable compagnie, ni réjouissance
ni satisfaction chez ma femme, laquelle ne veut ou ne peut
s'accommoder en aucune façon de mes humeurs et com-
plexions, faisant une mine si froide et si dédaigneuse lorsqu'arrivant du dehors, je viens pour la baiser, caresser et rire
avec elle, que je suis contraint de dépit de la quitter là et de
m'en aller chercher quelque récréation ailleurs. Ma cousine
de Guise, quand elle est au Louvre, est mon seul refuge. Elle
aussi, à l'occasion, me dit quelques déplaisantes vérités, mais
cela de si bonne grâce que je ne m'en offense pas, et je me
joins à elle pour rire de bon cœur de moi-même. »

Dans cette atmosphère de récriminations mutuelles, de per-
pétuels reproches et de secrètes intrigues, l'unique plaisir du

roi était la compagnie de ses enfants. Seule la fécondité de
la reine le réconciliait à l'occasion avec une femme aussi peu
aimable que Marie de Médicis. La naissance d'un héritier
du trône, le futur Louis XIII, combla de joie le cœur paternel
de Henri IV. Premier des rois de la race des Bourbons, il échappait ainsi à la sombre perspective d'être le dernier. En dépit
de l'heure tardive et de la faiblesse de la mère, il fit ouvrir
aussitôt toutes grandes les portes de la chambre royale, conviant la Cour et la ville à venir contempler le Dauphin. Il y
avait cinquante ans que l'on n'avait vu en France un tel
miracle.

Henri IV aimait les enfants avec la passion d'un paysan
qui en a été longtemps privé. « Hâtez-vous de me faire ce fils,
écrivait-il joyeusement à Henriette, de sorte que je puisse
vous faire une fille. » Et à la naissance de ce mâle, il le pro-
clama beaucoup plus beau que le dauphin qui était « sombre
et lourd comme tous les Médicis ». Les salles lugubres du
Louvre retentirent alors de joyeux cris qu'elles n'entendaient
plus depuis des années et le vieux palais devint la nourricerie
commune de toute la progéniture du roi. Les enfants de Gabrielle et ceux d'Henriette étaient élevés avec les fils et les
filles légitimes. A cette étrange et discordante assemblée, dont
les querelles et les vanités précoces reflètaient curieusement
la récente histoire de leur pays, et parmi lesquelles une admirable gouvernante, madame de Montglas, cherchait héroïquement à maintenir la paix, vint s'ajouter l'enfant d'une nouvelle maîtresse, le fils de Jacqueline de Bueil, comtesse de
Moret. Le chroniqueur Tallemant des Réaux nous rapporte
une amusante scène domestique du ménage royal. En dépit
des remontrances de Marie de Médicis, laquelle avait pour
les enfants l'indulgence de toutes les mères italiennes, il arrivait au roi de prendre une canne et d'en frapper le Dauphin.
Un jour, la reine, qui était témoin de cette punition, éclata
en reproches amers. « Vous ne traiteriez pas ainsi vos bâtards,
s'écria-t-elle. — Mes bâtards, répliqua le roi tranquillement,
peuvent être à tout moment corrigés par le Dauphin s'ils sont
méchants, mais qui corrigera le Dauphin si je ne le fais moi-
même ? »

En deux autres occasions, on rapporte que Henri IV châtia l'irascible enfant qui devint plus tard Louis XIII. La première fois, il le fouetta pour avoir tiré d'un pistolet chargé à blanc sur un infortuné gentilhomme de la Cour qui avait déplu à l'enfant, et la seconde fois pour avoir écrasé la tête d'un moineau. Et comme la reine se plaignait amèrement de ces punitions : « Priez Dieu, Madame, répliqua le roi, que je vive longtemps, car mon fils vous maltraitera quand je n'y serai plus », paroles prophétiques.

Officiellement, la liste des enfants naturels laissés par Henri IV est la suivante :

une fille mort-née à Nérac, en 1581, de Françoise de Montmorency ;

un fils, mort en bas âge, en 1588, de mère inconnue, et tout d'abord supposée Corisande, comtesse de Guiche ;

César, duc de Vendôme, né de Gabrielle d'Estrées, en 1594, légitimé l'année suivante ; Alexandre de Bourbon, chevalier de Vendôme, né de Gabrielle d'Estrées, à Nantes, en 1598 ;

un premier enfant mort-né de Henriette d'Entragues, en 1600 ; un second enfant, Henri de Bourbon, duc de Verneuil, en 1601 ; une fille, Angélique de Bourbon, née en 1603 et mariée, en 1622, au duc d'Épernon.

Antoine de Bourbon, né en 1607, de Jacqueline de Bueil et légitimé l'année suivante ;

Enfin deux filles de Charlotte des Essarts, comtesse de Romorantin : l'une, Jeanne-Baptistine de Bourbon, née en 1608, plus tard abbesse de Fontevrault, et Marie-Henriette de Bourbon, née en 1609.

CHAPITRE XXIX

LA CONSPIRATION D'ENTRAGUES
ET DU COMTE D'AUVERGNE

UNE nouvelle maîtresse allait succéder à Henriette d'Entragues, en 1604, par suite de la conspiration dans laquelle
son père et son demi-frère se trouvèrent impliqués. Le jeune
comte d'Auvergne, compromis dans la première conspiration
de Biron, avait été gracié par le roi. Une seconde fois, il se
trouva entraîné par son beau-père d'Entragues et le duc de
Bouillon dans un complot qui avait pour but de soulever les
mécontents des deux partis, catholiques et protestants, avec
l'appui de l'Espagne, et de proclamer le fils de Henriette héritier légitime du trône, à la place du Dauphin, en s'appuyant
sur la fameuse promesse de mariage faite imprudemment par
le roi, quatre ans auparavant.

Mais le complot fut découvert. Un espion anglais, Thomas
Mann, qui avait été au double service de l'Espagne et de
l'Angleterre, fut mis à la question et fit des aveux complets.
Le comte d'Auvergne et son beau-père furent arrêtés et ce
dernier contraint de restituer la compromettante promesse.
Ce précieux document fut placé, comme une sainte relique,
dans une boîte de cristal.

Henriette elle-même fut soumise par Sully, de la part du roi,
à un interrogatoire serré, et confessa cyniquement que, n'ayant
d'autre souci que d'assurer son avenir et celui de ses enfants
en cas de mort du père, elle ne pouvait consentir à se retirer
hors de France que moyennant une pension de 100.000 livres
par an.

Le moyen de défense était médiocre, et la culpabilité de Henriette flagrante, mais le roi lui témoigna une indulgence qui

faisait plus honneur à la beauté de l'intrigante qu'à la prudence de son amant.

L'arrêt qui prononçait la peine capitale contre son père et son demi-frère lui ordonnait de se retirer au couvent de Beaumont-les-Tours. Peu après, cette sentence était commuée en un simple bannissement dans son domaine de Verneuil et l'année suivante le pardon du roi mit fin à cet exil.

Le père de la favorite recouvra également sa liberté sur les instances de sa fille, et le comte d'Auvergne, qui avait trahi également le roi de France et l'Espagne, échappa à l'échafaud. Sa peine fut commuée en un emprisonnement perpétuel, et le coupable passa deux ans à la Bastille.

Quant au duc de Bouillon, peu après l'arrestation de ses complices, il offrit sa démission et remit au roi sa forteresse de Sedan.

Cependant, l'éloignement de Henriette d'Entragues avait amené le roi à prendre une nouvelle maîtresse, tandis que Marguerite de Valois faisait à la Cour une réapparition inattendue. Après une retraite de vingt années dans son château d'Auvergne, la reine de Navarre avait vu, dans la conspiration d'Entragues, une occasion propice pour regagner à la fois la faveur du roi, et la fortune de sa mère, dont elle avait été jadis frustrée par Henri III au profit du fils naturel de Charles IX, le comte d'Auvergne. Ce dernier vivait dans ses domaines, non loin d'Usson, d'où « Margot » pouvait surveiller adroitement ses faits et gestes. Elle réussit de la sorte à fournir à Henri IV des informations qui aboutirent à l'arrestation du conspirateur. Peu après, elle obtenait du roi l'autorisation de se rendre à Paris pour plaider devant le Parlement en revendication des biens du prisonnier. Elle s'installa d'abord dans l'hôtel de l'évêque de Sens, et plus tard se fit bâtir une maison sur la rive gauche de la Seine, près de la fameuse tour de Nesle.

Ce fut là que trente ans après son fâcheux mariage avec Henri de Navarre, l'infatigable Margot renoua la trame de sa vie aventureuse. Bien qu'elle ne fût plus qu'une femme sans beauté, alourdie par l'âge, et aux traits marqués par la cinquantaine. elle n'était lasse ni des passions ni des désillusions. Les amants se succédaient entre ses bras ardents, et les jeunes gens se laissaient envelopper dans les rets de ses inépuisables séductions. Mais sa nouvelle activité la mettait en contact avec des affaires d'État. Réconciliée avec son ancien époux, elle se contenta de jouer un humble rôle de confidente auprès des maîtresses successives. A l'arrivée en France de Marie de Médicis, elle avait adressé à la nouvelle reine une lettre respectueuse de bienvenue. Et quelques années plus tard, quand Henri, oublieux de la trahison de Henriette, sembla vouloir retrouver goût aux charmes de cette maîtresse, Margot s'appliqua adroitement à la réconciliation des deux amants. Mais cet empressement à rendre service à une femme plus jeune et qu'elle avait cordialement détestée, ne l'empêcha pas d'écrire une lettre de félicitations à Jacqueline de Bueil, qui avait succédé temporairement à Henriette.

« Si vous me traitez comme vous devriez le faire, je serai à vous plus que jamais. Sinon, considérez ceci comme les dernières lignes que vous recevrez de moi. » Tel était l'avertissement suprême que le roi adressait à Henriette, « après cinq années d'une conduite que tout le monde jugeait étrange ». Au mois d'octobre, Henriette était en disgrâce, et le roi avait trouvé consolation dans l'affection de mademoiselle de Bueil. Le 4, il ordonnait à Sully de délivrer 85.500 livres à la nouvelle favorite sur le trésor royal, et le lendemain, il la mariait au jeune Philippe Harvay de Champvallon, parent du bel Harvay de Champvallon qui avait été un des premiers amants de Marguerite de Valois. Le fiancé était un gentilhomme de bonne naissance, et bon joueur de luth, « mais déficient en toute autre matière ». Le soir des noces, les torches brûlèrent jusqu'à l'aube dans la chambre de la mariée, tandis que les compagnons du roi gardaient le mari au dehors. Et madame de Champvallon passa la nuit suivante avec Henri IV, dans la maison mise obligeamment à leur disposition par un courtisan, M. de Montauban. L'époux, de son côté, dormit dans une soupente au-dessus de la chambre des deux amants. Deux ans plus tard, tandis que la maîtresse était créée comtesse de Moret, son mariage était annulé et le joueur de luth, en guise de compensation, recevait une somme de 30.000 livres.

Quant à Henriette d'Entragues, à la suite de sa disgrâce, elle se consola dans les plaisirs de la table. A force de gourmandise, elle devint si grosse qu'elle était monstrueuse à voir, au dire d'un chroniqueur. Elle mourut à l'âge de quarante-quatre ans, sans avoir réussi à trouver un mari, détestée et elle-même pleine de haine à l'égard de tous ses amants qui l'avaient abandonnée.

CHAPITRE XXX

LE DERNIER AMOUR DU ROI
CHARLOTTE DE MONTMORENCY

CEPENDANT, de graves soucis pesaient sur l'âge mûr de Henri IV. Ses rêves de bonheur conjugal s'étaient évanouis. Son rêve d'unité nationale lui apparaissait irréalisable. La Cour n'était qu'une cabale d'Italiens, dominée par la sombre Léonora et l'insolent Concini. Jusque dans les couloirs hostiles du Louvre, il se voyait poursuivi par les récriminations harcelantes de sa femme et les railleries à peine déguisées de ses propres compagnons. Au commencement de l'année 1608, jamais la vie ne lui avait paru plus sombre. Il commençait à sentir le poids de l'âge. Son foyer était vide d'amour. Il ne se sentait plus aucun goût pour la chasse ni pour le jeu. Il avait pris le Louvre en horreur. Les rues de Paris lui semblaient pleines de figures singulières et menaçantes.

Son deuxième ménage n'avait été qu'une suite de querelles, au sujet de Concini, de Henriette d'Entragues, de madame de Moret. En outre, le refus qu'il opposait au mariage du Dauphin et de sa sœur avec la fille et le fils de Philippe III d'Espagne avait encore envenimé ses relations avec Marie de Médicis. Dans sa détresse et sa solitude, il avait cherché refuge à l'Arsenal, auprès de Sully et prié son confident de lui ménager un appartement dans cette forteresse.

Cependant, Marie de Médicis, avec son goût italien pour les fêtes brillantes, avait décidé d'organiser, avec le concours du poète Malherbe, un ballet des nymphes de Diane, auquel toutes les beautés de la Cour devaient participer. Elle vint soumettre au roi, las et morose, la liste de toutes les figurantes. Ni la marquise de Verneuil, ni la comtesse de Moret ne s'y trouvaient. Henri IV pria la reine d'inviter cette dernière.

Marie de Médicis refusa carrément, dans des termes qui ne ménageaient pas la nouvelle favorite. Sur quoi, le roi, en manière de représailles, déclara qu'il s'opposait à la présence de madame de Verderonne. Marie de Médicis maintint sa décision, et la fin de l'entrevue fut orageuse. Fort mécontent, le roi regagna son cabinet et s'y barricada, ne se souciant pas de rencontrer les danseuses qui se rendaient aux répétitions du ballet. Un jour pourtant, le hasard le mit en présence d'une de ces jeunes beautés qu'il ne put s'empêcher de suivre et d'admirer. Posée gracieusement sur un pied dans l'appareil léger d'une nymphe, elle tenait en main une flèche qu'elle dirigeait vers le cœur du roi.

L'impression produite sur Henri fut si foudroyante qu'il faillit se trouver mal. De nouveau, il était tombé éperdument amoureux. Dès lors, il ne fit plus aucune opposition au ballet, et les répétitions se poursuivirent triomphalement. Désormais, sa porte ne resta plus tristement close, à l'heure où défilaient les figurantes.

L'héroïne de ce coup de théâtre était Charlotte de Montmorency, fille du vieux connétable de Montmorency et de sa seconde femme. L'adroite jeune fille n'avait alors que quinze ans, mais pour le caractère, la hardiesse, l'éclat de sa beauté, elle était déjà une femme. Malheureusement pour le roi, elle était promise en mariage à M. de Bassompierre.

Cloué sur son lit par une soudaine attaque de goutte qui ne fit que surexciter sa folle passion, Henri éprouvait toute l'anxiété, les craintes et le désespoir d'un jeune amant.

Le duc de Bouillon, parent de Montmorency et qui détestait Bassompierre, suggéra une solution à l'embarrassant dilemme. Que le roi persuadât au connétable de donner sa fille au prince de Condé. Ce gentilhomme avait vu le jour dans la prison où sa mère, la princesse de Condé, avait été enfermée par les tribunaux huguenots, prévenue d'avoir empoisonné son mari. La paternité du prince de Condé restait d'ailleurs douteuse. On l'avait attribuée successivement à un page gascon, ou même, quoique faussement, à Henri de Navarre lui-même. Condé était un jeune homme sombre, maussade, avare, et au surplus, il détestait les femmes.

Les mémoires de Bassompierre nous rapportent la conversation qu'il eut avec le roi au sujet de ce singulier projet de mariage. Le jeune homme mandé au Louvre, trouva le roi au lit, les yeux hagards et la mine tirée d'insomnie et s'agenouilla au chevet, comme le voulait l'étiquette. Henri l'informa qu'il avait décidé de le marier à mademoiselle d'Aumale et de faire revivre le duché d'Aumale en sa faveur. Et comme Bassompierre objectait qu'il était déjà fiancé à Charlotte de Montmorency, Henri IV soupira profondément et lui dit sans hésitation : « Bassompierre, je veux te parler en ami. Je suis devenu non seulement amoureux, mais furieux et outré de mademoiselle de Montmorency. Si tu l'épouses et qu'elle t'aime, je te haïrai. Si elle m'aimait, tu me haïrais. Il vaut mieux que cela ne soit point cause de rompre notre bonne intelligence, car je t'aime d'affection et d'inclination. Je suis résolu de la marier à mon neveu le prince de Condé et de la tenir près de ma famille. Ce sera la consolation et l'entretien de la vieillesse, où je vais désormais entrer. Je donnerai à mon neveu qui est jeune, et aime mieux la chasse cent mille fois que les dames, cent mille francs pour passer son temps ; et je ne veux d'autre grâce d'elle que son affection sans prétendre davantage. »

Et comme Bassompierre déclarait s'incliner devant cette volonté, le roi l'embrassa en pleurant et lui promit qu'il pourvoirait à sa fortune comme à celle d'un de ses propres enfants.

La cérémonie du mariage de Charlotte de Montmorency avec le prince de Condé fut célébrée en mars, et après avoir touché l'énorme dot de sa femme, le complaisant époux se retira dans l'ombre. Guéri de son accès de goutte, le roi apparut transfiguré. Sa passion l'avait transformé et rajeuni. Après des mois de réclusion morose, on le vit de nouveau en public, montant à cheval, chassant, jouant à la paume, prenant part au concours de tir à l'oiseau avec les bourgeois de Paris, commandant à son tailleur des vêtements de satin garnis de dentelle, la barbe et les cheveux soignés et témoignant d'un intérêt inaccoutumé pour sa toilette.

Quant à la jeune femme responsable de ce changement quasi

miraculeux, elle ne négligeait rien pour enflammer l'ardeur
de l'amoureux. Un soir, il la supplia de se montrer à sa fenêtre,
ses cheveux tombant sur les épaules et éclairés par deux bougies. Par intérêt ou par compassion, elle accepta. Quand elle
apparut sur le balcon, le roi, qui se tenait en bas dans l'ombre,
poussa un grand cri et défaillit d'émotion. Charlotte ne fit
qu'en rire dédaigneusement en s'écriant : « Jésus, qu'il est
fou ! » Mais un peu plus tard, elle s'adoucit et fit peindre son
portrait secrètement à l'intention du roi. La toile roulée et
à peine sèche fut emportée en cachette par Bassompierre.
La vue des charmes de la jeune femme acheva de ravager le
cœur du prince. Toutefois, leurs relations étaient toujours
celles d'un père et de sa fille.

Ce fut alors que, dans l'espace de six semaines, survinrent
deux événements apparemment sans aucun lien, et qui pourtant allaient jouer un rôle prépondérant dans la politique
européenne.

Le premier fut la mort du duc de Clèves, et la querelle
depuis longtemps prévue au sujet de sa succession pour la
possession des provinces de Juliers et de Clèves, sur la frontière nord-est de la France. Cette contestation mettait aux
prises les deux maisons de France et d'Autriche.

Le deuxième fut la rentrée inattendue du prince de Condé
sur la scène conjugale. A l'instigation de sa mère, qui détestait
Henri IV, et poussé par une secrète ambition, le mari réclama
brusquement ses droits, et après une violente discussion avec
le roi sur cette question épineuse, il emmena Charlotte à Saint-
Valéry. Un mois plus tard, tous deux rentraient à la Cour,
sur la pressante invitation du souverain. Mais presque aussitôt
Condé, accompagné de sa mère et de sa jeune femme, faisait
une deuxième fugue et se rendait à l'abbaye de Breteuil, où
il possédait un domaine.

Averti par un message secret de Charlotte, Henri IV essaya
de l'y rejoindre. En proie à un violent désespoir, il quitta
Paris, suivi de quelques compagnons et avec une telle préci-
pitation qu'il faillit être arrêté par un prévôt de gendarmerie.
Cependant, il persuada à un gentilhomme, M. de Trigny, qui
habitait près de l'abbaye, d'inviter les trois Condé à dîner

pour la fête de Saint-Hubert. Condé accepta et se mit en route
pour le rendez-vous avec les deux femmes.

Tous trois se mêlèrent à la chasse. Le roi lui-même, habillé
en chasseur, mais cherchant à se déguiser par un bandeau sur
l'œil, chevauchait à la portière du carrosse et se fit reconnaître
de la jeune princesse. Une heure plus tard, Charlotte, rentrée
chez les Trigny, se mit à la fenêtre, et aperçut Henri qui lui
faisait des signes anxieux d'une autre fenêtre du château.

Mais la jeune femme fut surprise dans cette attitude par
sa vigilante belle-mère. Celle-ci arracha Charlotte de son poste,
et se répandit en reproches amers contre ses hôtes qui
avaient machiné cette scène. Et comme Henri accourait sur
ces entrefaites, elle lui adressa un torrent d'injures, et emmena
sa belle-fille à Breteuil. La nuit suivante, Condé enlevait sa
femme, et, mettant la frontière entre le roi et lui, il gagnait
Bruxelles et confiait Charlotte à la garde de l'archiduc
d'Autriche.

Ni menaces, ni supplications ne purent amener le prince
à quitter ce refuge. Vainement, la princesse, à qui son époux
était devenu odieux, lança secrètement des appels désespérés
vers le roi, qu'elle appelait « son ange, son brave chevalier,
son cœur. » Elle ne reçut aucune réponse. Mais la colère, le
chagrin, et la déception, en exaspérant Henri IV, lui firent
hâter les préparatifs d'une expédition militaire qui devait le
rapprocher de l'objet de sa passion.

CHAPITRE XXXI

LES PRÉPARATIFS DE GUERRE
L'ASSASSINAT DE HENRI IV

L'HIVER de 1609 touchait à sa fin. Le printemps de 1610 s'ouvrait sur un dernier et grandiose projet de Henri IV. La succession de Clèves lui fournissait l'occasion de porter un nouveau coup à sa vieille ennemie l'Espagne. Cependant, les vastes préparatifs qu'il avait poursuivis de concert avec ses alliés suisses et hollandais, la mise sur pied d'une armée de 40.000 hommes, considérable pour l'époque, l'accumulation, par la sage et économe administration de Sully, d'un trésor de guerre suffisant pour entretenir ces forces pendant trois ans sans imposer à ses sujets de nouveaux impôts, restaient manifestement hors de proportion avec le but immédiat qu'il se proposait. Quel était donc le secret de cette expédition militaire ? L'habile souverain voyait-il plus grand et plus loin que les hommes d'État de son temps ? Espérait-il jouer le rôle d'un arbitre triomphant entre le Pape et l'Empereur, et rabaisser à jamais les ambitions de la maison d'Autriche ?

Et finalement, comme Sully l'affirme, rêvait-il d'établir en Europe une République chrétienne, en précurseur des États-Unis d'Europe, envisagés par Aristide Briand, une association de quinze États égaux et souverains, héréditaires ou électifs, dans laquelle la France et l'Angleterre, le Pape et l'Empereur, les Provinces Unies des Flandres libérées et l'Italie unifiée, accepteraient de soumettre leurs différends à un Conseil de soixante représentants se rencontrant dans une ville du centre de l'Europe ?

Ce rêve magnifique persiste dans l'imagination des hommes, il hante, de nos jours, les hommes d'État libéraux, comme il hantait ce monarque libéral qui s'appelait Henri IV. Mais au commencement du XVIIe siècle, ce n'était qu'une utopie. Les faibles rumeurs de ce Grand Dessein qui parvenaient jusqu'à un public ignorant, lui paraissaient sinistres et fantastiques, et l'œuvre même de l'Esprit du Mal. Tandis que les armées royales se concentraient lentement à Châlons-sur-Marne, le bruit se répandait dans Paris et dans les grandes villes du royaume que la guerre se préparait contre le Pape. La nouvelle s'imposa avec toute sa terrible signification dans un faible cerveau déjà assombri par des visions de fantômes et de cauchemars, celui de François Ravaillac.

Né à Angoulême en 1578, le futur assassin de Henri IV atteignait trente-et-un ans au printemps de 1610. C'était un homme maigre, au teint terreux, et aux cheveux rouges. Arrivé à Paris à l'âge de 18 ans, il avait vécu quelques années comme frère au monastère des Feuillants. Durant un premier séjour dans la capitale, il avait logé une nuit rue de la Harpe, dans une auberge à l'enseigne du Rat. Là, il avait eu une vision qu'il rapporta à un nommé Dubois, et qui témoignait déjà de son dérangement mental. De retour à Angoulême, en 1605, il y ouvrit une école, qui lui permit de vivre ainsi que sa mère. En 1609, il était de retour à Paris. On l'avait vu, dans l'intervalle, en compagnie suspecte et en maints endroits, tels que Naples, où les ennemis du roi complotaient librement. Il revint dans la capitale, l'esprit déjà fixé sur son fatal projet. Cependant, il hésitait encore, imparfaitement convaincu de sa mission prédestinée. Il résolut enfin de voir Henri lui-même et d'essayer de le convaincre de son hérésie.

Au début de 1610, un homme se présenta au Louvre et voulut en forcer l'entrée. La première fois, le prévôt des Gardes lui répondit que Sa Majesté était sortie, et l'inconnu s'éloigna de mauvaise grâce. A sa seconde tentative, Ravaillac, car c'était lui, fut fouillé et interrogé, et enfin expulsé sur l'ordre du roi. Il essaya une troisième fois de parler au souverain. Un jour que Henri passait dans son carrosse près de la Bastille, un homme pâle habillé de vert s'efforça d'attirer son attention. « Au nom de Notre-Seigneur Jésus et de sa Sainte Mère, supplia-t-il, laissez-moi vous parler. » Mais le roi écarta l'importun de sa courte baguette, et Ravaillac disparut au milieu de la foule.

Cependant, il quitta Paris, et alla passer la semaine sainte dans sa paroisse natale. Mais à peine s'était-il confessé qu'il retournait à sa fatale résolution. Il partit de nouveau pour la capitale. A Étampes, un crucifix de pierre au bord de la route attira ses regards, et il crut voir dans les yeux du Christ un reproche pour ses hésitations. Enfin, arrivé à Paris, il entra dans une auberge et déroba un couteau dans la cuisine.

Cependant, Henri IV terminait ses préparatifs militaires et politiques. Il avait nommé un conseil de régence composé de quinze personnes, avec la reine à sa tête, pour gouverner le royaume en son absence. Il allait partir pour Châlons rejoindre son armée, quand Marie de Médicis, poussée par ses favoris italiens, pressa le roi de la faire couronner à Saint-Denis, cérémonie qui rehausserait l'autorité de la Régente.

Henri n'y consentit qu'à regret. La fièvre et la passion qui agitaient Paris pendant la semaine sainte, et que Gabrielle avait si fort redoutées onze ans auparavant, remplissaient la capitale d'une populace tumultueuse. Le roi avait reçu maints avertissements qui le menaçaient d'une mort imminente, dont l'un venu de la reine. Un devin consulté par celle-ci lui avait prédit que la fête du couronnement se terminerait dans le sang et le deuil. Une nuit, Marie de Médicis s'éveilla d'un cauchemar où elle rêvait que le roi était frappé d'un coup de couteau. L'astrologue La Brosse, médecin du comte de Soissons, avait informé le roi que la journée du 14 mai lui serait néfaste. Le souverain refusa de prendre garde à ces avis et traita leurs auteurs de fous.

Cependant, même dans cet esprit dépourvu de superstition, ces diverses prophéties tracèrent lentement leur chemin, et il s'en ouvrit à Sully. « Je crains que ce couronnement ne me porte malheur. Ils me tueront et jamais je ne quitterai plus la Cité. » Et il avoua à son grand ministre qu'il redoutait de sortir dans son carrosse.

Toutefois, il dissimula ses appréhensions et, le 13 mai, lors du couronnement de la reine à l'abbaye de Saint-Denis, il émerveilla ses courtisans par un retour inattendu à son ancienne gaieté. Rentré au Louvre après la cérémonie, il y passa une nuit agitée et sans sommeil. Le lendemain matin, il se rendit à la messe des Feuillants, et en sortant de la chapelle, il rencontra Bassompierre et le duc de Guise. Il leur confia ses sombres pressentiments. « Vous ne me connaissez pas maintenant, leur dit-il, mais quand je mourrai et quand vous m'aurez perdu, vous saurez ce que je vaux et quelle différence il y a entre moi et les autres hommes. »

Au Louvre, son humeur changeait d'heure en heure. On le vit tour à tour silencieux et préoccupé, insouciant et gai. Mais à la table où il s'assit avec ses ministres pour traiter des affaires de l'État, l'un d'eux remarqua son attitude anormale.

Il entra dans l'appartement de la reine, et y trouva plusieurs dames, parmi lesquelles la duchesse de Guise, et plaisanta avec elle.

Un conseil des ministres devait se tenir à l'Arsenal, Sully malade ne pouvant se rendre au Louvre. Le roi hésitait à partir. « Irai-je ou n'irai-je pas ? » dit-il deux ou trois fois à la reine. Finalement, il embrassa tendrement sa femme, descendit l'escalier, renvoya ses gardes, et monta dans son carrosse, accompagné du duc d'Épernon et de deux gentilshommes.

Quand le lourd et encombrant véhicule quitta la rue Saint-Honoré pour entrer dans l'étroite rue de la Ferronnerie, il trouva le passage obstrué par deux charrettes, l'une chargée de foin, l'autre de tonneaux de vin. Quelques valets de pied de l'escorte s'étaient écartés pour frayer un chemin au cortège. Pendant quelques minutes, celui-ci se trouva arrêté près d'une petite boutique, à l'enseigne d'un cœur percé d'une flèche. C'était le moment que guettait Ravaillac qui, sans être aperçu, suivait le carrosse depuis le Louvre. Posant un pied sur une borne et l'autre sur une des roues de la voiture, il frappa de son couteau le roi par derrière. Au premier coup, Henri leva son bras gauche en murmurant : « Je suis blessé. » L'assassin porta un deuxième coup qui atteignit la victime au cœur.

Quelques historiens ont cru voir en Ravaillac un instrument du duc d'Épernon. Assurément ce gentilhomme avait des raisons pour ne pas aimer le roi. Depuis la soumission de la Ligue,

l'orgueil et l'impétuosité de l'ancien mignon de Henri III
l'avaient mis plus d'une fois en conflit violent avec le roi.
Sans doute, les deux hommes s'étaient réconciliés plus ou
moins. Mais les ennemis du duc faisaient remarquer qu'après
le premier coup porté par l'assassin, d'Épernon présent avait
négligé de protéger son maître contre le coup mortel.

La conduite du duc après l'assassinat éleva pareillement
des soupçons. Quand le carrosse eut ramené au Louvre le
cadavre du roi, d'Épernon fit fermer les portes du palais, et
placer des gardes sur le Pont Neuf, et dans tous les endroits
qui commandaient les accès du Parlement. On sut aussi que,
s'étant rendu auprès du premier Président, Achille de Harlay,
il somma le magistrat, sous la menace du poignard, de renoncer
à toute enquête relative à son propre rôle ou à celui de la
reine dans le procès du criminel.

En ce qui concerne son entente avec Marie de Médicis, on
peut remarquer qu'en deux occasions au moins, le duc intervint énergiquement en sa faveur, la première fois, dès la mort
du roi, pour ordonner au Parlement de reconnaître tout pouvoir à la Régente, la seconde fois, quelques années plus tard,
quand il vint lui-même délivrer la reine mère emprisonnée à
Blois, par ordre de son fils Louis XIII.

Mais la seule charge précise qu'on puisse retenir contre
d'Épernon est la déclaration d'Anne d'Escoman. Peu de
temps avant l'assassinat, cette femme avait averti le roi que
d'Épernon et Henriette d'Entragues complotaient sa mort, et
elle répéta cette accusation durant le procès de Ravaillac. Mais
comme elle n'apportait aucune preuve, le duc écarta dédaigneusement ce témoignage, en déclarant que la femme était
folle. La malheureuse fut arrêtée, condamnée à la détention
perpétuelle et mourut peu après dans sa prison.

Même les juges de Ravaillac n'osèrent pas exprimer toute
leur opinion sur la puissance mystérieuse dont on suspectait
l'assassin de s'être fait l'instrument. Les circonstances dans
lesquelles se déroula le procès renforcèrent d'ailleurs la conviction générale qui attribuait des complices au régicide. Pendant les deux jours qui suivirent l'assassinat, contrairement
aux mesures prises d'ordinaire pour isoler rigoureusement

l'auteur d'un crime contre l'État, on permit à Ravaillac, détenu sans trop de rigueur à l'hôtel de Retz, de recevoir maints visiteurs mystérieux. L'un de ceux-ci, dit-on, lui avait adressé ces paroles significatives : « Prends bien soin de ne pas charger de hauts personnages. »

Sous les tenailles rougies au feu qui mordaient sa chair, et avant que son corps fût tiré à quatre chevaux, l'assassin conserva jusqu'à la fin son calme et son obstination. Il avait été choisi, assurait-il, pour exécuter le jugement divin contre un hérétique, et il acceptait la terrible sentence dans l'espoir de la couronne du martyre.

Dès que Ravaillac eut expiré, le peuple se jeta sur ses misérables restes, et se les partagea avec fureur.

ÉPILOGUE

L E drame est maintenant terminé. Les yeux du bon roi que tant de fois avaient éclairés la bonté et la pitié, sont clos sur le secret de sa mort et les désillusions de son règne trop court.

Henri de Navarre avait suivi dans la tombe Henri de Valois et Henri de Guise ; tous trois avaient été frappés de mort violente. Avec lui prenait fin cette époque dont il était le dernier survivant parmi les grands princes de l'Europe. Élisabeth et Philippe II l'avaient précédé.

Avec Henri IV disparaissaient toute la folie héroïque, tout le brillant courage, l'amour du romanesque, et les derniers restes de la chevalerie moyenâgeuse qui distinguèrent ce siècle parmi les autres.

Ayant vécu dans un monde en transformation, il mourut dans un monde changé pour le meilleur ou pour le pire. Après lui, le pouvoir passe des mains des hommes de guerre dans celles des prêtres et des magistrats. La bataille de la religion a été gagnée et perdue. La bataille de la liberté a été perdue et gagnée. C'est à présent pour deux siècles qu'elle va se poursuivre en France.

On a regardé à juste titre Henri IV, même avant Richelieu, comme le constructeur de la France moderne. Il fut le premier à remettre de l'ordre dans les finances. Avec l'aide du grand ministre Sully, il restaura l'agriculture, construisit des routes et des canaux, introduisit en France l'industrie de la soie et la culture du mûrier, détruisit maints abus locaux dans la perception des taxes, envoya des explorateurs au Canada et aux Indes, ouvrit des routes au commerce, rebâtit des cathédrales et des palais. Quand il monta sur le trône, comme il l'a déclaré, trois partis se disputaient le pouvoir : les Huguenots, la Ligue et les Politiques. Il réalisa l'unité du royaume, établit solidement ses frontières depuis la Savoie jusqu'à la mer du Nord, et finalement abattit la Ligue et en dispersa les membres.

Dans le champ de la politique européenne, il manœuvra brillamment entre les dangers presque écrasants qui le menaçaient. Il tint tête avec succès à la vigilante inimitié de l'Espagne. Sa résistance énergique aux ambitieux desseins de Philippe II contribua, autant que celle d'Élisabeth, à hâter la fin de cette monarchie et le déclin de l'empire espagnol. Même après le traité de Vervins, il encouragea secrètement les États Généraux de Hollande dans leur guerre de libération. Dans ses relations avec l'Angleterre, toujours cordiales, il ne se départit jamais d'une prudence qui rivalisait avec celle de la vieille reine. Il soutint les Vénitiens contre le Pape, et le Pape contre l'Espagne. Il fournit des armes et de l'argent aux citoyens de Genève dans leur longue lutte contre le duc de Savoie. Sa clairvoyance, la largeur de ses vues, son manque d'ambition relativement à des conquêtes territoriales, n'apparurent jamais mieux à leur avantage que dans les clauses tant critiquées du traité de paix qu'il signa avec le duc de Savoie. Renonçant aux anciennes prétentions de la France sur l'inutile et coûteux marquisat de Saluces, il reçut en échange les provinces de Bresse et du Bugey, établissant ainsi l'autorité de la France dans un pays que s'étaient longtemps disputé deux puissances rivales.

Sa plus grande œuvre, que devait détruire un siècle plus tard son petit-fils Louis XIV, fut la pacification du royaume par l'Édit de Nantes, cette charte qui mettait la religion protestante en France sur un pied d'égalité avec l'Église de Rome. L'Édit fut l'acte d'expiation de Henri IV pour son abjuration, mais aussi la justification politique de sa conversion, puisque comme chef d'une minorité religieuse, il ne pouvait espérer établir les huguenots en maîtres.

Mais, par une ironie tragique du sort, il fut frappé par la main d'un fanatique au nom de la religion qu'il avait embrassée, et non de celle qu'il avait abjurée. Ainsi se rapproche-t-il par sa fin de cet autre grand martyr de sa génération, l'héroïque Coligny.

Plus de trois siècles après son assassinat, Henri IV apparaît une des plus grandes et des plus sympathiques figures de l'Histoire de France. De cette longue liste de rois, de tous ces souverains encensés ou décriés, le Vert-Galant presque seul a su garder l'affection d'un peuple toujours demeuré largement républicain de cœur, même aux temps les plus florissants de la monarchie. Ses galanteries mêmes font partie de l'histoire galante de la France. Et la suite aventureuse de ses bonnes fortunes intéresse encore une postérité qui regarde avec indifférence ou dédain les affaires d'amour de Louis XIII ou de Louis XIV.

Quand on a contemplé la sévère et pompeuse magnificence de Versailles, on ne peut qu'éprouver un soulagement en se tournant vers la cour humaine et vivante de Henri IV. Pendant une période trop brève, il a fait revivre la simplicité et les mœurs démocratiques des rois de France du Moyen Age, et a porté ainsi un coup mortel au régime de ses successeurs.

Quand la royauté de Versailles eut été abolie et son dernier représentant décapité, le culte de Henri IV se répandit brusquement parmi les écrivains et les peintres de l'époque révolutionnaire. Par un étrange paradoxe, la libre et simple monarchie leur semblait la justification même de leur révolte.

Et quand, la populace ayant violé les tombeaux des rois de France à Saint-Denis, les traits héroïques merveilleusement conservés du premier des Bourbons réapparurent pour la première fois depuis deux siècles, les rudes commissaires et les sans-culottes eux-mêmes se sentirent frappés d'émotion et de respect. Même aux yeux de ces robustes républicains en révolte sincère contre l'affectation, l'hypocrisie et la magnificence stérile du XVIIIe siècle, le grand roi restait le vivant symbole de l'esprit de liberté, de l'esprit de miséricorde, et par-dessus tout de la vieille gaieté française.

BIBLIOGRAPHIE

Lettres de la reine Élizabeth d'Angleterre au roi Henri IV *(Archives de la Ville de Genève)*.

Lettres du roi Henri IV aux Genevois *(Archives de la Ville de Genève)*.

Correspondance des Ambassadeurs des États-Généraux des Provinces-Unies *(Archives royales de La Haye)*.

HENRI IV. *Lettres missives.*

SULLY. *Œconomies royales.*

POIRSON. *Histoire du règne de Henri IV.*

ZELLER. *Henri IV et Marie de Médicis.*

PRÉVOST-PARADOL. *Élizabeth et Henri IV.*

PÉRÉFIXE. *Histoire de Henri IV.*

SEURIN. *Les amis de Henri IV.*

LAVISSE. *Histoire de France.*

FAGNIEZ. *Economie sociale de la France sous Henri IV.*

MICHELET. *Histoire de France.*

MARGUERITE DE VALOIS. *Mémoires.*

PHILIPPSON. *Heinrich IV und Philipp III.*

L'ESTOILE. *Mémoires-journaux du règne de Henri IV.*

BASSOMPIERRE. *Journal de ma vie.*

D'AUBIGNÉ. *Mémoires.*

LEGRAIN. *Décade contenant la vie et les gestes de Henry le Grand.*

TALLEMANT DES RÉAUX. *Historiettes.*

MALHERBE. *Œuvres.*

CAPEFIGUE. *Histoire de la Réforme, de la Ligue et de Henri IV.*

DUC D'AUMALE. *Histoire des Princes de Condé.*

DE CRUE. *Les derniers Desseins de Henri IV.*

—   *Henri IV et les Députés de Genève.*

HENRARD. *Henri IV et la Princesse de Condé.*

DE LESCURE. *Les Amours de Henri IV.*

DE LANUX. *Histoire de Henri IV.*

DE VAISSIÈRE. *Henri IV.*

TABLE DES MATIÈRES

H. HOUBEN
Christophe Colomb
(1447-1506)

Célèbre navigateur, découvreur du Nouveau Monde.

Dès 1476, il semble avoir imaginé qu'il était possible d'atteindre les Indes par la voie de l'Atlantique, à l'ouest de l'Europe. En 1484, il se rend en Espagne afin de préparer une expédition mais c'est après huit années d'attente qu'il obtient enfin l'accord d'Isabelle la Catholique.

Le 3 août 1492, trois caravelles, la *Santa Maria,* la *Niña* et la *Pinta,* quittent l'Espagne...

Christophe Colomb ne se doutait pas qu'il allait découvrir un continent inconnu, le 12 octobre 1492.

histoire payot

Éric Thompson

La civilisation maya

Les six siècles qui s'écoulèrent de l'an 300 à l'an 900 furent pour l'Europe une période sombre et sanglante, tandis que dans le Nouveau Monde, la civilisation maya atteignait son apogée. Tout au long de ces siècles, les grandes cités maya et les centres religieux dressèrent leurs pyramides, leurs palais et leurs temples sous le soleil de l'Amérique Centrale. Puis l'histoire tourna : l'Europe occidentale entra dans son ère médiévale alors que les cités maya étaient abandonnées.

Telle est l'épopée que fait revivre E. Thompson dans cet ouvrage où il reconstitue l'environnement et la vie quotidienne d'un peuple dont l'histoire demeure l'un des grands moments de l'humanité.

histoire payot

V. Chklovski

Le voyage de Marco Polo
(1254-1324)

Grand voyageur vénitien à l'époque de la toute-puissance de Venise.

Marco Polo s'embarque à l'âge de 17 ans. Il traverse toute l'Asie en passant par la Mongolie et atteint la Chine du Nord en 1275. Il apprend la langue mongole et séjourne en Chine pendant 16 ans durant lesquels il est chargé de nombreuses missions dans le pays. Après son retour à Venise en 1295, Marco Polo participe à la bataille de Curzola où il est fait prisonnier par les Génois. C'est pendant sa captivité qu'il dicte à l'un de ses compagnons le récit précieux de ses voyages.

histoire payot

M. S. CORYN

Bertrand Du Guesclin
(1320-1380)

Connétable de France.

Bertrand Du Guesclin est l'un des plus grands capitaines du Moyen Age. Il incarne toutes les valeurs chevaleresques du guerrier médiéval, fidèle et courageux.

Pendant la Guerre de Cent Ans, il consacre sa vie entière à la consolidation du Royaume de France afin qu'il puisse résister aux invasions étrangères.

Après le traité de Brétigny (1360), la France perd le quart du royaume de Philippe le Bel. Bertrand Du Guesclin est alors au service du roi, Charles V. Il délivre le royaume des Grandes Compagnies qui pillent le pays en les dirigeant sur l'Espagne. A son retour, il réussit à chasser les Anglais hors de France.

Bertrand Du Guesclin meurt pendant le siège qu'il dirige devant Chateauneuf-de-Randon.

histoire payot

L. STRACHEY

La Reine Victoria
(1819-1901)

Reine de Grande-Bretagne et d'Irlande.

Victoria accède au trône en 1837 à l'âge de dix-huit ans.
Elle témoigne d'un caractère indépendant et énergique
et épouse en 1840, malgré l'avis de sa mère, son cousin
Albert de Saxe-Cobourg.

Initiée à la politique par Lord Melbourne, elle laisse
fonctionner le régime parlementaire et essaie surtout
d'intervenir en politique étrangère. C'est pendant son
règne que la Grande-Bretagne s'installe au premier rang
des puissances économiques mondiales et que l'Empire
connaît son apogée colonial.

Son ministre favori, Disraeli, lui fait donner en 1876
le titre d'Impératrice des Indes.

Par son prestige et son autorité, Victoria symbolise
l'Angleterre impérialiste et victorieuse.

histoire payot

P. BALLAGUY

Bayard
(1475-1524)

Surnommé « le chevalier sans peur et sans reproche »,
Bayard est demeuré pour l'histoire un modèle de courage, d'honneur et de respect de l'ennemi vaincu.

Servant d'abord Charles VIII lors des campagnes italiennes, son acte de bravoure le plus illustre est la
défense du pont du Garigliano contre deux cents Espagnols.

Blessé au siège de Brescia, Bayard combat ensuite en
Picardie où il est fait prisonnier par les Anglais pour
avoir refusé de suivre l'armée en déroute. Henri VIII
le relâchera sans rançon, après avoir tenté de se
l'attacher.

A l'issue de la victoire de Marignan, à laquelle il
contribue largement, François Ier lui demande de l'armer
chevalier.

Revenu dans le Nord, Bayard contraint Charles Quint
à lever le siège de Mézières, puis repart pour l'Italie où
il est mortellement blessé sur la Siesa.

histoire payot

M. Lewis

L'Invincible Armada

Ce nom est donné à la flotte de guerre espagnole
envoyée par Philippe II contre l'Angleterre en 1588,
afin de détrôner Elizabeth Ire pour rétablir le catholicisme.

Après avoir essuyé de nombreuses tempêtes, l'Armada
se heurte à la flotte britannique, inférieure en nombre
mais commandée par de remarquables marins.

C'est la phase la plus dramatique de ce désastre maritime, la dispersion de l'Armada après sa défaite,
l'odyssée des vaisseaux isolés longeant la côte anglaise
par le nord, ballotés ou engloutis par de terribles tempêtes, le massacre des Espagnols échoués en territoire
britannique. Enfin le retour des rescapés dans la pénin-
sule ibérique, apportant un douloureux terme aux prétentions d'hégémonie maritime de Philippe II. La fin
d'une flotte et d'un empire.

histoire payot

D. Centore-Bineau

Saint-Just
(1767-1794)

Enthousiasmé par la Révolution de 1789, Saint-Just devient lieutenant-colonel de la Garde Nationale locale de Picardie.

Il participe à la Fête de la Fédération et escorte la voiture du roi au retour de Varenne.

Le collège de Soissons l'envoie en 1792 à la Convention. C'est là, au procès de Louis XVI, qu'il s'impose comme l'un des principaux orateurs de la Montagne. Il joue un grand rôle dans la Constitution de 1793 et entre au Comité de Salut Public.

Lorsque la Révolution est menacée à l'intérieur et à l'extérieur des frontières, il part pour l'armée du Rhin où il rétablit la discipline et obtient plusieurs victoires militaires.

Très lié à Robespierre, il est l'un des théoriciens du gouvernement révolutionnaire et de la Terreur. Accusé avec lui, il est guillotiné le 28 juillet 1794, à l'âge de 27 ans.

histoire payot

A. H. VERRILL

L'Inquisition

Destinée d'abord à combattre et réprimer l'hérésie, l'Inquisition fut créée à l'origine par d'authentiques chrétiens ayant avec ardeur fait vœu de pauvreté.

Mais la chasse aux hérétiques se transforme bientôt en un véritable instrument d'administration et de politique, s'exerçant par la peur et la torture contre la magie et la sorcellerie.

Intimement liée aux mœurs du Moyen Age, l'Inquisition se déplace en Espagne et jusqu'au Nouveau Monde où elle ne disparaît qu'en 1813. A travers l'Histoire, de nombreux récits, certains procès (dont celui de Jeanne d'Arc), l'auteur nous donne ici une vision globale de plusieurs siècles qui devaient marquer aussi bien l'Europe qu'une partie du Nouveau Monde.

histoire payot

F. ARMITAGE

Lawrence d'Arabie
(1888-1935)

Tour à tour encensé ou décrié, adoré ou méprisé, T. E. Lawrence est resté célèbre sous le nom de Lawrence d'Arabie, dont la littérature et le cinéma ont fait un héros légendaire, sorte d'aventurier des temps modernes, à mi-chemin entre l'espion et le baroudeur.

Aventurier il le fut certainement. Fasciné par le Proche-Orient comme bon nombre de ses compatriotes, il se fait le champion de la cause arabe contre l'Empire Turc lorsqu'éclate la Première Guerre Mondiale.

Soutenu par les Services Secrets britanniques, il conduit une série de raids et de campagnes victorieuses qui le mènent jusqu'en Palestine et enfin à Damas.

Mais Lawrence est déçu par les traités et estime trahie la cause arabe. Il s'enfonce alors dans l'anonymat, comme simple soldat de la R.A.F. et meurt à 47 ans d'un accident de motocyclette.

Il laissait derrière lui un livre superbe, récit de la révolte arabe de 1916-1918, qui devait devenir un monument de la littérature contemporaine : *Les Sept Piliers de la Sagesse.*

histoire payot

M. Prawdin

Genghis Khan

Ce prince tartare (mort en 1227) a été l'un des plus grands conquérants de l'histoire. Il a créé un empire qui allait de l'océan Pacifique à la Méditerranée, de la taïga sibérienne à l'Himalaya.

Sous la conduite de ses fils, les Mongols déferlèrent sur l'Europe. Ce fut l'attaque la plus violente que l'Asie ait jamais lancée contre le continent européen.

La « paix tartare », qui avait coûté la destruction de vingt royaumes et la vie de dizaines de millions d'hommes, avait accompli son destin historique de confronter les civilisations de l'Orient et de l'Occident qui s'étaient jusque-là développées indépendamment l'une de l'autre aux frontières extrêmes de l'Eurasie.

histoire payot

histoire payot